KU-082-060

Quand sort la recluse

DU MÊME AUTEUR

Les Jeux de l'amour et de la mort, Éditions du Masque, 1986
Ceux qui vont mourir te saluent, Viviane Hamy, 1994 (écrit en 1987) ; J'ai lu, 2008
Debout les morts, Viviane Hamy, 1995, prix Mystère de la Critique 1996, prix du Polar de la ville du Mans 1995, International Golden Dagger 2006 (Angleterre) ; J'ai lu, 2005
L'Homme aux cercles bleus, Viviane Hamy, 1996 (écrit en 1990), prix du Festival de Saint-Nazaire 1992, International Golden Dagger 2009 (Angleterre) ; J'ai lu, 2008
Un peu plus loin sur la droite, Viviane Hamy, 1996 ; J'ai lu, 2006
Sans feu ni lieu, Viviane Hamy, 1997 ; J'ai lu, 2008
L'Homme à l'envers, Viviane Hamy, 1999, Grand Prix du roman noir de Cognac 2000, prix Mystère de la Critique 2000 ; J'ai lu, 2008
Les Quatre Fleuves, (illustrations Edmond Baudoin), Viviane Hamy, 2000, Prix ALPH-ART du meilleur scénario, Angoulême 2001
Pars vite et reviens tard, Viviane Hamy, 2001, prix des libraires 2002, prix des Lectrices ELLE 2002, prix du meilleur polar francophone 2002, Deutscher Krimipreis 2004 (Allemagne) ; J'ai lu, 2005
Coule la Seine, (illustrations Edmond Baudoin), Viviane Hamy, 2002 ; J'ai lu, 2008
Sous les vents de Neptune, Viviane Hamy, 2004, International Golden Dagger 2007 (Angleterre) ; J'ai lu, 2008
Petit Traité de Toutes Vérités sur l'Existence, Viviane Hamy, 2001 ; Librio, 2013
Critique de l'anxiété pure, Viviane Hamy, 2003 ; Librio, 2013
Dans les bois éternels, Viviane Hamy, 2006 ; J'ai lu, 2009
Un lieu incertain, Viviane Hamy, 2008 ; J'ai lu, 2010
L'Armée furieuse, Viviane Hamy, 2011 ; J'ai lu, 2013, International Golden Dagger 2013 (Angleterre)
Le Marchand d'éponges, (illustrations Edmond Baudoin), Librio, 2013
Salut et liberté, Librio, 2013
Temps glaciaires, Flammarion, 2015 ; J'ai lu, 2016

Europäischer Krimipreis de la ville d'Unna pour l'ensemble de son œuvre, 2012 (Allemagne)

Fred Vargas

Quand sort la recluse

Flammarion

ISBN : 978-2-0814-1314-6

I

Adamsberg, assis sur un rocher de la jetée du port, regardait les marins de Grimsey rentrer de la pêche quotidienne, amarrer, soulever les filets. Ici, sur cette petite île islandaise, on l'appelait « Berg ». Vent du large, onze degrés, soleil brouillé et puanteur des déchets de poisson. Il avait oublié qu'il y a un temps, il était commissaire, à la tête des vingt-sept agents de la Brigade criminelle de Paris, 13e arrondissement. Son téléphone était tombé dans les excréments d'une brebis et la bête l'y avait enfoncé d'un coup de sabot précis, sans agressivité. Ce qui était une manière inédite de perdre son portable, et Adamsberg l'avait appréciée à sa juste valeur.

Gunnlaugur, le propriétaire de la petite auberge, arrivait lui aussi au port, prêt à choisir les meilleures pièces pour le repas du soir. Souriant, Adamsberg lui adressa un signe. Mais Gunnlaugur n'avait pas sa tête des bons jours. Il vint droit vers lui, négligeant le début de la criée, sourcils blonds froncés, et lui tendit un message.

— *Fyrir þig*, dit-il en le montrant du doigt. [Pour toi.]

— *Ég ?* [Moi ?]

Adamsberg, incapable de mémoriser les rudiments les plus enfantins d'une langue étrangère, avait acquis ici, inexplicablement, un bagage d'environ soixante-dix mots, le tout en dix-sept jours. On s'exprimait avec lui le plus simplement possible, avec force gestes.

De Paris, ce papier venait de Paris, forcément. On le rappelait là-bas, forcément. Il ressentit une triste rage et secoua la tête en signe de refus, tournant son visage vers la mer. Gunnlaugur insista en dépliant le feuillet puis en le lui glissant entre les doigts.

Femme écrasée. Un mari, un amant. Pas si simple. Présence souhaitée. Informations suivent.

Adamsberg baissa la tête, sa main s'ouvrit et laissa filer la feuille au vent. Paris ? Comment cela, Paris ? Où était-ce, Paris ?

— *Dauður maður ?* demanda Gunnlaugur. [Un mort ?]

— *Já.* [Oui.]

— *Ertu að fara, Berg ? Ertu að fara ?* [Tu pars, Berg ? Tu pars ?]

Adamsberg se redressa pesamment, leva le regard vers le soleil blanc.

— *Nei*, dit-il. [Non.]

— *Jú*, Berg, soupira Gunnlaugur. [Si, Berg.]

— *Já*, admit Adamsberg. [Oui.]

Gunnlaugur lui secoua l'épaule, l'entraînant avec lui.

— *Drekka, borða*, dit-il. [Boire, manger.]

— *Já.* [Oui.]

Le choc des roues de l'avion sur le tarmac de Roissy-Charles de Gaulle lui déclencha une migraine subite, telle qu'il n'en avait pas connu depuis des années, en même temps qu'il lui semblait qu'on le rouait de coups. C'était le retour, l'attaque de Paris, la grande ville de pierre. À moins que ce ne fussent les verres avalés la veille pour honorer son départ, là-bas, à l'auberge. Ils étaient pourtant bien petits, ces verres. Mais nombreux. Et c'était le dernier soir. Et c'était du brennívin.

Un regard furtif par le hublot. Ne pas descendre, ne pas y aller.

Il y était déjà. *Présence souhaitée.*

II

Le mardi 31 mai, seize agents de la Brigade étaient installés dès neuf heures en salle de réunion, fin prêts, avec ordinateurs, dossiers et cafés, pour présenter au commissaire le déroulé des événements qu'ils avaient eu à gérer en son absence, dirigés par les commandants Mordent et Danglard. L'équipe exprimait par sa décontraction et son soudain bavardage le contentement de le revoir, de retrouver son visage et ses allures, sans se demander si son séjour au nord de l'Islande, dans la petite île des brouillards et des flots mouvants, avait ou non altéré sa trajectoire. Et si oui, qu'importe, se disait le lieutenant Veyrenc qui, comme le commissaire, avait poussé parmi les pierres des Pyrénées et le comprenait aisément. Il savait qu'avec le commissaire à sa tête, la Brigade tenait plus d'un large navire à voiles, parfois cinglant vent arrière ou bien rôdant sur place, voilure affalée, que d'un puissant hors-bord dégageant des torrents d'écume.

À l'inverse, le commandant Danglard redoutait toujours quelque chose. Il scrutait l'horizon à l'affût des menaces de tous ordres, écorchant sa vie sur les aspérités de ses craintes. Au départ d'Adamsberg pour l'Islande, après une harassante enquête, l'appréhension l'avait déjà gagné. Qu'un esprit ordinaire et simplement éreinté parte se délasser en un pays brumeux lui paraissait un choix judicieux. Plus opportun que de courir vers le soleil du Sud où la lumière cruelle avivait les moindres reliefs, le moindre angle d'un gravillon, ce qui n'était en rien délassant. Mais qu'un esprit brumeux s'en aille en un pays brumeux lui semblait en revanche périlleux et gros de conséquences. Danglard craignait des retombées difficiles, peut-être irréversibles. Il avait sérieusement envisagé que, par effet de fusion chimique entre les brumes d'un être et celles d'un pays, Adamsberg ne s'engloutisse en Islande et n'en revienne jamais. L'annonce du retour du commissaire à Paris l'avait un peu apaisé. Mais quand Adamsberg entra dans la pièce, de son pas toujours un peu tanguant, souriant à chacun, serrant les mains, les inquiétudes de Danglard furent aussitôt ravivées. Plus venteux et ondoyant que jamais, le regard inconsistant et le sourire vague, le commissaire semblait avoir perdu les pans de précision qui charpentaient néanmoins ses démarches, comme autant de jalons espacés mais rassurants. Désossé, dévertébré, jugea Danglard. Amusant, encore humide, pensa le lieutenant Veyrenc.

Le jeune brigadier Estalère, spécialiste du rituel du café qu'il effectuait sans une erreur – son unique domaine d'excellence, estimait la majorité de ses collègues –, servit aussitôt le commissaire, avec la quantité de sucre adéquate.

— Allez-y, dit Adamsberg d'une voix douce et lointaine, beaucoup trop détendue pour un gars confronté à la mort d'une femme de trente-sept ans, écrasée par deux fois sous les roues d'un 4×4 qui lui avait broyé le cou et les jambes.

Cela s'était passé trois jours plus tôt, le samedi soir précédent, dans la rue du Château-des-Rentiers. Quel château ? Quels rentiers ? se demanda Danglard. On ne le savait plus et ce nom sonnait aujourd'hui curieusement dans ce secteur du 13ᵉ sud. Il se promit d'en chercher l'origine, nulle connaissance ne paraissant superflue pour l'esprit encyclopédique du commandant.

— Vous avez lu le dossier qu'on vous a fait parvenir à l'escale de Reykjavík ? demanda le commandant Mordent.

— Bien entendu, dit Adamsberg en haussant les épaules.

Et certes il l'avait lu durant le vol Reykjavík-Paris. Mais en réalité, il n'avait pas été capable d'y fixer son attention. Il savait que la femme, Laure Carvin – tout à fait jolie, avait-il noté –, avait été assassinée par ce 4×4 entre 22 h 10 et 22 h 15. La précision de l'heure du meurtre tenait au mode de vie très régulier de la victime. Elle vendait des habits pour enfants dans une boutique luxueuse du 15ᵉ arrondissement, de 14 heures à 19 h 30. Puis elle s'attelait à la comptabilité et fermait les grilles à 21 h 40. Elle traversait la rue du Château-des-Rentiers chaque jour à la même heure, au même feu rouge, à deux pas de chez elle. Elle était mariée à un type riche, un type qui « avait fait son chemin », mais Adamsberg ne se rappelait ni son métier ni son compte en banque. C'était le 4×4 du mari, du type riche – et quel était son prénom ? – qui avait écrasé la femme, sans le moindre doute. Du sang adhérait encore aux crénelures des pneus et aux ailes de la carrosserie. Le soir même, Mordent et Justin avaient remonté la piste des roues meurtrières avec un chien de la brigade canine. Qui les avait menés droit au petit parking d'une salle de jeux vidéo, à trois cents mètres de la scène du crime. De nature un peu hystérique, le chien avait réclamé quantité de caresses en récompense de sa performance.

Le patron du lieu connaissait bien le propriétaire du véhicule ensanglanté : un fidèle qui fréquentait sa salle tous les samedis soir, d'environ 21 heures à minuit. Si sa chance tournait mal, il pouvait lutter sur sa machine jusqu'à la fermeture, à 2 heures du matin. Il leur avait montré l'homme, en costume et cravate délacée, très visible au milieu des gars à capuche et bière. Le type se battait furieusement avec un écran où des créatures titanesques et cadavériques fondaient sur lui, qu'il lui fallait démolir à la mitrailleuse pour tracer son chemin vers la Montagne torsadée du Roi noir. Quand les agents de la Brigade l'avaient interrompu en lui posant une main sur l'épaule, il avait secoué la tête fébrilement sans lâcher les manettes, et crié qu'il ne s'arrêterait en aucun cas à quarante-sept mille six cent cinquante-deux points, à deux doigts du palier de la Route de bronze, jamais. Haussant la voix dans le fracas des bécanes et les cris des clients, le commandant Mordent avait fini par lui faire entendre que sa femme venait de mourir, écrasée, à trois cents mètres de là. L'homme s'était à demi effondré sur la table de contrôle, torpillant la partie. L'écran afficha en musique : « Adieu, vous avez perdu. »

— Donc, selon le mari, dit Adamsberg, il n'aurait pas quitté la salle de jeux ?

— Si vous avez lu le rapport…, commença Mordent.

— Je préfère entendre, coupa Adamsberg.

— C'est cela. Il n'aurait pas bougé de la salle.

— Et comment explique-t-il que ce soit sa propre voiture qui soit ensanglantée ?

— Par l'existence d'un amant. L'amant aurait connu ses habitudes, il aurait emprunté son véhicule, écrasé sa maîtresse et serait revenu le garer au même emplacement.

— Pour le faire accuser ?

— Oui, puisque les flics accusent toujours le mari.

— Comment était-il ?

— Comment quoi ?

— Ses réactions ?

— Abasourdi, plus choqué que triste. Il s'est un peu repris quand on l'a amené à la Brigade. Le couple pensait à divorcer.

— À cause de l'amant ?

— Non, dit Noël avec un pli de mépris. Parce qu'un homme comme lui, un avocat parvenu si haut, se trouvait encombré par une épouse de basse classe. Si on lit entre les lignes de son discours.

— Et sa femme, ajouta le blond Justin, était humiliée d'être exclue de tous les cocktails et dîners qu'il donnait à son cabinet du 7e arrondissement avec ses relations et clients. Elle désirait qu'il l'y emmène, il refusait. Des scènes répétées. Elle aurait « détonné », a-t-il dit, elle aurait « juré dans le tableau ». Tel est le gars.

— Imbuvable, dit Noël.

— Il s'est de plus en plus repris, précisa Voisenet, et il s'est bagarré comme s'il était acculé sur la Route du Bagne dans son jeu vidéo. Il s'est mis à employer des termes de plus en plus compliqués, ou incompréhensibles

— C'est une stratégie simple, dit Mordent, extrayant son maigre et long cou par saccades hors de son col, n'ayant rien perdu en ces deux semaines de ses allures de vieil échassier lassé par les épreuves de l'existence. Il mise sur le contraste entre lui-même, l'avocat d'affaires, et l'amant.

— Qui est ?

— Un Arabe, comme il a tenu à le préciser d'entrée, et réparateur de distributeurs de boissons. Il habite l'immeuble mitoyen. Nassim Bouzid, algérien, né en France, une femme et deux enfants.

Adamsberg hésita, puis se tut. Il ne pouvait décemment demander à ses hommes comment s'était déroulé l'interrogatoire de Nassim Bouzid, qui devait être consigné dans le rapport. Mais de cet homme, il ne se souvenait de rien.

— Quelle impression ? hasarda-t-il, faisant signe à Estalère de lui apporter un second café.

— C'est un beau gars, répondit le lieutenant Hélène Froissy en tournant son écran vers Adamsberg, affichant la photo d'un triste Nassim Bouzid. Des cils longs, des yeux miel qui paraissent maquillés, des dents très blanches et un sourire charmant. On l'aime beaucoup dans son immeuble, où on l'utilise comme un homme à tout faire. Nassim change les ampoules, Nassim répare les fuites d'eau, Nassim ne dit jamais non.

— Ce qui fait conclure au mari que c'est un être faible et servile, dit Voisenet. Venu de rien et parvenu à rien, a-t-il dit.

— Imbuvable, répéta Noël.

— Le mari est jaloux ? demanda Adamsberg qui avait commencé à prendre quelques notes avec indolence.

— Il prétend que non, dit Froissy. Il estime cette liaison méprisable mais elle l'arrange en cas de divorce.

— Et donc ? dit Adamsberg en revenant à Mordent. Vous parliez de stratégie, commandant ?

— Il table sur les réflexes des policiers, qu'il juge globalement incultes, racistes et stéréotypés : face à un avocat fortuné au langage raffiné au point d'en être inintelligible et un homme à tout faire arabe, un flic misera sur l'Arabe.

— Quels sont ses mots, ces mots sophistiqués et incompréhensibles ?

— Difficile à dire, répondit Voisenet, puisque je n'ai pas compris. Des mots comme « aperception », ou, attendez, hétéro… « hétéronome ».

— « Hétéronome », ça a à voir avec une déviance sexuelle ? demanda Voisenet. Il l'a dit à propos de l'amant.

Tous les regards se tournèrent vers Danglard pour chercher du secours.

— Non, avec le fait de ne pas être autonome. Cela vaudrait la peine de le prendre à son jeu.

— Je compte sur vous, commandant, répondit Adamsberg.

— Ce sera fait, dit Danglard, saisi d'une certaine jubilation à cette idée, oubliant un instant les inquiétants lointains d'Adamsberg et son actuel amateurisme. Il était clair que le commissaire avait retenu peu de chose du rapport qu'il avait pris grand soin de rédiger.

— Il fait beaucoup de citations aussi, ajouta Mercadet, émergeant d'une phase somnolente.

Mercadet, le très brillant informaticien de la Brigade, précédé de peu par Hélène Froissy, était un hypersomniaque et tous, sans exception, respectaient et même protégeaient le lourd handicap de leur collègue. Si le fait parvenait aux oreilles du divisionnaire, Mercadet serait éjecté sur-le-champ. Que faire d'un flic qu'un sommeil irrépressible abat toutes les trois heures ?

— Et maître Carvin attend qu'on réagisse à ses foutues citations, poursuivit Mercadet, qu'on parvienne à en citer l'auteur par exemple. Il jouit de notre ignorance, il s'amuse à nous écraser, cela ne fait aucun doute.

— Par exemple ?

— Celle-ci, dit Justin en ouvrant son carnet. À propos de Nassim Bouzid, toujours : *Les hommes fuient moins le mensonge que le préjudice causé par le mensonge.*

À nouveau, on attendit une précision de Danglard, qui les lave des humiliations répétées de l'avocat, mais le commandant estima plus délicat de s'abstenir de citer l'auteur, se plaçant ainsi à égalité avec l'ignorance de l'ensemble de la Brigade. Cette pudeur ne fut pas comprise, mais on pardonna à Danglard, car on ne pouvait demander à nul homme, si ahurissante fût son érudition, de connaître toutes les phrases de la littérature.

— Ce qui veut dire en clair, reprit Mordent, que notre avocat Carvin nous fournit aimablement un mobile de meurtre pour Bouzid : tuer sa maîtresse pour fuir le préjudice de son adultère et éviter l'éclatement de sa famille.

— Et de qui est la phrase, commandant Danglard ? demanda Estalère, rompant la réserve générale par son incurable absence d'à-propos, ou bien sa persistante bêtise, pensaient d'autres.

— De Nietzsche, répondit finalement Danglard.

— Et c'est un type important ?

— Très.

Adamsberg crayonna un moment, se demandant comme souvent quel mystère abyssal présidait à la mémoire phénoménale de Danglard.

— Ah bon, répondit Estalère, l'air stupéfait, ses grands yeux verts écarquillés.

Mais Estalère avait toujours les grands yeux verts écarquillés, comme n'en revenant pas d'une stupéfaction sans bornes sur la vie. Sans doute était-ce lui qui avait raison, estimait Adamsberg. Cette femme férocement broyée, par exemple, avait de quoi laisser hébété, le regard grand ouvert sur la nuit.

— Parce que, continua Estalère, très concentré, il n'y a pas besoin d'être important pour savoir qu'on a peur des effets de nos mensonges. Sinon, ce n'est pas très grave, pas vrai ?

— Vrai, acquiesça Adamsberg, toujours fidèle à sa défense du jeune homme, ce que nul ne parvenait à comprendre.

Adamsberg leva son crayon. Il venait de dessiner la silhouette de son ami Gunnlaugur surveillant la criée sur le port. Et des mouettes, des nuées de mouettes.

— Le pour et le contre, reprit-il, pour l'un et l'autre ?

— En ce qui concerne l'avocat, dit Mordent, il y a l'alibi de la salle de jeux. Qui ne vaut rien car dans cette foule de joueurs bruyants et passionnés, n'ayant d'yeux que pour leurs écrans, qui le verrait s'absenter quinze minutes ? Et il dispose d'un sacré compte en banque. En cas de divorce, il perd la moitié des quatre millions deux cent mille euros qu'il a en caisse.

— Quatre millions deux cent mille euros ? dit le timide brigadier Lamarre, qui prenait la parole pour la première fois. Mais il nous faudrait combien d'années pour avoir ça ?

— Ne cherchez pas, Lamarre, dit Adamsberg, levant une main apaisante. Vous allez vous faire du mal inutilement. Continuez, Mordent.

— Mais on n'a aucun élément probant contre lui. Nassim Bouzid est dans une posture plus délicate, il y a des faits matériels. Dans la voiture, on a prélevé sur la moquette trois poils de chien blanc, devant le siège passager, et un fil rouge accroché à la pédale de frein. D'après les premières analyses, il s'agirait bien du chien de Bouzid. Et le fil est identique à ceux du tapis kilim de sa salle à manger. Quant aux clefs du véhicule, il a pu en prendre le double chez sa maîtresse. Toutes les clefs sont suspendues dans l'entrée.

— Et pourquoi emmènerait-il le chien pour aller massacrer sa maîtresse ? demanda Froissy.

— Bouzid a une femme. Quoi de mieux que de lui dire qu'il sort faire pisser le chien ?

— Et si le chien a déjà pissé ? demanda Noël.

— Non, dit Mordent, c'est l'heure de la promenade du chien. Bouzid admet volontiers qu'il est sorti, mais il jure qu'il n'a jamais été l'amant de Laure Carvin. Mieux, il assure ne pas même connaître cette femme. Peut-être de vue, dans la rue. S'il dit vrai, l'avocat Carvin l'aurait soigneusement choisi comme bouc émissaire. Il aurait prélevé des poils de chien et une fibre de tapis chez lui, la serrure s'ouvre avec un ongle. Ces deux détails ne vous paraissent pas un peu outrés ?

— Un seul aurait suffi, dit Adamsberg.

— C'est le propre des êtres trop orgueilleux de leur intelligence, intervint Danglard. L'infatuation les aveugle, ils mesurent donc mal les autres et en font un peu trop ou pas assez. Leur jauge, contrairement à ce qu'ils s'imaginent, n'est pas fiable.

— Et, dit Justin en levant la main, Bouzid assure qu'il fourre toujours le chien dans un sac quand il prend sa voiture. Et en effet, on n'a trouvé aucun poil dans son propre véhicule. De chien comme de tapis.

— Les deux hommes font la même taille ? demanda Adamsberg, retournant le portrait de Gunnlaugur face contre table.

— Bouzid est plus petit.

— Ce qui l'aurait obligé à régler le siège et les rétros. Dans quelle position étaient-ils ?

— Pour grande taille. Soit Bouzid a pensé à modifier les réglages à son retour, soit l'avocat les a laissés tels quels. Une fois encore, on bute.

— Et les empreintes dans la voiture ? Volant, manettes, portières ?

— Dormi dans l'avion ? intervint Veyrenc en souriant.

— Possible, Veyrenc. Ça pue.

— Sans aucun doute, ça pue. On bute, on bute.

— Je veux dire : ça pue réellement, dans cette pièce. Vous ne sentez rien ?

Les agents levèrent leurs têtes tous ensemble pour repérer l'odeur. Curieux, pensa Adamsberg, que l'être humain hausse instinctivement le nez de dix centimètres quand il s'agit de saisir une odeur. Comme si dix centimètres allaient y changer quoi que ce soit. Mue par ce réflexe animal conservé depuis la nuit des temps, la troupe des agents évoquait tout à fait un groupe de gerbilles cherchant à capter l'odeur de l'ennemi dans le vent.

— Vrai, dit Mercadet, ça sent un peu la marée.

— Ça sent le vieux port, précisa Adamsberg.

— Je ne trouve pas, dit Voisenet assez fermement. On s'en occupera plus tard.

— On en était où ?

— Aux empreintes, dit Mordent qui, placé au haut bout de la longue table aux côtés de Danglard, ne sentait rien d'incommodant.

— C'est cela. Allez-y commandant.

— Les empreintes, reprit Mordent, son regard de héron parcourant ses notes avec des mouvements de tête rapides et saccadés, collent pour l'une comme pour l'autre version. Tout a été essuyé. Soit par Bouzid, soit par l'avocat pour enfoncer Bouzid. Il n'y a pas un cheveu sur l'appuie-tête.

— Pas simple, marmonna Mercadet, à qui Estalère avait servi deux cafés d'un coup, bien tassés.

— Ce pourquoi nous avons décidé de vous rappeler ici avec un peu d'avance, dit Danglard.

Ainsi c'était lui, déduisit Adamsberg. Lui qui l'avait fait revenir en urgence, l'arrachant à son doux tangage. Le commissaire observa son plus vieil adjoint, plissant un peu les yeux. Danglard avait eu peur pour lui, pas de doute là-dessus.

— Je peux voir des images des deux hommes ? demanda-t-il.

— Vous avez vu les photos, dit Froissy en tournant à nouveau son écran vers lui.

— Je veux les voir en mouvement, pendant les interrogatoires.

— À quel passage des interrogatoires ?

— N'importe. Vous pouvez même couper le son. Je veux seulement voir leurs expressions.

Danglard se raidit. Depuis toujours, Adamsberg avait une détestable tendance à juger des visages, y séparant le bien du mal, ce que Danglard lui reprochait hautement. Adamsberg le savait et sentit se crisper son adjoint.

— Désolé, Danglard, dit-il en souriant de cette manière très irrégulière qui séduisait les témoins réticents ou désarmait parfois ses opposants. Mais cette fois, c'est moi qui ai une citation pour me défendre. J'ai trouvé le bouquin abandonné sur une chaise, à Reykjavík.

— Allez-y toujours.

— Une seconde, je ne la sais pas par cœur, moi, dit-il en fouillant dans ses poches. Voici : *La vie habituelle fait l'âme et l'âme fait la physionomie.*

— Balzac, dit Danglard en ronchonnant.

— Précisément. Et vous l'aimez, commandant.

Adamsberg élargit son sourire et replia sa feuille.

— Et c'est dans quel bouquin ? demanda Estalère.

— Mais on s'en fout, brigadier ! dit Danglard.

— C'était, dit Adamsberg, montant en défense d'Estalère, l'histoire d'un brave curé pas très malin et d'âmes haineuses qui finissent par avoir sa peau. Cela se passait à Tours, je crois.

— C'est quoi le titre ?

— Je ne sais plus, Estalère.

Déçu, Estalère repoussa son crayon. Il vénérait Adamsberg, en même temps que la puissante lieutenant Retancourt, son exact contraire, et tentait d'imiter le commissaire en toutes choses, comme lire ce livre, par exemple. En revanche, il avait d'instinct renoncé à imiter Retancourt. Car nul homme ou femme ne pouvait l'égaler, et cela, même l'arrogant Noël avait fini par le savoir. Danglard, pour en finir, vint à la rescousse du jeune homme.

— Cela s'appelle *Le Curé de Tours*.

— Merci, dit chaleureusement Estalère en notant par à-coups, car il écrivait mal, étant dyslexique. Quand même, pour le titre, il ne s'est pas foulé, Balzac.

— Estalère, on ne dit pas de Balzac qu'il ne « s'est pas foulé ».

— Ah d'accord, commandant. Je ne le dirai plus.

Adamsberg se tourna vers Froissy.

— Allez-y, Froissy, lui dit-il. Montrez-moi la gueule de ces deux gars. Et pendant que je visionne, vous tous, prenez votre pause.

Dix minutes plus tard, posté seul devant l'écran, Adamsberg prit soudain conscience que, hormis les premières images de maître Carvin, il n'avait rien regardé, rien entendu. L'Islandais Brestir l'avait convié à partir à la pêche, sous le regard approbateur des autres marins. Un grand honneur pour un étranger, sans nul doute, un honneur rendu à l'ancien vainqueur de l'îlot démoniaque, dont on apercevait le relief noir à quelques kilomètres du port. Adamsberg avait eu le droit d'aider au tri des poissons remontés dans le filet, au rejet à la mer des jeunes, des femelles pleines et des espèces non consommables. C'est sur ce pont glissant, les mains plongées dans le filet, s'écorchant sur les écailles, qu'Adamsberg avait passé ces dix minutes. Il revint brutalement au visage de maître Carvin, mit l'ordinateur en pause et sortit rejoindre ses adjoints disséminés dans la grande salle de travail.

— Alors ? lui demanda Veyrenc.

— Trop tôt pour le dire, éluda Adamsberg. Il faut que je visionne à nouveau.

— Bien sûr, dit Veyrenc en souriant. Humide, glissant, songea-t-il.

Adamsberg fit signe à Froissy qu'il relançait la vidéo puis s'interrompit.

— Ça pue vraiment, dit-il. Et cela vient de cette pièce.

Le commissaire, nez levé de dix centimètres, s'orienta à travers la salle en suivant le filet d'odeur nauséabonde et, tel le chien de la brigade canine, s'arrêta devant le bureau de Voisenet. Voisenet était flic, et très bon flic même, mais frustré dès sa jeunesse d'une carrière passionnée d'ichtyologue, que son père avait violemment proscrite, et qu'il avait poursuivie en sous-main. Ce mot, « ichtyologue », Adamsberg avait fini par le mémoriser : Voisenet était un spécialiste des poissons, et particulièrement des poissons d'eau douce. On avait l'habitude de voir traîner sur son bureau des revues et articles de toutes sortes sur la question, et Adamsberg laissait faire, dans certaines limites. Mais c'était la première fois qu'une odeur de poisson réel et fétide s'échappait du territoire de Voisenet. Adamsberg contourna vivement le bureau et sortit de sous la chaise un grand sac en plastique destiné à la congélation. Voisenet, petit homme aux jambes courtes, tignasse noire, ventre rond et joues pleines et rouges, se redressa avec toute la dignité que lui permettait sa silhouette. Un homme bafoué, injustement accusé, voilà ce qu'indiquait sa posture.

— C'est personnel, commissaire, dit-il d'une voix haute.

Adamsberg arracha d'un coup sec les crampons du sac et l'ouvrit tout grand. Il sursauta et lâcha le tout qui tomba au sol avec un bruit lourd et mou. Cela faisait des années que le commissaire n'avait pas sursauté. Sa nature peu nerveuse, voire infra-nerveuse, ne l'y prédisposait pas. Mais outre l'odeur pestilentielle qui s'était dégagée du sac, le spectacle hideux lui avait causé un choc. Une tête animale répugnante, aux yeux fixes, ouvrant une énorme gueule bardée de dents terrifiantes.

— Qu'est-ce que c'est que cette merde ? cria-t-il.

— C'est mon poissonnier, commença Voisenet.

— Ce n'est pas votre poissonnier !

— C'est une murène de l'Atlantique à robe marbrée, répondit Voisenet avec hauteur. Plus exactement une tête de murène avec seize centimètres de corps. Et non, ce n'est pas une merde, c'est un magnifique spécimen mâle qui atteignait 1,55 mètres de longueur.

Les emportements d'Adamsberg étaient si rares que les agents, saisis, évoluaient en marmonnant, tous défilant pour voir la bête, main sur le nez, puis s'en détournant promptement. Même l'endurci lieutenant Noël murmura : « Pour une fois, on peut dire que la nature a raté son coup. » Seule la massive et robuste Retancourt ne marqua aucune réaction face à cette tête repoussante, et s'en retourna, impavide, à son poste de travail. Danglard souriait avec discrétion, ravi de cet éclat qui, pensait-il, ramenait brutalement le commissaire au sol, sur la terre des émotions vives. Adamsberg, lui, s'en voulait. Il regrettait d'avoir quitté l'île de Grimsey, il regrettait d'avoir sursauté, d'avoir élevé la voix, il regrettait de ne s'intéresser qu'avec torpeur à la mort atroce de la petite femme sous les roues du 4×4.

— Mais c'est quand même quelque chose, une murène, dit Estalère, plus stupéfait que jamais.

Voisenet ramassa son sac avec dignité.

— Je l'emporte chez moi, dit-il, toisant ses collègues comme une bande d'adversaires bornés, emmaillotés dans leurs idées préconçues.

— Bonne idée, dit Adamsberg, presque calmé. Votre femme va être contente du cadeau.

— Je vais la faire bouillir chez ma mère.

— Ça relève du bon sens. Seules les mères peuvent tout pardonner.

— Je l'ai payée cher, revendiqua Voisenet, désireux d'attester l'importance de son animal. Mon poissonnier expose parfois des pièces d'exception. Il y a deux mois, il avait un espadon entier, avec un éperon d'un mètre. Une splendeur. Mais je n'avais pas les moyens de me l'offrir. Pour la murène, j'ai eu un prix, parce qu'elle commençait déjà à pourrir. J'ai sauté dessus.

— On comprend cela, dit Adamsberg. Embarquez-moi cette saleté sur-le-champ, Voisenet. Vous auriez pu la déposer dehors, dans la cour. On va mettre trois jours à aérer.

— Dans la cour ? Pour qu'on me la pique ?

— Mais quand même, répéta Estalère, ce n'est pas rien, une murène.

Voisenet adressa un signe de gratitude au brigadier. Il se glissa derrière son bureau et d'un doigté rapide, presque furtif, éteignit l'écran de son ordinateur. Puis il quitta les lieux sans grâce – il n'en avait pas – mais avec un certain panache, balançant son lourd trophée au bout du bras, abandonnant derrière lui la troupe ignare de ses collègues. Pouvait-on attendre autre chose de flics ?

— Vous tous, ouvrez grand toutes les fenêtres, ordonna Adamsberg. Venez, Froissy, on relance cette vidéo au début.

— Vous y avez vu quelque chose ?

— Peut-être, mentit Adamsberg. Attendez, laissez-moi une seconde.

Méfiant, le commissaire contourna à nouveau le bureau de son collègue ichtyologue. Pourquoi Voisenet avait-il masqué son écran avant de partir ? Il le ralluma, affichant la dernière page consultée. Il n'y vit ni murène ni notes de police. Mais la photo d'une petite araignée brune, sans nul intérêt apparent. Contrarié, il remonta une à une les pages recherchées sur le réseau par le lieutenant. Araignée, araignée, toujours la même, articles de zoologie, répartition en France, mœurs et habitudes alimentaires, dangerosité, périodes de reproduction, et des articles de journaux récents aux titres alarmistes : *Le retour de l'araignée recluse ? Un homme mordu à Carcassonne. – Faut-il avoir peur de la recluse brune ? Un second décès à Orange.*

Adamsberg remit la machine en pause. Froissy attendait, élégante, droite et mince. Compte-tenu de la quantité d'aliments qu'elle avalait – en toute discrétion pensait-elle –, mue par une indomptable terreur de manquer, la perfection de sa silhouette demeurait une énigme.

— Lieutenant, lui dit Adamsberg, faites-moi une capture des fichiers consultés par Voisenet durant ces trois dernières semaines. Ceux concernant une araignée.

— Quelle araignée ?

— La recluse. Ou la recluse violoniste. Vous la connaissez ?

— Pas du tout.

— Les araignées, ce n'est pas son domaine de recherche. Il nous a assez entretenus des corneilles mantelées, des crottes de loirs et des poissons, cela va sans dire. Mais des araignées, jamais. J'aimerais savoir où s'en va notre lieutenant.

— Ce n'est pas très propre de fouiller dans l'ordinateur d'un collègue.

— Pas très. Mais je voudrais voir ça. Vous pouvez me transférer ses dossiers sur mon poste ?

— Bien sûr.

— Parfait, Froissy. Et ne laissez pas de traces.

— Je ne laisse jamais de traces. Et que dois-je répondre aux collègues qui me demanderont ce que je fabrique sur le poste de Voisenet ?

— Dites qu'il vous a signalé un bug. Vous profitez de son absence pour arranger cela.

— Il pue drôlement son bureau.

— Je sais, Froissy, je sais.

III

Cette fois, Adamsberg parvint à se concentrer sur les interrogatoires du prolétaire Nassim Bouzid et du hautain maître Carvin. Il se repassa plusieurs fois certains passages où l'avocat s'employait, sans gêne aucune, à imposer sa supériorité et son cynisme. Sa « stratégie », avait dit Mordent, mais surtout son tempérament. Adamsberg pensait que le commandant se trompait sur la nature exacte de cette stratégie.

Mordent : *Vos comptes bancaires affichent une réserve de quatre millions deux cent soixante-seize mille euros. Vous en étiez loin, il y a seulement sept ans.*

Carvin : *Vous avez entendu parler du retour en masse des exilés fiscaux ? S'évertuant à négocier au mieux leur redressement d'impôt avec l'État ? C'est une manne pour les avocats, croyez-moi. Encore faut-il avoir les compétences. En droit bien sûr, mais surtout en les ruses du droit. L'esprit et la lettre de la loi, vous connaissez ? Je favorise l'esprit, dans son infinie souplesse.*

Voisenet : …

Carvin : *Mais je ne saisis pas le lien avec la mort de ma femme.*

Mordent : *Eh bien, je me demande pourquoi, avec une telle somme, vous persistez à louer ce trois-pièces en rez-de-chaussée dans la triste impasse des Bourgeons.*

Carvin : *Quelle importance ? Je passe mes jours au cabinet, week-ends compris. Je rentre tard et je dors.*

Voisenet : *Vous dînez chez vous ?*

Carvin : *Rarement. Ma femme est bonne cuisinière, mais il est nécessaire de cultiver son réseau. Le réseau est le jardin.*

— Grosse allusion à Voltaire, murmura Danglard, qui s'était glissé derrière Adamsberg. Comme si ce fat avait quelque autorité à le citer.

— Imbuvable, dit Adamsberg.

— Mais il parvient à démonter Voisenet.

Voisenet : …

Carvin : *Laissez tomber, lieutenant. Je compte toujours que vous m'exposiez le lien avec la mort de ma femme.*

Mordent : *Et vous avez « failli attendre ».*

On vit Carvin hausser les épaules. Danglard grimaça.

— Bien essayé, dit-il, mais mal placé. Ils sont largués tous les deux.

— Pourquoi n'avez-vous pas pris leur place, Danglard ?

— Je souhaitais que Carvin développe devant nous l'éventail de sa tactique d'écrasement. Des flics, et de sa femme peut-être. Qu'il expose ainsi sa possible violence cachée. Mais je saisis mal son but. Humilier les flics ne l'aidera pas à se les mettre en poche, au contraire.

— Il ne les humilie pas, Danglard, il les domine. C'est bien autre chose. Notre zoologue Voisenet vous dirait que la meute des flics obéira tête basse aux volontés du mâle dominant, Carvin. Puisque Carvin a vaincu le mâle dominant de la Brigade – le commandant Mordent, hiérarchiquement parlant. Vous ne pouvez pas être sensible aux attaques de Carvin, car vous êtes vous-même un mâle dominant.

— Moi ? dit Danglard.

— *Já*, dit Adamsberg. [Oui.]

Et Danglard s'arrêta là, troublé, lui qui percevait sa vie comme un enchaînement d'angoisses et d'impuissances, ses cinq enfants exceptés.

— Vous avez sans doute fait une erreur en ne prenant pas la main dans cet interrogatoire, Danglard. Vous auriez balayé l'avocat, et la Brigade se serait sentie plus forte. Ils ont tous beau le prendre de haut, dire qu'il est « imbuvable » – ce qui est vrai –, ils sont partiellement soumis. Et donc peu capables de bien raisonner, en ce qui concerne l'auteur de ce meurtre.

— Ce n'est pas être un dominant que de savoir citer çà et là un peu de Voltaire ou de Nietzsche.

— Tout dépend du contexte. Ici, il mise sur le fait qu'une brigade policière n'est pas exactement un lieu de bouillonnement culturel. C'est donc avec cette arme qu'il nous affronte, il frappe au point faible. Bon sang, vous auriez dû aller au combat, Danglard.

— Désolé, je n'ai pas vu les choses ainsi.

— Il n'est pas encore trop tard.

Mordent : *Mais votre femme, elle, passait chez elle tous ses soirs et matins. Depuis combien d'années ?*

Carvin : *Plus de quinze ans.*

Mordent : *Vous n'avez jamais envisagé de lui offrir un espace plus ensoleillé, dans un quartier moins désert quand elle rentrait à la nuit ?*

Carvin : *Commandant, on ne décolle pas une bernique de son rocher.*

Mordent : *C'est-à-dire ?*

Carvin : *Si j'avais commis l'erreur d'arracher ma femme de ce lieu, j'aurais tranché ses racines aussi sûrement qu'à la hache. C'est pour elle que je conservais cet appartement. Elle aurait perdu tout repère psychosocial sous des plafonds haussmanniens.*

Voisenet : *Vous ne croyez pas à la puissance de l'adaptation ? Qui est une des définitions de l'intelligence ?*

— Voisenet tente de remonter au filet, dit Adamsberg. Il est sur son terrain : les bestioles.

— Et ça ne va faire aucun effet.

— J'ai vu. Cela fait deux fois que je regarde ce passage.

Carvin : *Ma femme n'était pas intelligente, lieutenant.*

Mordent : *Et pourquoi l'avez-vous épousée ?*

Carvin : *Pour son rire, commandant. Je n'ai pas de rire. Et ce rire, régénérant, attirait tout un chacun, et même l'Arabe. Ce n'était pas un rire grossier, en torrent, en cascade, c'était un semis de rires en gouttes, un Seurat, si vous voulez.*

Mordent : ...

Carvin : *Et ce rire va me manquer.*

Voisenet : *Moins que les deux millions qu'elle aurait emportés en cas de divorce.*

Carvin : *Le rire vital ne se chiffre pas. Même divorcé – et nous n'en étions pas là –, j'aurais continué d'aller y puiser ma ration.*

— J'en ai assez vu, dit Adamsberg en arrêtant la vidéo d'un coup sec.

— Et Nassim Bouzid ?

— C'est fait.

— Et que dites-vous de ces deux types ? De leurs « gueules » ?

— Il y a des signes, des rides, des marques, des gestes. Mais cela ne suffit pas. Avant d'arriver à la Brigade ce matin, j'ai effectué le parcours aller et retour entre la salle de jeux et le lieu du meurtre, par les rues arrière. Il y a là quelque chose d'intéressant.

— On a déjà chronométré le parcours.

— Ce n'est pas cela, Danglard. Il s'agit de gravillons, laissés sur une aire de travaux.

— Et alors ?

— Alors nous sommes bien d'accord que, parmi les milliards de pissenlits qui poussent sur la terre, il n'en existe pas deux qui soient semblables ?

— Bien sûr.

— C'est la même chose pour les conducteurs. Pas deux semblables. Convoquez le pissenlit numéro 1, Carvin, pour 14 heures, puis le pissenlit numéro 2, Bouzid, pour 15 heures On fera un tour. Et faites venir l'équipe technique des empreintes, qu'elle soit là dès mon retour.

— Très bien, on a le temps d'aller déjeuner.

— *Drekka, borða*, dit Adamsberg, souriant. [Boire, manger.]

Bien, se dit Danglard. Adamsberg parlait islandais – et comment avait-il appris ces trois mots ? Mais il semblait, depuis l'incident de la murène, quelque peu revenu vers eux.

— Autre chose, Danglard, dit Adamsberg en se levant. Vers 14 h 30, quand je rentrerai de promenade avec Carvin, prenez-le en interrogatoire. Mais cette fois, battez-le à son jeu. Je veux qu'il perde de sa hauteur. Vous passerez ensuite l'enregistrement à toute la Brigade. Cela leur remettra les idées en place. Je veux que chaque agent ait une égalité de perception pour lui et pour Nassim Bouzid. Prenez ses propres armes, et écrasez-le.

Danglard sortit d'un pas moins flasque que d'habitude, les jambes un peu plus droites, un rien ragaillardi par son nouveau rang de « mâle dominant », auquel il ne croyait en rien.

Il n'avait absolument pas compris cette histoire de gravillons.

IV

Maître Carvin était un homme froid, ni impatient ni colérique, et quand Lamarre et Kernorkian vinrent à son cabinet pour l'emmener à la Brigade, l'interrompant en plein travail, il leur demanda cinq minutes pour boucler une page et les suivit sans se cabrer.

— De quoi s'agit-il cette fois ? dit-il.

— C'est le commissaire, commença d'expliquer Kernorkian.

— Oh, celui-là ? Il est donc rentré ? J'ai eu quelques échos sur lui.

— Il veut vous voir, vous et Nassim Bouzid.

— Rien que de très normal. Je suis disposé à lui parler autant qu'il le souhaite.

— Je ne crois pas qu'il veuille parler, il veut vous emmener faire un tour en voiture.

— Ce qui est un peu moins normal. Mais je suppose qu'il sait ce qu'il fait.

Adamsberg avait déjeuné dans son bureau, cette fois relisant le rapport qu'il avait reçu à l'aéroport de

Reykjavík. Il lisait debout, comme à son habitude, allant et venant dans la pièce. Il était rare que le commissaire travaille assis quand il pouvait l'éviter. Tout en lisant, en murmurant chacun des mots à voix basse – ce qui lui prenait du temps –, il ne pouvait empêcher la petite araignée de Voisenet de traverser ses pensées, de gauche à droite. Elle y marchait avec prudence, comme pour ne pas se faire remarquer, pour ne pas déranger. Mais déranger, elle le faisait déjà, à présent qu'Adamsberg la savait, grâce aux soins de Froissy, logée dans son propre ordinateur. Il posa le rapport sur la table et alluma l'écran. Autant en avoir le cœur net et que cette araignée foute le camp. Autant savoir ce que Voisenet trafiquait avec cet animal, ce matin encore, alors même qu'il devait être concentré sur la réunion à venir et occupé par la gestion de sa murène pourrissante. Alors pourquoi avait-il malgré tout affiché une nouvelle image de la recluse ?

Toujours debout, il ouvrit le fichier transféré par Froissy et en examina l'historique : cela faisait dix-huit jours que le lieutenant observait son araignée. Ce matin, il avait consulté les principaux journaux locaux du Languedoc-Roussillon, et de nouveau parcouru plusieurs forums de discussion sur le sujet. On y débattait avec acharnement de cette araignée recluse. S'y opposaient des apeurés, des pseudo-connaisseurs, des pragmatiques, des écologistes, des alarmistes. Voisenet avait également téléchargé des nouvelles datant de l'été précédent, où, dans la même région, six morsures d'araignées recluses, non mortelles, avaient réussi à semer la panique jusque dans certains hebdomadaires nationaux. Tout cela parce qu'une rumeur, venue d'on ne sait où, soufflait son vent mauvais : l'araignée recluse brune de l'Amérique du Nord avait-elle fait son apparition en France ? On l'estimait dangereuse. Où était-elle, et en quel nombre ? Un vacarme assez ahurissant jusqu'à ce qu'une véritable spécialiste s'en mêle pour y mettre un terme sans appel : non, l'araignée américaine n'avait pas posé patte en France. Une de ses cousines en revanche y avait toujours habité, dans le sud-est du pays, et n'était pas mortelle. D'autant que, très peureuse, non agressive, elle vivait dans son trou, et que les risques d'une rencontre avec un être humain en étaient d'autant plus rares. C'était d'elle qu'il s'agissait et d'aucune autre, de *Loxosceles rufescens* – Adamsberg ne parvint pas à murmurer son nom. C'en fut fini.

Jusqu'à ce que, durant ce printemps, la petite araignée morde deux vieillards. Mais cette fois-ci, les victimes étaient mortes. Mais cette fois-ci, la recluse avait bel et bien tué. Ces décès, expliquaient certains, n'étaient dus qu'à l'âge des victimes. Ces deux morts avaient relancé une polémique déjà grosse de plus de cent pages, à ce qu'Adamsberg pouvait en juger à la hâte. Il jeta un œil à la pendule de l'ordinateur. 13 h 53, maître Carvin allait pénétrer dans les locaux. Il traversa la grande salle, toujours puante en dépit des fenêtres ouvertes, et choisit dans l'armoire les clefs de la seule voiture haut de gamme de la Brigade. Qu'est-ce que Voisenet pouvait bien trouver à cette foutue araignée ? Deux hommes étaient morts, certes, leurs défenses affaiblies n'avaient pas résisté au venin, d'accord, et fallait-il pour autant que le lieutenant surveille quotidiennement la situation depuis dix-huit jours ? À moins que l'une des victimes ne fût un de ses proches, un ami, un parent. Adamsberg chassa la recluse et se hâta pour intercepter l'avocat sur le trottoir avant que les agents, oublieux de la situation, ne le fassent pénétrer dans l'espace putride qu'était devenue la salle de travail commune.

— Vous lui sortez la voiture d'apparat, commissaire ? dit Retancourt au passage. Vous voilà vous aussi sensible aux hauteurs de maître Carvin ?

Adamsberg pencha la tête et la regarda en souriant.

— Vous m'avez déjà oublié, Retancourt ? En seulement dix-sept jours ?

— Non. J'ai donc dû manquer quelque chose.

— Oui, lieutenant. Les gravillons. Sur le parcours pour revenir à la salle de jeux vidéo.

— Les gravillons, répéta-t-elle, un peu méditative. Et vous ne pouvez pas m'en dire plus ?

— Mais si. Il n'existe pas deux pissenlits ni deux conducteurs qui soient identiques sur terre, voilà tout.

— Voilà tout. Et Danglard qui craignait que vous ayez changé.

— J'ai sans doute empiré, rien de bien grave. Dites, ajouta-t-il en balançant les clefs de voiture au bout de ses doigts, que pensez-vous du fait de perdre le double de ses clefs de voiture ? C'est une question sérieuse.

— Et simple. Le double des clefs de voiture ne doit jamais être perdu, commissaire.

— Et s'il l'est ?

— On le cherche jusqu'à épuisement des forces. Le double des clefs de voiture fait partie de ces objets qui nous crétinisent.

— J'ai perdu mon portable à Grimsey.

— Où cela ?

— Dans des excréments où une brebis l'a enfoncé d'un coup de patte.

— Et vous n'avez pas tenté de l'extraire jusqu'à épuisement ?

— Ne mésestimez pas la puissance d'un sabot de brebis, Retancourt. Il devait être brisé.

— En attendant, vous êtes sans téléphone ?

— J'ai pris celui du chat. Enfin, celui qui est posé sur la photocopieuse à côté de lui. Celui qui dysfonctionne. Je crois qu'un jour, le chat lui a pissé dessus. Je crois que mes portables sont voués à un destin excrétal. Je ne sais pas comment je dois le prendre.

— Il n'a rien fait au portable, objecta Retancourt, qui défendait le chat – nommé La Boule – comme la prunelle de ses yeux. Mais c'est vrai que ce portable fait des « i » à la place des « e » et des « o » à la place des « p ».

— C'est cela. Donc si vous recevez un message tel que : « Ji oars », ce sera de moi.

— Cela va simplifier le travail. Rien de bien grave.

— Rien.

— Comment vont-ils ? demanda-t-elle d'une voix beaucoup plus basse. Gunnlaugur, Rögnvar, Brestir… ?

— Ils vous envoient leur amitié. Croyez-le ou non, Rögnvar a gravé votre portrait sur le plat d'une rame.

Adamsberg était heureux d'avoir retrouvé Retancourt, mais il n'avait pas su le lui dire, sauf par quelques gestes. Il arrivait que cette « déesse polyvalente », comme il la nommait, un mètre quatre-vingt-cinq, cent dix kilos, dotée de l'énergie de dix hommes, l'impressionnât assez pour lui faire perdre son aisance naturelle. D'une puissance physique inégalable et d'une résistance mentale indélogeable, Retancourt apparaissait à Adamsberg comme un arbre de légende : de ceux sur les branches desquels la totalité des agents de la Brigade, perdus à la nuit dans une vaste forêt secouée par la tempête, pourraient se réfugier dans une sécurité définitive. Un chêne celtique. Bien sûr, avec ces qualités inusuelles, le lieutenant ne prétendait pas à la séduction féminine, et Noël ne manquait pas de le lui rappeler parfois grossièrement. Bien que Retancourt eût des traits délicats dans un visage certes presque carré.

Il gara la voiture noire et lustrée devant la Brigade au moment où Kernorkian et Lamarre lui amenaient Carvin, qui examina le commissaire d'un coup d'œil. Le pantalon et la veste de toile noire élimés, le tee-shirt passé, qui avait pu être gris, ou bleu, tout cela ne convenait pas à l'idée que se faisait maître Carvin du dirigeant assez réputé de la Brigade criminelle. L'avocat lui tendit la main.

— Il paraît, monsieur le commissaire, que vous m'emmenez faire un tour ?

Sans attendre de réponse, Carvin se dirigea vers la place passager.

— Maître, dit Adamsberg en lui tendant les clefs, j'aimerais que vous conduisiez.

— Ah ? Vous testez mes aptitudes ?

— Sans doute.

— Comme vous voudrez, dit l'avocat en contournant le véhicule.

Carvin ne pouvait pas se défaire de son ton légèrement provocant, mais Adamsberg le trouva plus affable qu'avec ses adjoints. Pour cet homme en perpétuelle posture de domination, Adamsberg était un chef et, à l'instinct, il estimait plus prudent de se mettre à distance. Ce n'est pas parce qu'un homme porte une vieille veste de toile et qu'il est de petite taille qu'il faut pour autant le négliger, s'il est un chef.

— Je suppose, dit l'avocat en se glissant derrière le volant, que cette voiture n'appartient pas à votre Brigade. Ou bien on nous ment sur les moyens de la police.

— Elle appartient au divisionnaire, dit Adamsberg en bouclant sa ceinture. J'ai idée que vous conduisez bien, mais vite. Et je dois la lui rapporter intacte ce soir. Aussi faites-y attention, je vous en prie.

Carvin mit le contact et sourit.

— Faites-moi confiance. Où va-t-on ?

— Au parking de la salle de jeux vidéo.

— Et ensuite sur le lieu de l'assassinat de ma femme ?

— Pour commencer, oui.

L'avocat s'engagea sur la chaussée, actionna le clignotant sans même le chercher, et tourna à gauche.

— Je suppose que vous allez jouer à cela avec ce Bouzim aussi ?

— Bouzid. Oui, bien entendu.

— J'avoue que je ne vois pas où vous voulez en venir, commissaire.

— Je ne le vois pas toujours moi-même, si cela peut vous rassurer.

— Je ne suis pas inquiet. Bonne voiture, très bonne voiture.

— Vous aimez les voitures ?

— Quel homme ne les aime pas ?

— Moi par exemple. Elles m'indiffèrent.

Après avoir garé la voiture face à la salle de jeux, puis pris la rue du Château-des-Rentiers, Carvin s'arrêta au feu rouge où son 4×4 avait écrasé sa femme.

— Voilà, commissaire. Et maintenant ?

— Revenez à la salle de jeux, comme l'a fait l'assassin.

Adamsberg lut sur les lèvres de l'avocat son mépris pour l'astuce si simpliste du commissaire.

— Et par où voulez-vous que je passe ?

— Allez par les petites rues. Prenez la première à droite, puis encore trois fois à droite et nous y serons.

— Entendu.

— Attention, il y a des travaux rue de l'Ormier, la chaussée est un peu défoncée.

— Pas de risques que j'abîme votre voiture, commissaire, dit Carvin en démarrant.

Quatre minutes plus tard, ils passaient à nouveau devant la salle de jeux. Adamsberg fit signe de poursuivre et de rentrer à la Brigade.

— Entrez je vous en prie, dit-il, le commandant souhaiterait s'entretenir avec vous.

— Pas vous ?

— Non, pas moi.

— Le commandant ? Je lui ai déjà parlé je ne sais combien de temps.

— Ce n'est pas le même.

— Cela sent, chez vous, observa Carvin en levant le visage.

— On a eu une livraison, dit Adamsberg.

Danglard se présenta à eux. Maître Carvin apprécia le costume anglais de coupe parfaite que portait ce grand homme sans beauté, aux yeux bleus trop clairs, aux jambes dégingandées, au buste voûté. Mais Adamsberg nota une légère appréhension chez l'avocat, et qui ne tenait pas à la tenue vestimentaire du commandant. Il avait perçu en Danglard un ennemi bien autre que ceux qu'il avait jusqu'ici affrontés.

— Nassim Bouzid est déjà arrivé, commissaire, annonça Danglard.

— Très bien, je l'emmène tout de suite.

Les deux suspects se croisèrent dans la salle, l'un suivant Danglard, l'autre Adamsberg.

— Bouzim, espèce de salaud ! cria l'avocat. Mais qu'est-ce qu'elle t'avait fait, hein ? Ordure, barbare ! C'est quoi ton clan ? La secte des Haschischins ? Des Assassins ?

Adamsberg et Danglard tirèrent chacun leur homme par un bras, aidés par Retancourt et Lamarre accourus en appui. Ce fut Bouzid qui écopa de Retancourt, qui lui fit parcourir six mètres en arrière sans qu'on eût bien compris comment.

— Je ne la connais même pas, votre femme ! cria Bouzid.

— Ignoble menteur ! Ce n'est pas interdit, le mensonge, dans le Coran ?

— Qu'est-ce qui te fait dire que je connais le Coran ? Je ne crois même pas en Dieu, imbécile !

— Je te tuerai, Bouzim !

On finit par éloigner les deux hommes et Adamsberg mit cinq bonnes minutes à calmer Nassim Bouzid sur le trottoir, qui répétait d'une voix tremblée que « c'était l'autre qui avait commencé », tel un enfant. Le commissaire l'installa sur le siège conducteur et attendit que l'homme fût prêt, émotionnellement, à prendre le volant.

Il lui fit accomplir le même parcours qu'à l'avocat, à ceci près qu'il le lui fit effectuer deux fois. Avant de démarrer, Bouzid avait pris le temps de vérifier l'emplacement de toutes les commandes et, au contraire de l'avocat, il parla en continu durant le trajet – qu'il fallut lui indiquer, tout comme à Carvin –, de sa famille, de son travail, de cet enculé d'avocat, de cette femme écrasée, ce n'était pas sa maîtresse, il ne l'avait jamais vue. C'est horrible de rouler comme ça sur une femme, non ? Il ne trompait pas son épouse, mais non, jamais, et où aurait-il pris le temps, même ? Et sa femme, hein, c'était son défaut, elle le surveillait sans cesse. Alors ? Comment il aurait fait ? On ne l'avait jamais envoyé en réparation dans cette boutique où la femme avait travaillé. Il se montra obligeant, beaucoup trop, allant jusqu'à proposer ses services gratuits si le distributeur à boissons de la Brigade tombait en panne. Le distributeur ne servait plus de soupe, et tout le monde s'en foutait.

À son retour, Adamsberg remit la voiture aux spécialistes des empreintes en leur expliquant précisément ce qu'il attendait d'eux, sur le véhicule du divisionnaire comme sur le 4×4. Une seule chose en fait, et rapide. Danglard sortait de son bureau, les joues un rien rosées, accompagnant l'avocat vers la sortie. Carvin avançait la mâchoire fermée, évitant les regards, ne saluant que le commissaire au passage. De toute évidence, un match 10 à 0 pour Danglard, exécuté en toute délicatesse, Adamsberg en était certain. Qui vit par l'épée périt par l'épée.

Adamsberg déambula un moment dans la salle de travail, bras croisés. Entre-temps, Voisenet était revenu à son poste, réalisant en entrant que la pièce, en effet, sentait fortement le vieux port. Toutes fenêtres ouvertes, un violent courant d'air passait sur les bureaux et chacun s'était débrouillé pour caler ses dossiers, qui avec des porte-crayons, qui avec ses chaussures, qui avec des boîtes de conserve dérobées dans l'armoire aux réserves du lieutenant Froissy, pâtés de sanglier, mousses de canard au poivre vert. Ce nouvel aménagement hétéroclite des tables donnait à l'ensemble une allure de vide-grenier ou de vente de charité, et Adamsberg espérait que le divisionnaire n'aurait pas l'idée subite de venir rechercher lui-même sa berline, et découvrir la moitié de la Brigade déchaussée dans une salle puante.

— Froissy, dit-il, passez l'enregistrement de l'interrogatoire de maître Carvin par Danglard à toute l'équipe. Cela sera réjouissant, ne le ratez pas. Mais avant, faites-moi un agrandissement des mains de Carvin durant son premier interrogatoire, un gros plan le plus net possible sur le bout de ses doigts, c'est-à-dire sur ses ongles.

Froissy travaillait vite et quelques minutes plus tard, elle désignait une main gauche à Adamsberg.

— J'obtiens de meilleurs résultats main par main expliqua-t-elle.

— Vous pouvez forcer le contraste ?

Froissy s'exécuta.

— Agrandissez encore.

Adamsberg se pencha longuement sur l'écran et se redressa satisfait.

— Vous pouvez répéter l'opération pour la main droite ?

— C'est en cours, commissaire. Vous y cherchez quoi ?

— Vous avez noté qu'il a les ongles de forme ronde ? Je veux dire que le bout des ongles a tendance à se refermer comme une coque sur l'extrémité de ses doigts. Vous voyez ? Ce sont des types d'ongles assez sympathiques pour les flics, car ils enferment plus volontiers des substances que d'autres.

— Quelles substances ?

— Je cherche de l'humus. De la terre bien brune.

— Je m'en occupe.

— De quoi, Froissy ?

— De faire monter les bruns en puissance. Voilà.

— Excellent, lieutenant. Où voyez-vous de la crasse ?

— Sous les angles des ongles du pouce et des annulaires.

— Oui, et il en avait encore aujourd'hui, au long du pouce. C'est un des coins les plus difficiles à récurer, surtout s'il s'agit de terre molle et collante et surtout sous un ongle rond.

— Ou bien c'est de la graisse de moteur.

— Non, dit Adamsberg en tapotant l'écran, c'est de la terre. Mais graisse ou terre, vous trouvez cela normal, chez un homme aussi soucieux de son apparence ?

— Il a pu planter quelque chose. On arrive en juin.

— Il aurait laissé ce travail à sa femme. Faites-moi des tirages de ces gros plans, voulez-vous ? Et puis lancez la vidéo de l'interrogatoire de Danglard. Cela va tous les rasséréner.

L'équipe technique des empreintes rangeait son matériel dans l'arrière-cour.

— Désolé, commissaire, lui dit le chef de groupe, écartant les bras. On a bien cette trace de doigt, deux même, pouce et index, sur le pare-brise de la voiture du divisionnaire, mais rien sur celui du 4×4. On ne peut pas gagner à tous les coups.

— C'est parfait comme cela. Envoyez-moi votre rapport dès que possible, avec des clichés des deux pare-brise.

— Pas avant demain, commissaire. On a encore deux scènes à traiter avant ce soir.

La salle de travail se vidait, la vidéo commençait en salle du chapitre. Adamsberg attrapa Voisenet au passage.

— Prenez votre appareil photo, Voisenet, un piochon, des gants et un sachet à prélèvement. J'emporte le détecteur à métaux. On ne va pas loin, juste dans l'impasse des Bourgeons.

— Commissaire, protesta Voisenet, qui se demanda s'il ne s'agissait pas là d'une mesure de rétorsion, je veux voir Danglard écraser ce type.

— Vous le verrez seul, après, et vous en profiterez d'autant.

Voisenet observa le visage d'Adamsberg, qui semblait avoir tout à fait oublié l'esclandre de la murène, passé aux pertes et profits. C'était plutôt la murène qui ne les avait pas oubliés, abandonnant dans son sillage son odeur infecte. Voisenet avait beau savoir que le commissaire n'était pas un type à ressasser ses rancunes et contrariétés, il avait toujours du mal à s'en convaincre, car lui-même ressassait volontiers.

Une fois devant l'immeuble des Carvin, Adamsberg marcha un moment dans l'impasse, qui, large et courte, évoquait plutôt une petite cour.

— Trois marronniers, dit-il. C'est bien.

— J'aurais pu vous le dire, commissaire. Si vous avez l'intention de fouiller le domicile, je vous rappelle qu'on attend encore la commission rogatoire du juge. Il était en week-end au moment des faits, et à l'heure actuelle, il compulse le dossier. Il compulse !

— Laissons-le compulser, Voisenet, je n'ai pas besoin d'entrer.

— Alors qu'est-ce qu'on fout là ?

— Dites-moi, Voisenet, vous vous y connaissez, en araignées ?

— Ce n'est pas mon domaine, commissaire. Et c'est un champ infini. Il en existe quarante-cinq mille espèces dans le monde, vous vous rendez compte ?

— Dommage, lieutenant. Rien d'important, mais je pensais que vous pourriez m'éclairer. C'est qu'en rentrant d'Islande, j'ai parcouru les nouvelles. Hormis les tueries et la pollution galopante, j'ai été intrigué par une petite histoire d'araignée.

Voisenet se mit sur ses gardes, fronçant ses gros sourcils noirs.

— Quelle petite histoire d'araignée ?

— Celle qu'on nomme la recluse, celle qui a recommencé à mordre en Languedoc-Roussillon et qui a fait cette fois deux morts, dit Adamsberg en sortant le détecteur à métaux du coffre de la voiture. On commence par cet arbre-là, Voisenet, au milieu de l'impasse. On enlève les grilles.

Voisenet regarda Adamsberg lancer l'appareil sans répondre. Il était un peu perdu parmi les considérations du commissaire qui voltigeaient entre les trois marronniers et l'araignée recluse. Il se reprit et suivit l'exploration circulaire du détecteur pas à pas.

— Rien sur celui-ci, dit Adamsberg en se redressant. Carvin est moins subtil que je ne pensais. Allons sur l'autre, juste en face de son immeuble.

— On cherche quoi ? demanda Voisenet. Une araignée métallique ?

— Vous allez voir cela, Voisenet, dit Adamsberg en souriant. Vous ne regretterez pas d'avoir manqué la vidéo. Donc cela ne vous dit rien, ces morsures de recluse ?

— En fait si, s'avança Voisenet, tout en tournant autour de l'arbre. J'ai un peu suivi le dossier.

— Beaucoup suivi. Pourquoi, Voisenet ?

— Il y a très longtemps, mon grand-père s'est fait mordre à la jambe par une recluse. La gangrène s'y est mise et il a fallu couper sous le genou. Il s'en est sorti, mais amputé. Il aimait courir à la tombée de la nuit, même à quatre-vingt-six ans. Je l'accompagnais parfois, et il me disait : « Écoute, petit, c'est l'heure de la bascule. Écoute le bruit des animaux qui s'endorment et de ceux qui se lèvent. Entends le froissement des corolles qui se replient. »

— Des corolles de fleurs ?

— Oui.

— Ça fait du bruit en se fermant ?

— Non. Et puis, sans plus pouvoir courir, il a dépéri, il est mort neuf mois après. Je hais les recluses.

Les deux hommes se figèrent. L'appareil venait de tinter.

— C'est peut-être une pièce de monnaie, dit Voisenet.

— Passez-moi vos gants.

Adamsberg examina attentivement la terre dans le quart de cercle mis à nu.

— Là, indiqua-t-il du doigt, il n'y a pas de feuilles mortes. Là, on a creusé récemment.

— Mais qu'est-ce qu'on cherche ? insista Voisenet.

Le commissaire dégagea doucement la terre sur une surface de dix centimètres de côté et sur environ huit centimètres de profondeur. Puis il s'interrompit et regarda Voisenet en souriant.

— Le double des clefs de voiture fait partie des objets qui nous crétinisent. À quoi bon les perdre ?

Écartant un peu plus la terre, il dégagea l'objet que ses doigts venaient d'exhumer.

— C'est quoi, cela, mon cher Voisenet ?

— Des clefs de voiture.

— Allez-y, photographiez en place. Plans larges, moyens et serrés.

Voisenet s'exécuta puis, de deux doigts, Adamsberg sortit de terre les clefs qu'il tenait par leur anneau. Il les fit danser devant les yeux du lieutenant.

— Passez-moi le sachet, Voisenet. Laissez la terre autour de la clef, n'y touchez pas. On replace les grilles, on remballe. Appelez la Brigade, qu'on aille de nouveau extraire maître Carvin de son cabinet. Garde à vue.

Adamsberg se redressa, frotta les genoux de son pantalon puis passa ses doigts entre ses cheveux pour les rabattre en arrière, y déposant des particules de terre.

— Parfois, Voisenet, les doux, les passifs, ceux qui ne savent jamais dire non et se mettent en quatre pour les autres, peuvent tuer par jaillissement subit de frustration. Cela aurait pu être le cas de Bouzid.

— Les passifs-agressifs.

— C'est cela. Mais parfois, les fiers-à-bras, les sûrs de soi, les dangereux, sont en effet tout simplement dangereux.

C'est le cas de Carvin. L'avidité, tel le démon, grossit d'une nouvelle gueule chaque année.

— Je ne savais pas.

— Si, Voisenet, dit Adamsberg en ôtant ses gants. Jusqu'à ce que tout doive s'écraser sur son passage. Ici, écraser au sens propre. Votre murène, c'est une avide ?

Voisenet haussa les épaules.

— C'est une trouillarde, elle se cache.

— Comme la recluse.

— Qu'est-ce que vous avez, commissaire, avec cette recluse ?

— Et vous, Voisenet ?

— Moi, je vous l'ai dit. Mais vous ?

— Si je le savais, lieutenant.

V

Les nouvelles, très incomplètes, de la mise en garde à vue imminente de Carvin pour meurtre les avaient précédés à la Brigade. La salle puante était en effervescence, personne n'était à son poste. Tous debout, débattant, s'opposant, réfléchissant. Comment s'était débrouillé Adamsberg, à peine sorti de son nid de brumes ? C'était les ongles, disait l'un, il avait demandé à voir les ongles. Non, c'était quand il avait visionné les interrogatoires, c'était la gueule des gars. Et les pare-brise, il y avait eu le coup des pare-brise, non ? Oui, mais il y avait quoi, sur le pare-brise du 4×4 ? Finalement ? Finalement rien. Les agents étaient partagés entre le soulagement du succès et la frustration, comme si on leur avait tiré le tapis sous les pieds beaucoup trop vite et sans explication, sans qu'ils puissent prendre le temps d'anticiper la fin. Adamsberg avait débarqué le matin même, sans avoir pris la peine de lire le rapport – ce manquement, chacun l'avait compris sans le dire –, et à présent, à 19 heures, le rideau tombait brutalement, dans la confusion des actes et des questions.

Cette confusion, Danglard et Retancourt la déploraient toujours. Chefs de file de la ligne pragmatique de la Brigade, tenants de la logique linéaire et de la rationalité, ils réprouvaient la manière dont Adamsberg avait conduit la journée et mené son enquête disparate et avare de mots. Même si, selon toute apparence, le résultat était là, les façons de faire du commissaire leur paraissaient toujours erratiques et s'opposaient frontalement à leurs pulsions cartésiennes. Mais ce soir, Danglard laissait filer, électrisé par sa lutte victorieuse contre maître Carvin, qui lui avait valu, après la projection de la vidéo devant l'équipe, un mémorable succès d'estime. Quant à Retancourt, sa double satisfaction de revoir Adamsberg et d'apprendre que Rögnvar, là-bas, à Grimsey, avait gravé son portrait sur une rame, l'empêchait de formuler des critiques. Elle réentendait la voix du pêcheur estropié, dans l'auberge islandaise, le dernier jour, elle revoyait sa main qui serrait son genou, « Écoute-moi bien, Víóletta, écoute-moi bien… Non, ne note pas, tu t'en souviendras toujours. » Rögnvar, l'anti-positiviste par excellence, Rögnvar le fou, Rögnvar l'extravagant. Et, à ce moment du moins, elle l'avait aimé, avec ses cheveux longs, blonds et sales, ses rides de vent de mer et sa jambe en moins.

Adamsberg traversa la grande pièce, les cheveux terreux et le pantalon sale. Les yeux un peu las aussi. Il se cala debout contre une table et Estalère, à l'instinct, se précipita pour lui faire un café. On a beau être lent, on a beau être peu bavard et divagant, de telles journées fatiguent. À l'avis du jeune homme, marcher en méandres et sauter de l'un à l'autre éreintait plus que marcher droit.

— Quelques minutes pour vous résumer les choses en deux mots, commença Adamsberg. Il y avait un peu de crasse à l'angle des ongles des annulaires et des pouces de maître Carvin, et cela déparait chez cet homme. Vous savez cela.

— Non, commissaire, on ne le savait pas, intervint Retancourt.

— Mais si, lieutenant, soupira Adamsberg, je n'en ai pas fait mystère. Je l'ai dit au lieutenant Froissy qui m'a agrandi les images des mains. Faites circuler les infos entre vous. Je ne peux pas vous convoquer un par un à chaque détail, si ? Donc il y avait cette crasse, et à mon sens, c'était sans doute de la terre. Car il y avait ce double des clefs de voiture disparu. Vous le saviez, Retancourt, je vous en ai parlé. Vous m'avez dit : « Le double des clefs de voiture fait partie des objets qui nous crétinisent. » Au point que leur perte nous affecte, comme un pilier de sécurité qui s'effondre. Pour bien des personnes, les balancer dans la Seine a quelque chose de douloureux. Et maître Carvin prend des douches et non des bains. C'est un énergique, c'est un rapide.

— Pardon, commissaire ? dit Mercadet.

— Pardon quoi ?

— La douche ?

— La douche décrasse beaucoup moins bien le dessous des ongles que le bain qui dissout. Carvin devait faire disparaître ce double pour pouvoir faire accuser Bouzid. Mais pourquoi le jeter s'il peut faire autrement ? S'il peut trouver une cachette… inexpugnable ? C'est le mot, Danglard ? Inexpugnable ?

— Oui.

— Merci. Bien sûr, il ne planque pas les clefs chez lui, ni à son cabinet. Et cacher suscite toujours l'idée d'enterrer. Idée simple, mais excellente : il va les enfouir dans la terre autour du marronnier, face à sa fenêtre. Sous la grille d'arbre. C'est très bien vu. Sans ce résidu de crasse sous ses ongles, je n'y aurais pas pensé. Moi, j'aurais jeté le double. Lamarre, Kernorkian, quand Carvin arrivera, faites aussitôt un prélèvement de cette crasse, on la comparera à la terre qui entoure la clef. Ce double de clef a eu plus de chance que l'épouse : Carvin a préservé sa vie, mais pas celle de sa femme. Il y a des hommes comme cela, qui ont le don de savoir choisir.

Voisenet sortit le sachet de prélèvement de sa sacoche et le fit circuler parmi les collègues.

— Faites attention, prévint-il, ne décollez pas la terre autour de la clef.

— Mais le pare-brise, dit Justin, on n'a rien su du pare-brise.

— Comment cela, Justin ? J'ai parlé de ces gravillons, laissés sur une aire de travaux sur le parcours du 4×4. À vous, Danglard, et à vous encore, Retancourt. Mais faites circuler, bon sang. Et je vous ai dit qu'il n'existait pas deux pissenlits semblables ni deux conducteurs identiques. Non ? Alors c'était compréhensible que j'emmène Carvin et Bouzid refaire le parcours pour examiner leur conduite, à cause des gravillons.

— Je ne saisis pas, dit honnêtement Lamarre, triturant le bouton de sa veste, toujours le même.

Timide, ayant gardé de son passage dans la gendarmerie une pénible raideur militaire, Lamarre était honnête jusqu'à la gaffe, au point d'avouer son incompréhension, aveu que beaucoup d'autres préféraient éviter. En cela, Lamarre était précieux car, comme Estalère, il soulageait ses collègues de bien des questions.

— On a examiné le 4×4 de fond en comble, dit Adamsberg. Mais on ne s'est pas occupés du pare-brise. Parce qu'on ne touche pas son pare-brise.

— Je ne saisis pas, répéta Lamarre.

— Les gravillons, le pare-brise, brigadier, les gestes propres à chaque conducteur.

Lamarre resta un moment tête baissée, poing sur les lèvres.

— Vous voulez parler, dit-il lentement, de ces gens qui, chaque fois qu'ils roulent sur des gravillons, posent un doigt sur leur pare-brise pour atténuer l'effet en cas d'impact ? Mon oncle fait cela.

— Et Bouzid aussi. C'est un conducteur prudent, presque craintif. Il pose ses doigts dessus, sans qu'on sache au juste si cela sert à quelque chose. Chacun ses tics.

— Je le fais aussi, dit Justin. Vous croyez que cela ne sert à rien ?

— Peu importe, Justin, vous le ferez toujours.

— Ah bien.

— J'ai fait faire deux fois le parcours à Bouzid. Et deux fois il a posé ses doigts sur la vitre quand on a roulé sur les gravillons, alors même qu'il parlait beaucoup et pensait à autre chose. Pur réflexe.

— Et Carvin ?

— C'est bien entendu un conducteur rapide, audacieux, démonstratif. Il ne pose pas ses doigts. Il aime faire crisser les graviers.

— Pas mal de gens aiment cela, dit Danglard. C'est un bruit divertissant.

— Et la face intérieure d'un pare-brise est toujours grasse et poussiéreuse, continua Adamsberg. Un doigt posé, et même un doigt ganté, laisse sa trace. Il n'y en a aucune sur celui du 4×4. Ce qui signifie que Bouzid ne l'a jamais conduit.

— Et pourquoi prendre la berline du divisionnaire ? Pour épater l'avocat ? demanda Retancourt, contrariée de ne pas avoir noté ce détail de la crasse sous les ongles de Carvin, alors qu'elle avait eu l'homme sous les yeux. De n'avoir pas décrypté les éléments que lui avait donnés Adamsberg. Mais le commissaire croyait parler clair, à tort, et on ne pouvait pas passer son temps à déchiffrer ses rébus incomplets.

— Parce que la berline est de la même marque que son 4×4. Donc même pare-brise. On doit être le plus précis possible, inattaquables. Nos éléments sont faibles. Ce double de clef, par exemple, la défense pourra rétorquer que Bouzid l'a placé là pour faire accuser le mari. Ce qui ne serait pas malin car la cachette est quasi inviolable. Mais Bouzid n'a aucune crasse sous les ongles. Alors qu'il prend des douches, lui aussi.

— Et comment le sait-on ?

— Mais parce que je lui ai demandé, Retancourt, répondit Adamsberg un peu surpris.

— Avec de la chance, dit Justin, on aura les empreintes de Carvin sur le double des clefs, pas celles de Bouzid.

— Et quoi qu'il en soit, dit Danglard, on sait à présent à coup sûr que Bouzid n'a pas conduit la voiture. Pas de cheveux, pas de trace de doigts sur le pare-brise, et des poils de chien alors qu'il n'y en a pas dans son propre véhicule. On l'aura.

— Vous l'aurez, commandant, nuança Adamsberg. Avec des aveux. Et pour les raisons que vous savez, c'est vous qui allez les faire cracher à cet écraseur de femme. Le voilà, commandant, c'est votre heure. Prenez tout votre temps, je serai derrière la vitre.

— Il va trouver que ça pue ici, dit Noël.

— Il l'a déjà remarqué. S'il en parle, vous lui direz que nous étions partis pêcher une bête répugnante, une murène.

— Non, s'opposa Voisenet, pas une murène.

— D'accord, on ne la nommera pas. Elle en est où ?

— À l'heure qu'il est, ma mère a dû finir de la faire bouillir.

— Alors tout s'arrange.

Adamsberg s'effaça dans son bureau, tout au fond de la grande salle. Voisenet le suivit et entra sur ses pas.

— Il y en a eu une autre, commissaire, chuchota-t-il, comme s'il existait un dangereux secret entre eux deux.

— Quoi ? demanda Adamsberg, négligent, en lançant sa veste sur une chaise.

— Une victime de la recluse.

Le commissaire se retourna vivement, le regard plus net qu'il ne l'avait eu de tout le jour.

— Racontez.

— Un homme, dans la même région.

— Quel âge ?

— Quatre-vingt-trois ans. Il n'est pas mort, mais il est déjà au stade septicémique. C'est très mal parti.

Adamsberg déambula quelques instants dans son bureau puis s'arrêta net et croisa les bras.

— On ne peut pas se permettre de ne pas écouter l'interrogatoire de Danglard, dit-il.

— C'est hors de question.

— Vous me raconterez donc cela plus tard, et en détail. Ce soir même. Vous êtes fatigué ?

— Non, commissaire. Pas avec la recluse.

— Vous avez passé les clichés des clefs à Froissy ?

— C'est fait.

— Très bien. Mieux vaudrait qu'on parle d'elle ailleurs qu'ici.

— De Froissy ?

— De la recluse. Après l'interrogatoire, rejoignez-moi chez moi. Je vous fais à dîner.

Adamsberg réfléchit un moment, tête penchée.

— Des pâtes, ça vous ira ?

Avant même l'interrogatoire de Danglard, le prélèvement silencieux, sans explication, des poussières noires sous ses ongles avait déstabilisé l'avocat. Adamsberg y assistait, la crainte modifiait les traits de Carvin. Les êtres emplis d'une si haute idée d'eux-mêmes n'ont jamais envisagé de chuter un jour. Quand cela se produit, ces êtres se vident, effarés, impréparés, leur substance s'évapore dans la stupeur de l'échec. Pas de milieu, pas de nuance, pas d'anticipation. Ainsi sont-ils.

— Ce n'est pas, maître Carvin, dit Adamsberg en marchant derrière lui, que je vais rechercher une terre semblable – car c'est bien de la terre n'est-ce pas ? – à travers tout le pays. C'est une simple confirmation. J'ai déjà votre clef. Cette foutue clef. Quel infantilisme d'avoir voulu la garder, vous ne trouvez pas ? C'est chez l'enfant qu'existe le désir de posséder, de ne rien perdre, jusqu'aux plus petits bouts de ficelle. Et cette passion peut le propulser jusqu'à la violence. Mais vers huit ans, elle s'estompe et s'en va. Disons que le territoire de la sécurité s'est formé. Mais pas chez tous. L'enfant pourrait tuer pour un fragment de bille, mais il ne tue pas. Il hurle, il tempête. L'adulte, l'avide, peut tuer, écraser, rouler par deux fois sur sa femme de cinquante-deux kilos, celle au si joli rire. À ceci près que le fragment de bille s'est transformé en deux millions cent trente-huit mille cent vingt-trois euros. Et quatorze centimes. N'oublions pas les centimes. En eux réside le descendant du fragment de bille.

Le commissaire quitta la salle d'interrogatoire et vint se placer derrière la vitre sans tain, où une quinzaine d'agents s'étaient déjà serrés, faisant grimper la température dans la pièce étroite. Chaleur et odeur de sueur que la senteur persistante de la murène n'arrangeait pas. Sensible, Froissy s'était posée sur une chaise et s'éventait. Retancourt restait impassible et ne transpirait pas. Une énigme de plus parmi ses capacités multiples. Adamsberg avait l'habitude de dire que Retancourt pouvait convertir son énergie en autant de fruits différents que l'exigeaient les circonstances. Il supposa qu'en ce moment, elle la convertissait en réfrigération et perte d'odorat.

Danglard attaqua avec courtoisie, sans ironie, sans démonstration de force.

— *Ah, l'argent ! Qu'on en ait ou qu'on en manque, c'est toujours lui la cause du mal.* Ne cherchez pas, maître, c'est d'un auteur commun, pour les gens ordinaires.

« Qu'on en ait » engendre à mon sens des dégâts beaucoup plus graves. Il nous faudrait une jauge de vigilance qui s'affine à mesure que grandissent notre fortune et notre puissance, et qui scrute les modifications dans les replis de notre cerveau limbique, nous lançant des signaux d'alerte. Qu'en pensez-vous, maître ?

Carvin ne bougea pas, ne frémit pas. Le spectacle de sa défaite le plongeait en hébétude. Il fallut à Danglard plus de trois heures pour amener l'homme aux aveux, par l'usage de mille banderilles. Virevolte de pointes toutes méditées, contrastées et imprévisibles, qui finirent par avoir raison des dernières défenses du tueur. Il était 22 h 35 quand le commandant sortit de la pièce, les jambes amollies par l'effort.

— J'ai faim, dit-il seulement. Et lui aussi. Vous l'avez entendu ? Il veut des carottes râpées, des carottes râpées.

— État de choc, dit Adamsberg.

Danglard se hâta vers son bureau où il se servit un verre de vin blanc, puis un autre, sans prendre le temps de s'asseoir.

— Qui vient dîner ? demanda-t-il à la ronde. C'est mon tour, à la Brasserie des Philosophes. Champagne d'entrée.

Une dizaine d'agents suivirent le commandant, tandis que se mettait en place l'équipe de nuit et qu'Adamsberg s'éclipsait au prétexte de devoir dormir.

VI

En frappant doucement à la porte d'Adamsberg, Voisenet eut l'impression amusante et désagréable de participer à une petite conspiration. L'impression soudaine, aussi, d'être un imbécile. S'intéresser à cette araignée, se retrouver à la nuit pour en parler à mots couverts, tout cela n'avait aucun sens. Il avait encore la tête à l'effondrement de Carvin, à la brillante prestation de Danglard, à la découverte des clefs. Tout cela existait, tout cela justifiait leur travail et leur motivation. Mais cette araignée, non.

Adamsberg surveillait la cuisson des pâtes et d'un geste fit signe à son lieutenant de s'asseoir.

— Il y a un type dans votre jardin, commissaire.

— C'est mon voisin, le vieux Lucio. Le soir, il est toujours planté là, assis sous le hêtre, avec une bière. Dieu le préserve des araignées. Quand il était enfant, il a perdu un bras pendant la guerre d'Espagne. Mais sur ce bras, il avait été mordu par une araignée, et il répète inlassablement que son bras est parti avant qu'il ait fini de gratter la piqûre. Que, de ce fait, cela continue toujours de le démanger. Il en a tiré un précepte qui, selon lui, s'applique à toutes les situations de l'existence : ne jamais laisser une piqûre en plan, toujours la gratter jusqu'au bout, jusqu'au sang, sauf à risquer d'être démangé toute sa vie.

— Je ne vois pas très bien.

— Pas grave, dit Adamsberg en posant sur la table sauce tomate et fromage. Sortez deux assiettes du buffet, ça va être prêt. Les couverts sont dans le tiroir, les verres au-dessus.

— Il y a du vin ?

— Une bouteille, sous l'évier. Servez-vous de pâtes, ça refroidit vite.

— C'est ce que dit toujours ma mère.

— Elle a fini la murène ?

— Je n'ai plus qu'à en extraire le squelette. Ça va avoir de la gueule.

— C'est le cas de le dire.

Adamsberg déboucha la bouteille, ouvrit le bocal de sauce tomate, le considéra un instant avant de le tendre au lieutenant.

— On ne sait pas ce qu'il y a là-dedans. Quarante-trois pesticides, du pétrole, des cosmétiques, du cheval, du vernis à ongles. On ne sait pas ce qu'on bouffe.

— La recluse non plus.

— C'est-à-dire ?

Voisenet vit que la lumière précise qui s'était allumée tout à l'heure dans le regard d'Adamsberg ne l'avait pas quitté. Un regard si ordinairement fondu qu'on ne pouvait manquer cet éclat quand il apparaissait.

— Elle se nourrit d'insectes, comme les oiseaux. C'est-à-dire d'insecticides. Cela fait partie des grands débats sur le net, pour expliquer les morts.

— Allez-y.

— Je ne sais plus, commissaire, si je dois « y aller ». Qu'est-ce qu'on fabrique avec cette recluse ? En quoi cela nous regarde ?

— Posez la question autrement : qu'est-ce que fabrique la recluse ?

— Elle mord, et par malchance, c'est tombé sur des vieux. Ils en sont morts.

— Et pourquoi c'est tombé sur des vieux ?

— Je crois que c'est tombé sur tout le monde, mais on n'a vu que les vieux. Le plus souvent, comme toutes les araignées, la recluse n'effectue qu'une morsure blanche. C'est-à-dire qu'elle n'injecte pas son venin. Elle mord pour avertir, mais elle n'a pas l'intention de gâcher son venin pour un homme, qui n'est pas une proie pour elle. En ce cas, on a deux petits points rouges sur la peau et voilà tout, personne n'en parle. Le mordu ne sait alors même pas qu'il a croisé une recluse. Vous voyez ? D'autres fois, toujours par mesure d'économie, elle ne va vider qu'une seule de ses deux glandes. Alors la réaction est faible. Même chose, on n'en parle pas. Enfin, il y a des gens qui réagissent peu. Ils présentent une petite marque rosée, suivie d'une papule, un petit œdème, et tout cela disparaît de soi-même.

— Donc ?

— Donc, dit Voisenet en remplissant les deux verres, il y a peut-être eu quinze autres personnes mordues depuis le début de la saison chaude, et qui sont passées inaperçues. Sauf ces trois hommes.

Adamsberg secoua la tête.

— Mais la recluse n'est pas agressive, n'est-ce pas ?

— Non, elle se cache au fond d'un trou, elle a peur. D'où son nom. Elle se cloître. Elle n'étale pas une vaste toile dans l'angle d'une fenêtre, comme notre grande tégénaire.

— La très grosse, noire ?

— Oui. Inoffensive par ailleurs. Au lieu que la recluse ne sort prudemment qu'à la nuit, pour se nourrir ou s'accoupler une fois l'an.

— Donc elle mord très rarement, c'est bien cela ?

— Seulement si elle y est contrainte. On peut avoir des recluses chez soi pendant des années sans jamais les voir ou se faire attaquer. À moins de poser brutalement la main sur leur timide trajet.

— Très bien. C'est rare, donc. Combien de morsures a-t-on recensées l'an dernier ?

— Quelque chose comme cinq à sept, sur toute la saison.

— Et aujourd'hui, on en a déjà trois, sur des vieux, en trois semaines. Sans compter ces quinze autres passées inaperçues, alors que la saison ne fait que commencer. On a des statistiques sur les morsures de recluse ?

— Aucune. Parce qu'on s'en fout. Elle n'est pas mortelle.

— Nous y voilà, Voisenet. Il y a eu des victimes âgées l'an dernier ?

— Oui.

— Et elles sont mortes ?

— Non.

— Et les victimes jeunes ?

— Non plus.

— Même réaction chez les uns et les autres ?

— D'après ce que j'ai lu, oui.

— Vous voyez, Voisenet. C'est déséquilibré. Trois vieux déjà mordus, et presque trois morts. Et cela, c'est nouveau. Je suis désolé, je n'ai pas de dessert, pas de fruits.

— Les fruits sont tout autant gavés de pesticides que les araignées. Et le vin, ajouta le lieutenant en examinant son verre, puis avalant une gorgée.

Adamsberg débarrassa la table, tira sa chaise près de la cheminée éteinte et s'y installa, pieds posés sur le chenet.

— Presque trois morts, répéta Voisenet. Entendu, ce n'est pas ordinaire. Et précisément, c'est le débat.

— Comment cela se présente, une réaction à la morsure d'une recluse ? Pourquoi meurt-on ?

— Eh bien, son venin n'est pas neurotoxique, comme il l'est chez la plupart des araignées. Il est nécrotique. C'est-à-dire qu'il décompose les chairs autour de la morsure. La nécrose peut s'étendre sur vingt centimètres de long et dix de large.

— J'ai vu quelques photos des plaies, dit Adamsberg. Noires, profondes, répugnantes. Comme une gangrène.

— C'est une gangrène. Avec des antibiotiques, elle régresse et s'éteint. Parfois, la nécrose est si importante qu'une chirurgie esthétique est nécessaire pour restaurer grossièrement l'aspect antérieur du membre. Une année, un gars y a laissé une oreille entière. Hop, dissoute.

— Assez détestable.

— Ah. Ma murène vous paraît propre en contraste.

— Sans doute.

— Encore que sa morsure peut provoquer une sacrée infection, à cause des bactéries coincées entre ses dents. Et justement, commissaire, cette nécrose de la recluse peut déclencher une infection généralisée, ou s'étendre aux viscères. Ou entraîner une destruction des globules rouges, une atteinte aux reins et au foie. Mais c'est rarissime, bon sang. Et cela n'arrive qu'à de très jeunes enfants ou des personnes très âgées. Parce que le système immunitaire n'est pas encore achevé ou est devenu déficient.

Voisenet se leva à son tour, fit quelques pas, appuya ses mains au dossier de sa chaise.

— Et voilà ce qu'on a, commissaire. Trois hommes mortellement atteints, parce qu'ils étaient vieux. Et c'est tout. Et on n'en parle plus.

— Parce qu'ils étaient vieux et c'est tout, répéta Adamsberg. Mais alors, de quoi débat-on sur le net ?

— De tout ! Sauf qu'il ne s'agit pas d'une enquête de police, commissaire !

— Mais de quoi débat-on sur le net ? insista Adamsberg.

— De la cause des morts. Il y a deux théories. Celle d'une mutation, qui fait trembler le réseau : les recluses étant chargées d'insecticides, de saletés qui détraquent leur organisme, leur venin aurait muté pour devenir mortel.

Adamsberg abandonna sa cheminée pour aller chercher un paquet de cigarettes laissé par son fils Zerk sur le buffet. Il en tira une, assez froissée.

— Et l'autre théorie ?

— Le réchauffement climatique. La puissance du venin s'accroît avec la chaleur. Les araignées les plus dangereuses vivent dans les pays chauds. L'an dernier, la France a vécu un de ses étés les plus chauds. Même chose pour l'hiver qui a suivi, qui n'en porte même plus le nom. Il fait déjà anormalement chaud depuis trois semaines. Si bien que la toxicité du venin aurait augmenté, et peut-être même la taille des bêtes, et de leurs glandes.

— Ce n'est pas stupide.

— Quand bien même, commissaire, ce n'est pas notre affaire.

— Il faudrait que j'en sache plus. Sur les victimes et sur la recluse.

— Sur les victimes ? Vous n'êtes pas sérieux.

— Quelque chose cloche, Voisenet. Tout cela n'est pas normal.

— Et le climat ? Et les pesticides ? Vous trouvez cela normal qu'on ne puisse plus manger de pommes ?

— Non plus. Existe-t-il un endroit à Paris où des gens s'y connaissent en insectes ?

— Les araignées ne sont pas du tout des insectes.

— Ah oui, Veyrenc me l'a déjà dit.

— Mais au Muséum d'histoire naturelle, il y a un labo qui se consacre aux araignées. Ne m'entraînez pas là-dedans, commissaire.

Après le départ du lieutenant, Adamsberg revint s'asseoir, frottant son cou pour en ôter une vague tension qui raidissait sa nuque. C'était face à l'écran de Voisenet, face à la recluse, qu'il l'avait ressentie pour la première fois, accompagnée d'un léger malaise. Un trouble ténu, passager, qui traversait sa route quand il parlait d'elle, et se dissipait. Cela passerait, cela passait déjà. Quelque chose qui le démangeait, aurait dit Lucio à coup sûr.

VII

Deux jours après l'arrestation de Carvin, la Brigade entra dans sa phase paperassière, toujours accompagnée d'un silence nerveux, de pas glissés, de dos courbés, de visages froissés et concentrés, regards vissés sur les écrans. Tel le chat roulé en boule sur la photocopieuse tiède, la tête à peine visible et les poils rabattus, semblant avoir réduit du tiers de son volume. Retancourt, qui s'occupait principalement du chat avec l'aide de Mercadet, avait noté, lui semblait-il, que l'animal était sensible aux phases paperassières comme d'autres à celles de la lune, et adoptait la posture en boule serrée bien plus souvent qu'en phase active d'enquête de terrain. Non que Retancourt le surveillât constamment. Mais c'était elle qui s'occupait de remplir son écuelle trois fois par jour. Et trois fois par jour, elle devait emmener le chat jusqu'au premier étage, dans la salle du distributeur à boissons. Car le chat n'acceptait de manger qu'en ce lieu, et se serait laissé crever de faim plutôt que d'avaler son plat au rez-de-chaussée. Encore fallait-il le porter dans les escaliers à cette occasion, bien que, dans ses rares moments de jeu, il fût parfaitement capable d'escalader et dégringoler les marches à bonne allure. Ainsi exigeait le chat, ainsi obéissait Retancourt, à qui cette énorme boule de poils avait sauvé la vie. En phase paperassière, Retancourt renonçait à déplier la bête et portait sa masse molle des deux mains, telle une offrande.

La journée de la veille avait encore apporté à la Brigade les ultimes mouvements de l'enquête, telles les dernières vagues souples d'une marée descendante. Les analyses avaient confirmé l'identité de la terre coincée sous les ongles de Carvin et de celle adhérant à la clef. À dix-huit heures, l'avocat avait été transféré en détention provisoire à la prison de la Santé. Dont les murs de la cour étaient si sales, disaient les détenus, qu'on craignait de s'y adosser et d'y rester collé.

La phase paperassière suivait toujours le même protocole. Chacun des agents impliqués rédigeait d'abord son compte rendu d'activité. Rapports qui remontaient au commandant Mordent qui se chargeait de lisser cette masse disparate, tandis que Froissy et Mercadet rassemblaient la documentation photographique et les constats scientifiques. Le tout parvenait au commandant Danglard, responsable de l'état final du rapport, de sa complétude, de son exactitude, de sa cohérence et de sa lisibilité. Par quelque chance, au vu du caractère accablant de la tâche, Danglard, qui aimait le papier jusqu'à la névrose et l'écrit sous toutes ses formes, était l'unique membre de la Brigade à apprécier cette étape. Ses rapports étaient jugés exceptionnels par la hiérarchie et contribuaient, outre les résultats d'enquête, à la réputation de la Brigade.

En temps qu'« agent impliqué » dans l'enquête, le commissaire Adamsberg devait lui aussi consigner ses actes et paroles. Évitant l'écrit, il les contait à Justin qui rédigeait à sa place. En fin de processus, Adamsberg n'avait plus qu'à signer le rapport de Danglard, qu'on appelait « Le Livre », en raison de la perfection de sa langue.

Pour la troisième fois, le commissaire ordonna une pause de trente minutes à Justin. Il alluma son écran et se replongea dans la toile de l'araignée recluse. La troisième victime était décédée à l'hôpital de Nîmes dans la nuit, emportée par l'un des pires effets de l'intoxication venimeuse, la nécrose des viscères.

Adamsberg avait déjà noté, sous le titre *Recluse violoniste*, quelques informations sur les deux morts précédents :

– Albert Barral, né à Nîmes, décédé il y a trois semaines, le 12 mai, à quatre-vingt-quatre ans, courtier en assurances, divorcé, deux enfants.

– Fernand Claveyrolle, né à Nîmes, décédé une semaine plus tard, le 20 mai, quatre-vingt-quatre ans, professeur de dessin, deux fois marié, divorcé, sans enfants.

Il y ajouta Claude Landrieu, également né à Nîmes, décédé le 2 juin, quatre-vingt-trois ans, commerçant, marié trois fois, cinq enfants.

Et ce jour, un journal local signalait une femme, Jeanne Beaujeu, qui, rentrant de trois semaines de vacances et informée des précédents décès, s'était présentée à l'hôpital de Nîmes pour faire examiner sa plaie, en voie de cicatrisation. Elle déclarait avoir été mordue le 8 mai et, sa lésion n'étant pas étendue, elle s'était contentée de la prescription de son médecin. Elle avait quarante-cinq ans.

Adamsberg se leva et alla observer le feuillage du tilleul, depuis sa fenêtre. Il n'y avait donc pas que des vieux. Et Voisenet ne manquerait pas de le lui faire savoir. Revenant à son bureau, il releva en effet un mail du lieutenant : *Vous avez vu ? Une femme de quarante-quatre ans, morsure non mortelle. C'est parce qu'ils sont vieux !*

À quoi Adamsberg répondit :

— *Je croyais que vous laissiez tomber. Vous devriez être en train de suer sur votre rapport.*

— *Vous de même, commissaire.*

Justin, ponctuel, se présenta à sa porte à cet instant, la demi-heure de pause s'étant écoulée. Reprise du rapport. Adamsberg ferma son écran et, toujours debout, exposa à son adjoint le déroulé des deux parcours effectués en voiture avec Carvin et Bouzid.

— De même qu'il n'existe pas deux pissenlits identiques sur cette terre, ajouta-t-il.

— Je ne peux pas écrire cela, commissaire, dit Justin en secouant la tête. Cela ne va nous valoir que des ennuis.

— Si vous le dites.

Puis Adamsberg renvoya Justin à l'équipe scientifique qui avait analysé les pare-brise et se remit aussitôt à son écran, s'enfonçant dans les profondeurs des forums, tout agités par l'annonce d'une quatrième morsure. La polémique, depuis ce cas de guérison, enflait quant à l'existence, ou pas, d'une mutation de la recluse. À 18 h 06, un homme intervint de manière abrupte sur l'un des forums, sous le pseudonyme de Léo :

Léo : *Vous commencé à emmerder le monde avec vos histoires de vieux. J'ai 80 ans, j'ai été mordu le 26 mai, et j'en ai pas fait tout un cirque, même pas vu le toubib. Et je suis vivant.*

Arach : *Bravo, Léo ! C'est rassurant !*

Léo : *J'ai eu rien que de la pustule et puis c'est tout.*

Mig : *Ya pas de mutation alors ?*

Cerise33 : *On n'a pas dit qu'elles avaient toutes muté.*

Zorba : *De toute façon, ya trop de morsures. Ou elles sont plus agressives, à cause des insectes qu'elle mange, ou elles se sont multiplié, à cause de la chaleur. Ou à cause qu'il n'y a plus d'oiseau comme avant.*

Craig22 : *Zorba a raison. On est que le 2 juin, et ça fait déjà 5 morsures. C'est énorme. Dans 3 mois, on sera à combien ? Quarante ? Et quand même ya des morts.*

Frod : *Mais c'est des vieux.*

Léo : *Arrêter de faire chier avec vos vieux ! Vous aussi vous aller vieillir.*

Arach : *On se calme, Léo, cé pas contre toi. Mais peut-être t'es un résistant, toi ?*

Léo : *39 ans de carrière à piloter une grue, qu'il pleuve ou qu'il vente. Ça te dit quoi, comme résistance ?*

Adamsberg ajouta à sa liste :

– Jeanne Beaujeu, quarante-cinq ans, première victime, mordue le 8 mai, en cicatrisation.

– Léo, quatre-vingts ans, ouvrier grutier, mordu le 26 mai, pustule, spontanément guéri.

Puis il lut le nouveau mail de Voisenet : *Vous avez vu le site avec Léo ? Tous les vieux ne meurent pas. Mais Craig22 a raison : c'est trop de morsures, on n'est même pas en été.*

Adamsberg répéta :

— *Je croyais que vous laissiez tomber.*

— *Mais je laisse tomber !*

— Ce n'est pas l'impression que j'ai eue. Ceci dit, il y a des années où on est envahis de coccinelles.

— Ça doit être ça. C'est une année à recluses. Beaucoup plus de morsures, et trois vieux qui n'ont pas résisté. C'est tout ce qu'il y a à voir. Laissez choir, vous aussi, commissaire.

— Je ne m'en occupe pas, je fais mon rapport.

— Moi aussi.

Il s'adossa à son siège, penchant la tête en arrière. Possible que cette araignée l'ait mordu. Son seul nom le mettait en alerte, fendillait ses pensées, se mêlant au souvenir de l'ordinateur de Voisenet dans la senteur infecte de la murène. Cette première raideur s'était répétée au fil de ces trois jours, apparaissant, disparaissant, visiteur éphémère autant qu'entêté.

Tout cela pour un mot, tout cela pour un son. Et qui n'avait rien à voir avec le lac de Cluses où son père les avait emmenés patauger, souvenir mouillé, souvenir brillant. À l'inverse des toiles grises et mouvantes que l'araignée apportait avec elle, avec, peut-être, quelque peur abritée dans leurs plis. Adamsberg se redressa. Cela passerait. Il acheva son travail avec Justin après vingt heures trente. La plupart des agents avait quitté la Brigade. Mais pas Danglard. Le commandant était entré dans le bureau du commissaire pendant qu'il dictait à Justin, accoudé à la fenêtre ouverte. Et Adamsberg n'avait pas eu le temps de faire disparaître sa note portant le nom des cinq victimes de l'araignée. Danglard l'avait vue. Et le commissaire savait que pour Danglard, voir, c'est lire, et lire c'est retenir. Et qu'il n'allait pas apprécier ce titre de *Recluse violoniste,* porté en haut de la note. Qu'il avait déjà dû taper ce terme sur internet.

Adamsberg pressentait que Danglard l'attendrait ce soir de pied ferme. Il composa rapidement le numéro du lieutenant Veyrenc.

— Louis, encore là ?

— Je partais.

— Tu as quelque chose de prévu ?

— Un reste de hachis parmentier.

— C'est toi qui l'as fait ?

— Non, c'est l'industrie.

— Tu dînerais avec moi ? À La Garbure ?

— Tu en appelles au son du terroir ? Tu as besoin de moi ?

La garbure était un plat traditionnel des Pyrénées, et sans doute fallait-il avoir grandi avec pour apprécier cette soupe au chou mêlée des restes divers du potager et, si possible, de jarret de porc. À La Garbure, on y ajoutait du confit de canard. En outre, la patronne des lieux avait une faiblesse pour le visage minéral de Veyrenc, ses lèvres un peu féminines, les quatorze mèches rousses qui tranchaient dans sa chevelure brune.

— C'est que je risque d'avoir un convive imprévu, précisa Adamsberg. Qui sera de méchante humeur, je le crains.

— Danglard ?

— Comment le sais-tu ?

— Cela fait plus d'une heure qu'il traîne dans les locaux en grommelant, préoccupé, et même anxieux. Personne ne sait pourquoi.

— Moi si.

— Ah. Où t'emporte le vent, Jean-Baptiste ?

— Vers l'araignée recluse.

— Celle qui mord en ce moment dans le Sud-Est ?

— Elle-même.

— Je vois, dit Veyrenc.

Non pas qu'Adamsberg pensât que Louis Veyrenc de Bilhc, de son vrai nom, allait défendre ses intérêts ou soutenir sa curiosité pour les agissements inconsidérés de l'araignée. Mais l'idée de devoir se justifier sous le regard inquisiteur de Danglard le harassait d'autant qu'il était incapable de s'expliquer. Or Danglard, si mécontent fût-il, ne s'attaquait jamais de front au lieutenant Veyrenc. Personne ne le faisait. Ni de front ni d'aucune façon. On ne craignait pas de réaction violente de la part de Veyrenc, comme cela pouvait se produire avec Retancourt ou Noël. C'était un calme. Mais son visage et son corps exprimaient une densité quasi granitique contre laquelle on userait dents et griffes en pure perte. En même temps que la rapidité de son esprit s'adaptait à chaque mouvement de la route, sans jamais paraître s'en étonner ou être pris au dépourvu.

Tous deux enfants du Béarn, Adamsberg et Veyrenc avaient hérité de leur montagne quelque matière incassable, souplesse pour l'un, stabilité pour l'autre. Tandis qu'un souffle d'air pouvait emporter Danglard dans les terres de l'angoisse.

VIII

Danglard avait refusé avec véhémence d'avaler une seule assiette de cette garbure, l'équivalent pour lui d'une soupe aux déchets bonne pour des montagnards endurcis. Il mangeait délicatement un cochon de lait farci. Dès son entrée de foie de canard, accompagné de vin de Jurançon, sa tension s'était amollie. La meilleure façon d'étouffer chez le commandant une contrariété naissante était de l'emmener dîner, et bien dîner. Mais jamais il n'en perdait pour autant sa trajectoire. De même que jamais le vin ne lui avait fait oublier quoi que ce soit. En outre, le commandant n'était pas intimidable. Lui seul avait le pouvoir de s'effrayer lui-même.

— Ne tournez pas autour du pot, lui dit Adamsberg, qui se sentait d'humeur légère. Allez-y, Danglard.

— Je ne tourne pas. Je mange pendant que c'est chaud.

— C'est ce que recommande la mère de Voisenet.

— C'est ce que recommandent toutes les mères, dit Veyrenc en se resservant de garbure.

— Elle s'appelle l'araignée recluse, l'araignée-violon, insista Adamsberg.

— Elle s'appelle *Loxosceles rufescens*, précisa Danglard. *Loxosceles reclusa* dans les Amériques, mais *rufescens* chez nous. Il en existe des centaines d'espèces.

La maîtresse des lieux, Estelle, de quelque quarante ans, vint demander à Veyrenc s'il souhaitait qu'elle lui fasse réchauffer sa garbure, ce n'était pas bon de manger froid. Tout en lui posant une main légère sur l'épaule. Veyrenc refusa avec un sourire, sourire qui empêcha, par effet quasi magnétique, la main légère de se retirer de l'épaule. Adamsberg croisa le petit regard brun de Veyrenc. Cela faisait longtemps que la lutte virile qui les avait opposés pour une femme s'était éteinte.

— Vous la connaissiez, commandant ? demanda Adamsberg.

— La patronne ? De loin. Vous avez déjà essayé de me faire avaler cette soupe, ici même.

— Je parlais de la recluse. Vous la connaissiez ?

— Non, j'ai lu.

Et Adamsberg savait que Danglard avait pu lire, en deux heures, trente fois plus que ce qu'il avait parcouru lui-même.

— Et pourquoi avez-vous lu ? demanda-t-il tout en faisant signe à Estelle de leur apporter le fromage, une tomme de brebis vieillie. Les bestioles ne sont pas un sujet pour vous.

— Une seconde, commissaire. Pour le fromage, je passe au vin rouge.

— Ici, c'est du madiran.

— Je connais vos terroirs.

Une fois son verre empli, et face à son assiette de tomme, Danglard apparut proche de la détente.

— Parce que j'ai vu votre note, sur votre bureau, dit-il.

— Je sais. C'est pourquoi vous êtes là.

— Noms des « victimes », âges, professions, dates des décès, cela ressemble fort à un début d'enquête, non ? C'est mon boulot de m'informer des prochains travaux de la Brigade.

— Vous feintez, Danglard. Ce n'est pas une enquête.

— En ce cas, j'ai dû faire erreur. Si c'est un jeu, c'est autre chose.

Le visage d'Adamsberg se ferma brusquement.

— Ce n'est pas un jeu.

— Et de quoi s'agit-il alors ?

— Cinq victimes, trois morts, dit Veyrenc. En si peu de temps. Il existe peut-être…

— Peut-être ? le coupa Danglard.

— Une ombre qui plane ? acheva Veyrenc.

— Qui pourrait étendre ses ailes ? ajouta Adamsberg.

Danglard secoua la tête et repoussa son assiette vide.

— Trois morts, c'est exact. Mais cela regarde les médecins, les épidémiologistes, les zoologues. Nous, en aucun cas. Ce n'est pas de notre compétence.

— Ce qu'il serait bon de vérifier, dit Adamsberg. Ce pourquoi j'ai rendez-vous dès demain avec un spécialiste des araignées, je ne sais plus comment cela s'appelle, un araignologue, un arachonologue, peu importe, au Muséum d'histoire naturelle.

— Je ne veux pas y croire, dit Danglard, je ne veux pas y croire. Revenez-nous, commissaire. Bon sang mais dans quelles brumes avez-vous donc perdu la vue ?

— Je vois très bien dans les brumes, dit Adamsberg un peu sèchement, en posant ses deux mains à plat sur la table. J'y vois même mieux qu'ailleurs. Je vais donc être net, Danglard. Je ne crois pas à une multiplication des recluses. Je ne crois pas à une mutation de leur venin, si grande et si subite. Je crois que ces trois hommes ont été assassinés.

Il y eut un silence avant que Danglard, stupéfait, ne reprenne. Les grandes mains d'Adamsberg n'avaient pas bougé, fermement appliquées sur le bois de la table.

— Assassinés, répéta Danglard. *Par des recluses ?*

Adamsberg prit un temps avant de répondre. Ses mains quittèrent la table et dansèrent un peu dans l'air.

— En quelque sorte, oui.

Veyrenc et Adamsberg rentraient en marchant lentement, vestes ouvertes sur la tiédeur de ce début de juin, après avoir pris la précaution de raccompagner Danglard, assommé, non par le vin, mais par la déclaration du commissaire.

— Pour ton rendez-vous au Muséum, Jean-Baptiste, on dit « arachnologue », dit Veyrenc.

— Une seconde, il vaut mieux que je le note.

Adamsberg ouvrit son carnet dans la nuit, écrivit le mot en suivant l'orthographe que lui dictait Veyrenc, puis compléta la page par un rapide dessin d'araignée.

— Non, les araignées ont huit pattes, huit. Je te l'ai déjà dit.

— Et les insectes six, dit Adamsberg en corrigeant son croquis, je m'en souviens maintenant.

Il rempocha son carnet et sa main rencontra une vieille cigarette froissée volée à son fils Zerk. Il la sortit, à moitié vide de tabac, et l'alluma.

— Et donc, tu vois cela dans les brumes, dit tranquillement Veyrenc en reprenant leur marche.

— Oui. Que veux-tu que j'y fasse ?

— Ce que tu fais. Je ne vois pas dans les brumes. Mais il m'arrive de voir un peu devant.

— Et que vois-tu, devant ?

— Eh bien, cette ombre, Jean-Baptiste.

IX

À 13 h 50, Adamsberg, un peu en avance, attendait son rendez-vous avec le professeur Pujol, l'arachnologue – il vérifia une dernière fois le mot dans son carnet. Huit pattes. *Loxosceles rufescens.* Hier soir, sur le chemin du retour, Danglard avait réfléchi à haute voix sur l'étymologie du terme *Loxosceles*, alors que nul ne lui avait rien demandé. De *loxo*, « oblique », et par extension, « qui ne marche pas droit », « vicelard ». Et peut-être de *celer*, « qui se cache ». La vicelarde qui se cache ? Mais cela ne satisfaisait pas Danglard de mêler des racines grecque et latine.

Le commissaire était assis sur un banc de bois instable, baigné dans une odeur de vieux parquet, de poussière, de formol, de crasse peut-être. Il cherchait comment justifier sa visite et les idées lui manquaient.

Une petite femme un peu rondelette de quelque soixante-dix ans, appuyée sur une canne, s'approcha du banc. Inquiète ou méfiante, elle s'y assit à plus d'un mètre du commissaire. Elle coinça sa canne auprès d'elle, et la canne tomba. Toutes les cannes glissent, toutes les cannes tombent, se dit Adamsberg, qui la ramassa aussitôt et la tendit en souriant à la femme. Elle était vêtue d'un jean trop long retroussé sur des baskets grises, d'un chemisier très fleuri et d'un « cardigan » tout aussi démodé. Pour s'habiller avec négligence, Adamsberg savait reconnaître une tenue « provinciale », ainsi qu'on disait ici, dans la grande ville de pierre. Elle lui rappelait sa mère, ses « chandails » à gros boutons recousus main, avec trop de fil, pour que ce soit solide. Pas très jolie, un bon visage presque rond, des cheveux teints en une nuance de blond, une mise en plis, des lunettes lourdes qui ne lui allaient pas. Et, comme sa mère, elle présentait deux stries nettes entre des sourcils trop souvent froncés, elle n'avait pas dû rigoler en matière d'éducation des gosses.

Adamsberg se demandait ce que cette femme pouvait bien faire sur ce banc, pourquoi elle avait voyagé jusqu'ici. Elle tenait son petit bagage noir sur ses genoux, l'ouvrit pour en sortir une boîte en plastique, l'examiner et la renfourner aussitôt. Cela faisait bien quatre fois qu'elle vérifiait qu'elle n'avait pas oublié la boîte. C'était pour cela qu'elle venait.

— Pardon, dit-elle, vous seriez gentil de me donner l'heure.

— Je suis désolé, je n'ai pas l'heure.

— Alors c'est quoi, ces deux montres que vous avez au poignet ?

— Ce sont des montres, mais elles sont arrêtées.

— Et pourquoi vous les mettez alors ?

— Je ne sais pas.

— Excusez-moi, ça ne me regarde pas. Excusez-moi.

— Je vous en prie, ce n'est pas grave.

— Non, c'est que j'aime pas être en retard.

— Vous avez rendez-vous à quelle heure ?

On aurait dit deux patients dans une salle d'attente de dentiste, discutant faussement pour tromper l'appréhension. Mais comme on n'était pas chez un dentiste, s'ajoutait une curiosité sur le motif de la présence de l'autre. Et le souci que cet autre ne lui vole sa place.

— À 14 heures, répondit-elle.

— Moi aussi.

— Mais avec qui ?

— Le professeur Pujol.

— Moi aussi, dit-elle en se renfrognant. Alors il nous prend ensemble ? Ça se fait pas, ça.

— Il est peut-être très occupé.

— Et vous venez pour quoi, vous ? Sans indiscrétion ? Pour faire réparer vos montres ?

Elle eut un petit rire spontané, gai, sans moquerie, qu'elle réprima aussitôt. Elle avait de jolies dents, encore assez blanches pour son âge, ce qui lui ôtait dix ans quand elle riait.

— Excusez-moi, dit-elle, excusez-moi. C'est que parfois, je fais des petites blagues.

— Je vous en prie, rien de grave, répéta Adamsberg.

— Mais vous venez pour quoi ?

— Eh bien, disons que je m'intéresse aux araignées.

— C'est forcé, si vous venez voir le professeur Pujol. Vous seriez une sorte d'arachnologue amateur ?

— C'est cela.

— Et il y en a une qui vous fait des embêtements ?

— Un peu. Et vous ?

— Moi, j'en apporte une. Des fois que ça peut leur servir. Parce qu'elle est rare à dénicher.

Puis la femme parut réfléchir, regardant droit devant elle, semblant peser avec gravité un pour et un contre. Elle examina ensuite son compagnon – sans indiscrétion espéra-t-elle. Un petit homme brun, mince, et des muscles tendus comme du nerf de bœuf. Une tête… mais qu'est-ce qu'on pouvait bien dire de sa tête ? Tout irrégulière, les pommettes saillantes, les joues creuses, un nez trop grand, busqué, et un sourire pas droit qui faisait plaisir à voir. Sur ce sourire, elle se décida, sortit sa précieuse boîte et la lui tendit.

Adamsberg regarda avec attention la bête brune recroquevillée derrière le plastique jauni. Une araignée morte, ça n'a plus l'air de rien. Vous écrasez une tégénaire géante, il en reste un petit pois. Aujourd'hui, parler de la recluse et même la voir pour la première fois ne déclenchait en lui aucun trouble. De même que la veille au dîner. Pourquoi, il ne tentait pas de se l'expliquer. Il s'habituait, voilà tout.

— Vous savez pas ? demanda la femme.

— Je ne suis pas sûr.

— Peut-être que vous n'en avez jamais vu de morte ?

— Non.

— Vous voyez quand même son dos.

— Oui.

— Et ça vous frappe pas, son céphalothorax ?

Adamsberg hésita. Il avait lu quelque chose là-dessus. L'autre nom de la recluse : l'araignée violoniste, ou l'araignée-violon. Parce qu'il y avait un dessin en forme de violon sur son dos. Il avait eu beau scruter les photos, franchement, ça ne ressemblait pas à un violon.

— C'est ce dessin, n'est-ce pas ?

— Vous voulez que je vous dise, sans indiscrétion ? Vous n'êtes pas plus arachnologue que je suis le pape.

— C'est vrai, dit Adamsberg en lui rendant la boîte.

— C'est quelle araignée qui vous intéresse ?

— La recluse.

— La recluse ? Alors vous êtes comme les autres ? Vous avez peur ?

— Non. Je suis flic.

— Flic ? Attendez que je comprenne.

De nouveau, la petite femme regarda face à elle, puis revint à Adamsberg.

— Dès qu'il y a des morts, les flics rappliquent. Mais vous n'allez pas arrêter des recluses pour assassinat quand même ?

— Non.

— Remarquez qu'elles seraient à l'aise dans une cellule, si vous leur mettez un petit tas de bois pour se cacher. Pardon, je riais. Je faisais une blague.

— Je vous en prie, rien de grave.

— Attendez que je comprenne. Ah, voilà. Dès qu'il y a panique, les flics rappliquent. Pour ramener l'ordre. Alors vous, vous venez vous renseigner pour dire ensuite quoi faire à vos collègues d'en bas et d'en haut, pour rassurer les gens.

Adamsberg réalisa que la petite femme venait de lui fournir une parfaite explication pour justifier sa demande de rendez-vous auprès du professeur Pujol.

— C'est cela, dit-il en souriant. Ce sont les ordres de ma direction. Comme si on n'avait que cela à faire.

— Ben fallait me téléphoner, vous auriez gagné du temps.

— Mais je ne vous connaissais pas.

— C'est vrai, tiens. Vous ne me connaissiez pas. C'est une recluse que j'ai dans la boîte. Des fois qu'ils veulent du venin.

— Il est dangereux ?

— Pensez-vous... Dame, si on est vieux, c'est plus embêtant. Mais c'est surtout si on attend des jours et des jours. Et les gens, ils n'y connaissent rien. Ils savent pas que s'il sort une petite pustule, c'est que c'est la recluse qui les a mordus. Que mieux vaut aller au docteur et prendre des antibiotiques. Seulement, non, ils attendent, surtout les vieux. Parce que ça attend, les vieux. Ça enfle, ça gonfle, ils se disent « j'ai été piqué, ça va passer ». Ils ont pas tort, remarquez. S'il fallait courir à l'hôpital dès qu'on a un bouton, imaginez. Seulement, une morsure de recluse, ça passe pas toujours. Et d'un coup, quand ça devient grand et noir, ils y vont, à l'hôpital. Et des fois, eh ben c'est trop tard.

— Vous la connaissez bien, cette recluse.

— Pensez, j'en ai plusieurs chez moi.

— Et vous n'avez pas peur ?

— Ben non. Je sais où elles sont, je les embête pas, c'est tout. J'embête aucune araignée. J'aime bien les animaux, tous. Ah non, sauf un. Celui-là, je peux pas le voir. Le blaps. Vous voyez ce que c'est ? Dites donc, il est en retard le professeur, il ne se gêne pas. Avec tout le train que j'ai fait. Je ne sais pas si je vais lui offrir ma recluse, tout compte fait. Donc, cette saleté de blaps, vous voyez ce que c'est ?

— Non, je ne connais pas.

— Mais si. C'est un gros coléoptère noir, mais noir sale. Comme des chaussures qu'on n'a jamais cirées. On l'appelle aussi le scarabée funèbre, le scarabée puant, ou le blaps annonce-mort.

— Qu'est-ce qu'il fait pour mériter ça ?

— Ce qu'il aime, c'est les endroits sombres, pas propres. Ah non, il n'est pas propre. Et quand on le trouve, au lieu de filer, il redresse son cul – pardon, excusez-moi, je suis désolée, excusez-moi –, il redresse son arrière-train, voilà, et il vous envoie dessus un jet puant. Et irritant. Chez nous, il fait quatre centimètres de long, c'est pas rien. Vous en avez forcément vu. Mais si. Vous êtes d'où ?

— Du Béarn. Et vous ?

— De Cadeirac, c'est près de Nîmes. Mais si, vous le connaissez : partout où y a de la merde, il y a des blaps. Pardon, excusez-moi, vraiment.

— Ce n'est rien.

— Ah celui-là, je l'écrase, avec une bûche ou avec une pierre, avant qu'il m'asperge. Ce qui m'embête, c'est que j'en ai vu deux ces derniers temps, pas dans la cave, mais dans la maison. J'aime pas ça.

— Parce qu'il est annonce-mort ?

— La mort, je ne sais pas, mais il annonce le mauvais sort. Personne n'aime voir un blaps. Le premier, il est sorti de derrière la bombonne de gaz. Et l'autre, de ma botte. Carrément. Et vous savez ce que ça mange ? Des merdes de rat, carrément.

Le professeur Pujol venait à leur rencontre, blouse blanche ouverte, gros homme barbu à lunettes fines, crâne chauve, le visage sévère d'un gars qu'on dérange. Il tendit d'abord la main à Adamsberg.

— Commissaire Jean-Baptiste Adamsberg ?

— Lui-même.

— J'avoue que la visite d'un ponte de la police pour quelques morsures de recluses me surprend un peu.

— Moi de même, professeur. Mais j'ai des ordres.

— Et vous obéissez. Quel métier. Il n'y a pas de place chez vous pour la pensée libre, et croyez que je vous plains.

Imbuvable, se dit Adamsberg.

Puis Pujol dévisagea la petite femme qui se mettait debout avec difficulté, encombrée de son sac de voyage et de sa canne. Adamsberg l'aida, la soulevant doucement par le bras et lui prenant son sac.

— Excusez-moi, vraiment, excusez-moi, c'est mon arthrose.

Le professeur n'avait pas levé un doigt pour porter assistance et attendit que la femme soit de nouveau sur pied pour lui tendre la main.

— Irène Royer-Ramier ? Je vous en prie, suivez-moi tous les deux.

Pujol partit d'un pas rapide au long des couloirs, alors qu'Adamsberg, ralenti par la femme qu'il soutenait toujours par le coude, ne pouvait pas tenir le rythme.

— Prenez votre temps, lui dit-il.

— Je dis que c'est un rustre. Mais peut-être que je me trompe, faut pas juger trop vite. Je savais pas que vous étiez commissaire, et j'ai dit « flic ». Excusez-moi, je m'excuse.

— Il n'y a pas de mal. C'est moi qui l'ai dit le premier.

— Ah, c'est vrai.

Sept minutes de couloirs, au rythme d'Irène Royer, parquets grinçants, formol, bocaux sur des étagères, jusqu'au très petit bureau du professeur Pujol.

— Eh bien, posez vos questions, dit-il avant même de s'asseoir. Je vous avertis tous deux que je suis spécialiste de la famille des *Salticidae*, donc rien à voir avec votre recluse. Mais je la connais tout de même, cela va sans dire. C'est cette histoire de morsures en Languedoc-Roussillon, c'est cela ? Commissaire ?

— Les rumeurs qui courent déjà sur internet, après cinq morsures en trois semaines et trois morts – des hommes âgés –, commencent à créer la polémique et semer la panique. Ma hiérarchie n'aime pas la panique, mère de violences.

— Et encore, ajouta Irène Royer, depuis Paris, vous ne pouvez pas vous rendre compte. Mais là-bas, c'est la chasse aux sorcières. La vente des aspirateurs a bondi, pour les arracher à leurs cachettes.

— Bon pour le commerce, dit Pujol, qui attrapa un cure-dent et s'affaira sur sa mâchoire.

— La chasse aux sorcières toutes directions. Dans mon village, tout le monde sait que je ne tue pas les araignées.

— C'est bien.

— C'est bien mais j'ai déjà reçu un caillou dans ma vitre. J'ai prévenu la gendarmerie, mais ils ne savent pas quoi faire quoi penser : s'ils doivent aider à tuer les recluses « mutantes », ou diminuer la population « envahissante », ou pas s'en occuper ? Ils ne savent pas.

— C'est ici qu'on se rejoint, dit Adamsberg. Ma hiérarchie exige un avis scientifique pour décider du message à faire passer aux autorités locales.

— Avis sur quoi, commissaire ?

— Assiste-t-on à une subite multiplication du nombre de recluses ? Due, dit-on, au réchauffement climatique ?

— En aucun cas, dit Pujol avec une moue de dédain, dédain pour les ignares et les faibles d'esprit. Les arachnides ne sont pas des rongeurs. Ils ne sont pas sujets à de brusques élévations de population, comme les spermophiles par exemple.

— Certains avancent, insista Adamsberg, que la diminution très conséquente du nombre des oiseaux, suite à la pollution et aux insecticides, aurait laissé beaucoup plus de petits d'araignées survivre.

— Comme chez tous les animaux, sitôt que certains s'effacent, d'autres en profitent pour prendre leur place. Prenez une diminution de moitié des passereaux, des mésanges, des moineaux, et des oiseaux plus coriaces occuperont leurs niches et croîtront. Les corneilles par exemple. Si bien que la même quantité de petites araignées sera avalée. Autre question ?

Adamsberg prit un instant pour noter.

Imbuvable.

— L'hypothèse de la mutation, dit-il. On dit…

— « On dit. » C'est-à-dire les réseaux, les forums, les chats ?

— C'est cela.

— Autrement dit les ignorants, les imbéciles qui se haussent du col avec des hypothèses fumeuses et sans rien y connaître.

— Mais c'est de ces réseaux, professeur, que naît et se répand la rumeur. Et ma hiérarchie n'aime pas les rumeurs. Ce pourquoi, je vous l'ai dit, elle veut savoir ce qu'il en est avant d'opposer un démenti officiel.

— Cela fait trois semaines que je me bagarre sur ces réseaux, intervint Irène Royer. Peine perdue. Autant…

« Autant pisser dans un violon », allait-elle dire, pensa Adamsberg.

— Autant verser de l'eau dans un entonnoir, continua-t-elle. C'est une parole scientifique qui peut arrêter ça.

— Et que répondez-vous, madame Royer, sur ces réseaux ?

— Royer-Ramier, précisa-t-elle, mais c'est plus simple de dire Royer. Tout le monde le fait. Je dis que les recluses se cachent et que c'est rare de les rencontrer. Qu'elles ne sont pas agressives, ni sauteuses ni quoi que ce soit. Que leur venin n'est pas mortel sauf, d'accord, parfois, sur des personnes âgées, au système affaibli…

— Au système immunodéficient, coupa Pujol.

— Et c'est à cause du temps qu'ils prennent avant d'aller consulter. Parce qu'on ne sait pas reconnaître une morsure de recluse.

— Grossièrement c'est cela, avec d'autres mots.

— Mais vous n'avez pas répondu sur l'hypothèse de la mutation, dit Adamsberg. Cela terrifie les gens, cela les fascine aussi, ils la redoutent comme ils la désirent. Ils soutiennent que les araignées peuvent avaler des quantités énormes d'insectes.

— Exact.

— Et que ces insectes étant à présent gorgés de pesticides, elles se gavent d'un poison qui aurait pu transformer leur venin.

— Des mutations, autrement dit une modification de l'information contenue dans l'ADN, il s'en produit constamment. Le virus de la grippe mute tous les ans. Elle reste cependant la grippe. Il ne survient jamais une mutation apte à modifier de fond en comble tout un organisme animal.

— Mais il naît quand même des enfants à quatre bras, dit la femme.

— C'est une anomalie chromosomique individuelle, cela n'a rien à voir. Vous n'imaginez pas, madame Royer, qu'une araignée mutante à dix-huit pattes et au venin surpuissant se mette en chasse des hommes ? Ne confondez pas réalité génétique et fiction cinématographique. Vous me suivez ? Et pour clore le sujet, les araignées sont bien entendu farcies de pesticides. Comme nous. Comme les insectes, qui en meurent, comme les oiseaux, qui en meurent. Les araignées de même. On risque plutôt une diminution qu'une augmentation de leur population.

— Donc, pas de mutation ? demanda Adamsberg, notant toujours.

— Pas de mutation. Si vous voulez y mettre les grands moyens, commissaire, faites donc commander par le ministère de l'Intérieur une analyse du venin présent dans le sang des victimes décédées de loxoscélisme.

— Loxoscélisme ? dit Adamsberg, stylo levé.

— C'est le nom de l'atteinte morbide de la recluse. Et demandez donc au CAP…

— Le CAP ?

— Le Centre antipoison de Marseille.

— Ah, bien.

— Demandez donc au CAP une comparaison avec le venin de recluse de l'an dernier, et une recherche de hausse de dangerosité. Les patients ont dû conserver leurs analyses. Vous me suivez ? Faites faire cela. Et l'on s'amusera, croyez-moi.

— Tant mieux alors, dit Adamsberg en refermant son carnet. Pas de surpopulation, pas de mutation. Que proposez-vous pour expliquer que l'on ait déjà, le 2 juin, cinq morsures de recluses et trois décès ?

— Pour les trois décès, comme l'a dit madame, j'incrimine un retard préjudiciable de soins et des individus immunodéficients, victimes d'une hémolyse ou d'une surinfection. En ce qui concerne les deux autres cas, la rumeur a conduit les mordus, poussés par le flot de la presse régionale et des réseaux, à se déclarer publiquement. Si la rumeur, toujours elle, n'avait pas stupidement crié au feu l'an dernier en imaginant la France envahie par la recluse brune d'Amérique, nous n'en serions pas là. Ordinairement, la majorité des personnes mordues par des recluses subissent une morsure blanche, c'est-à-dire nulle, ou de faible contenu venimeux. Dans les cas rares d'une injection totale de venin, la personne va consulter son médecin qui lui prescrit des antibiotiques. Et personne ne le sait. Nous en avons fini ?

— Pas tout à fait, professeur. Est-il possible qu'une personne, disons, mal intentionnée, introduise plusieurs recluses dans le domicile d'une autre ?

— Pour la tuer ?

— Oui.

— Vous allez presque me faire rire, commissaire.

— J'ai mes ordres.

— J'oubliais. Vos ordres. Vous êtes le mieux placé pour savoir qu'il existe mille moyens infiniment plus simples d'assassiner quelqu'un. Que si – mais nous sommes en train de rire, n'est-ce pas –, que si votre cinglé désire utiliser du venin animal, mais qu'il choisisse donc des vipères, nom d'un chien ! La vipère libère, si elle le veut bien, quinze milligrammes de venin. Je vous épargne sa DL 50, soit la dose létale efficiente sur cinquante pour cent d'un groupe de souris de vingt grammes par individu, vous me suivez ? Sachez donc que pour tuer un homme « à la vipère », elles devraient être quatre à cinq à le piquer ! Et si vous connaissez l'astuce pour donner cet ordre à des vipères, racontez-moi cela, on s'amusera. Alors imaginez la recluse ! Sa quantité de poison est infime. En admettant qu'elles acceptent de vider la totalité de leurs glandes sur un homme, ce qui est très rare, je le répète, il vous faudrait environ, laissez-moi quelques secondes… nous ne disposons pas de DL 50 pour la recluse, seulement d'estimations glandulaires.

Il y eut un silence, pendant que le professeur effectuait mentalement ses calculs.

— Il vous faudrait, reprit le professeur Pujol en souriant, le contenu d'environ quarante-quatre glandes de recluses pour tuer à coup sûr. Soit une attaque totale de vingt-deux recluses sur un homme, ce qui serait une sacrée prouesse de la part d'araignées solitaires et non attaquantes ! Et comptez plutôt soixante recluses, en incluant les morsures blanches et les semi-morsures ! Et pour tuer trois hommes, cent quatre-vingts recluses ! Votre cinglé devrait donc se débrouiller pour dénicher presque deux cents recluses, les lâcher chez ses ennemis, et prier pour qu'elles mordent – et pourquoi mordraient-elles, je vous le demande ? Deux cents ! Je vous rappelle qu'il est très difficile de les débusquer ! Elles ne portent pas leur nom pour rien.

— Très, confirma Irène Royer. Ou de les surprendre, même quand on sait où elles sont. Vous savez ce que j'ai eu le privilège de voir, un jour ? La nuée des nouveau-nés s'en allant, portés par le vent, avec leurs fils de la vierge.

— Tant mieux pour vous, madame, c'est très beau. Mais laissez-moi poursuivre quant à l'hypothèse du commissaire sur une attaque groupée. Vous ne croyez pas qu'après trois morsures, votre victime se lèverait pour savoir ce qui se passe dans son lit ? Au lieu d'attendre d'être mordue soixante fois ? Allons, commissaire. Mais si vous mettez la main sur votre agresseur, dit-il en se redressant, je vous en prie, amenez-le-moi…

— On s'amusera, conclut Adamsberg à la place de Pujol. En ce qui me concerne, j'en ai fini, et je vous remercie de m'avoir consacré de votre temps.

Il se leva, imité par Irène Royer.

— Vous aussi, madame ? Satisfaite ?

— Pareil. Merci. Excusez-nous, je m'excuse.

— Vous n'avez pas, dit Adamsberg à Irène Royer, une fois de retour dans les couloirs, à vous excuser devant un type aussi…

Adamsberg chercha le mot de Danglard.

— Infatué. Infatué, brutal et mufle. Mais peu importe, nous avons nos réponses.

— Vous les avez eues, et moi grâce à vous. Parce que je suis bien sûre qu'à moi, il n'aurait pas pris la peine de parler. Tandis qu'avec un fli…, avec un commissaire en mission, on fait plus attention. C'est un peu normal, on peut comprendre. J'ai bien fait de ne pas lui donner ma petite boîte. Il aurait ri.

— Attention, madame Royer, attention. N'allez pas raconter sur vos forums que ma hiérarchie m'a confié cette mission, je vous en prie.

— Ben au contraire. Pour une fois que les fli… policiers font quelque chose d'utile, c'est bien de le faire savoir, non ? Pourquoi je le dirais pas ?

— Parce que c'est faux. Personne ne m'a jamais confié de mission.

Ils venaient de franchir la porte du Muséum et la femme stoppa net sur le trottoir de la rue Buffon.

— Alors vous êtes même pas policier ? Tout ça c'était des mensonges ? Ah non c'est pas bien propre, pas propre du tout.

— Je suis flic, dit Adamsberg en montrant sa carte.

La femme l'inspecta avec soin, puis leva le menton.

— Donc vous êtes venu comme ça, tout seul ? C'était pas vrai que vous aviez des ordres. Vous aviez une idée dans la tête ou je me trompe ? C'était ça, toutes vos questions sur le venin, que vous avez presque failli avoir l'air d'un imbécile ?

— Ça ne me gêne pas, j'ai l'habitude.

— Eh bien moi, ça me gêne rudement. J'aurais pu vous l'expliquer, qu'on peut pas tuer avec des recluses. Elles veulent pas mordre, je vous dis. J'aurais pas pu le raconter avec tous les chiffres qu'a expliqués le professeur, mais au bout du compte, ça revient au même. On ne peut pas, on ne peut pas.

— Mais je ne vous connaissais pas.

— Ah c'est vrai, vous ne me connaissiez pas.

— Madame Royer-Ramier, proposa Adamsberg, très soucieux de ne pas voir son initiative et son nom s'étaler sur les réseaux, si nous prenions un café, à L'Étoile d'Austerlitz ? C'est au bout de la rue. On y verrait plus clair.

— Madame Royer, dit la femme, c'est plus simple, tout le monde m'appelle comme ça. Et j'aime pas le café.

— Un thé ? Un thé au lait ? Un chocolat ?

— C'est ma direction, de toute façon.

Veyrenc appela tandis qu'Adamsberg et la petite femme remontaient la rue lentement, le commissaire la tenant toujours par le coude et son bagage en bandoulière.

— Rien de suspect, lui dit Adamsberg. Le gars est odieux, mais calé.

— Manquerait plus que ça, murmura Irène Royer à ses côtés, c'est son boulot, non ? On fait pas tout le voyage pour entendre des âneries, hein ?

— Non, Louis, poursuivit Adamsberg, pas de multiplication des recluses, pas de mutation du venin. Et pas la moindre possibilité de tuer avec ces bestioles. Cela clarifie les choses.

— Tu es déçu ?

— Non.

— Moi, un peu. Enfin, un rien.

— Ton « ombre » ?

— Peut-être. Mais on peut se tromper d'ombre, sais-tu.

— Comme on peut se tromper de brumes.

— Eh bien admettons, le sujet est clos.

— Il n'est pas clos, Louis. N'oublie pas : on a quoi dans le monde ? Dix morts par an par morsures d'araignées. Et en France, jamais.

— Mais tu viens de le dire : « pas la moindre possibilité ».

— Vu comme cela, sans aucun doute. Mais suppose qu'on cherche à voir par une autre face ? Tu te souviens de l'escalade du pic du Balaïtous ? Il y a des chemins où l'on tombe, et d'autres par lesquels on accède.

— Je les connais, Jean-Baptiste.

— C'est une question de route, Louis. D'angle. De piste d'envol.

Attablée devant son chocolat, Irène Royer désigna le portable.

— Vous parlez bizarrement, dit-elle. Excusez-moi vraiment, ça ne me regarde pas. « Ombre », « chemin », « piste d'envol ».

— C'est un ami d'enfance. Et un collègue.

— Un Béarnais alors, comme vous.

— Tout juste.

— On dit que ces gars ont la tête dure, à cause de la montagne. Comme les Bretons, à cause de la mer. Une seule petite erreur et la montagne vous lâche, et la mer vous attrape. Ce sont des éléments trop grands pour l'homme, alors il faut s'endurcir le crâne, quelque chose comme cela je suppose.

— C'est possible.

— Mais là, vous êtes en train de la faire, la petite erreur. Vous vous accrochez à votre rocher, et vous allez l'avoir, votre chute dans l'éboulis.

— Non, je descends de ce rocher, et je grimpe sur un autre.

— Je suppose que vos chefs, ils ne sont pas au courant ? Que vous vous énervez comme ça avec la recluse ? Sans rime ni raison ?

— Non.

— Et que s'ils le savaient, ça irait assez mal pour vous.

Adamsberg acquiesça avec un sourire.

— Et que c'est pour ça que vous m'offrez un chocolat. Pour pas que j'aille raconter sur les forums que le commissaire perd la boule, tout seul, sans que ses chefs le sachent. Alors vous faites votre gentil.

— Mais je suis gentil.

— Et vous êtes buté. C'est l'orgueil qui fait ça. Vous aviez votre petite idée, sans savoir rien de rien de l'araignée, pas plus qu'un gamin, et le professeur, il vous a montré que non. Il l'a montré, oui ou non ?

— Oui.

— Mais vous, vous dites à votre ami que c'est clos et que c'est pas clos. Alors que vous avez tout ce qu'il vous faut sous le nez. C'est de l'orgueil, ça, c'est le nom.

Adamsberg sourit encore. Cette petite femme lui convenait. Elle devinait bien, elle résumait bien. Il posa un doigt sur son épaule.

— Je vais vous dire, madame Royer. Je ne suis pas orgueilleux. J'avais ma petite idée, comme vous dites, c'est tout.

— Eh bien moi aussi, figurez-vous, je l'ai eue ma petite idée. Parce que la recluse, elle tue pas. Parce que ça faisait trois morts. Et des morts de recluse en France, y en a pas. Parce qu'autre chose aussi. Et alors ? On a tous des petites idées, et surtout la nuit quand on se tourne dans son lit, pas vrai ? Mais je suis pas folle comme vous, moi. Quand c'est pas possible, c'est pas possible, c'est tout.

— Tiens, dit Adamsberg en s'adossant à la banquette et croisant les jambes. Quelle « autre chose aussi » ?

— Une bêtise, dit-elle en haussant les épaules. Il est bon ici, leur chocolat, je reconnais.

— Quelle « autre chose aussi », madame Royer ? insista Adamsberg.

— Tout compte fait, appelez-moi Irène, ça ira tout de suite plus vite.

— Merci. Allons, Irène, qu'est-ce qu'on risque ? Vous ne me reverrez pas. Vous pouvez bien me dire votre petite idée. Je les aime bien, surtout quand elles sont petites et surtout quand elles viennent de la nuit.

— Eh bien moi pas tellement. Ça énerve, je trouve.

— Alors donnez-la-moi, je m'énerve rarement. Sinon, elle vous agacera tout le temps.

Et Adamsberg pensa inéluctablement au vieux Lucio, *il faut toujours finir de gratter.*

— C'est rien. C'était juste qu'à un moment, à la deuxième mort, je me suis dit qu'il y avait anguille sous roche.

— Et murène sous rocher.

— Pardon ?

— Excusez-moi. Je pensais à autre chose.

— Alors faudrait savoir si vous la voulez, cette idée, ou pas ?

— Bien sûr je la veux.

— C'est que les deux premiers vieux qui sont morts, ils se connaissaient. De l'enfance.

— Tiens.

— Avant de prendre ma retraite à Cadeirac, j'habitais Nîmes.

— Eux aussi ?

— Ne me coupez pas tout le temps, ou elle va me filer entre les pattes, cette anguille sous roche.

— Pardon.

— On habitait à deux rues. Moi, à sept heures le soir, c'est porto. Excusez-moi si ça vous choque, mais c'est tout ce que je bois de la journée. « Un petit verre tue les vers », ma mère disait, mais je pense que c'est des conneries. Oh excusez-moi, vraiment, je m'excuse.

— Je vous en prie, rien de grave, répéta Adamsberg pour la énième fois de l'après-midi.

— En tout cas ça tue pas l'arthrose, dit-elle avec une grimace. C'est cette humidité dans l'air, je suis mieux dans le Sud. Enfin, ils allaient au même bistrot que moi, à La Vieille Cave. Parce que le porto à sept heures, c'est bien, mais surtout pas toute seule chez soi, hein, faut être bien clair là-dessus. « Vous me suivez ? » comme disait tout le temps ce Pujol. Je crois que je vais la retenir, celle-là. Vous, vous buvez quoi ?

— Une bière après le dîner, avec mon vieux voisin, sous un arbre.

Adamsberg voyait s'éloigner la petite idée, l'anguille se faufiler entre les roches, la murène s'enfoncer dans son trou. Mais il sentait qu'il ne fallait pas interrompre ce bavardage, elle allait y revenir. Ou bien la petite idée allait la gratter toujours et, d'une certaine façon, elle n'était pas mécontente de s'en débarrasser en la passant au commissaire.

— Moi, c'était pas sous un arbre, c'était à La Vieille Cave. Et ces deux-là, ils y étaient toujours. Et je vous garantis qu'ils ne buvaient pas qu'un petit porto. Pastis sur pastis, et ça parlait et ça parlait. C'est souvent, quand on a eu un enfer, qu'on en parle et on en parle, comme s'il fallait le tuer tous les jours. *Vous me suivez ?* Qu'on en parle même en rigolant, comme si ç'avait été un paradis. Le bon vieux temps, quoi. Et eux, leur enfer, ç'avait été un orphelinat. Ils l'appelaient « La Miséricorde ». Pas très loin de Nîmes. Enfin, ça les avait soudés comme les deux doigts de la main et ce qu'ils préféraient, c'était se rappeler leurs bêtises, leurs mauvais coups, quoi. Et de ce que j'entendais, moi – je faisais mes mots croisés à côté d'eux, un jour j'ai gagné une couverture chauffante, une vraie saleté –, oh pardon, excusez-moi, vraiment.

— Rien de grave.

— Je veux dire que c'est le genre d'engin à foutre le feu au lit. Ils se racontaient des mauvais coups de mauvaise graine de l'orphelinat, quoi. Pisser – là, c'est leur mot – dans le vestiaire du directeur, faire la grosse commission dans son cartable, faire le mur, attacher un gamin dans ses draps, voler le pantalon à un autre, baisser le short d'un gosse au sport, tabasser celui-ci, enfermer celui-là, vous voyez le genre. De la mauvaise graine qu'aimait faire du mal. Ils étaient pas tout seuls, remarquez, toute une petite bande apparemment. En même temps, voyez-vous, c'est sûr qu'ils étaient pas heureux là-dedans, les pauvres mômes. Vous parlez. Et vas-y que ces deux-là, ils rigolaient avec leurs pastis. Mais des fois, ils rigolaient plus, ils ricanaient à voix basse. Là, ça devait être des coups plus graves.

— Alors vous vous êtes dit, en tournant dans votre lit : il y a quelqu'un qui s'est vengé.

— Oui.

— En faisant passer ça pour une morsure de recluse.

— Oui. Mais soixante ans après, ça n'avait pas de sens, si ?

— C'est vous qui le dites : un enfer, on en parle tous les jours. C'est donc qu'on y pense tous les jours. Même pendant soixante ans.

— Seulement voilà, ils sont bien morts à cause de la nécrose, du venin. Et on tombe toujours sur le même truc : on peut pas forcer une recluse à piquer.

— Et si on la met dans le lit ? Dans la chaussure ?

— Ça ne marche pas. Parce que le premier, il a été piqué dehors, près de son tas de bois. Et le deuxième, dehors aussi, en ouvrant sa porte. La recluse, elle devait être dans les rocailles, bien tranquille.

— Ça ne va pas.

— C'est ce que je vous disais.

— Et le troisième, vous le connaissez ?

— Je ne l'ai jamais vu. Vous avez l'heure ?

Adamsberg lui montra ses deux bracelets au poignet.

— J'avais oublié, dit-elle. C'est que je dois me rendre chez une amie qui m'héberge.

— J'ai ma voiture, je vous dépose.

— Mais c'est sur le quai Saint-Bernard.

— Eh bien je vous dépose.

Une fois Irène Royer devant le domicile de son amie, Adamsberg lui tendit son sac et sa canne.

— Allez pas vous mettre martel en tête, surtout, dit-elle avant de le laisser.

— Et n'écrivez pas mon nom sur internet.

— Je vais pas abîmer votre carrière, allez. Je ne suis pas de la mauvaise graine, moi.

— Vous accepteriez de me donner votre numéro ? demanda Adamsberg en ouvrant son portable.

Irène réfléchit, à sa manière, regard droit devant elle, puis lui dicta les chiffres en consultant un petit répertoire.

— Disons que c'est si vous avez des nouvelles, dit-elle.

— Ou vous.

Adamsberg s'était déjà réinstallé au volant quand la petite femme frappa à la vitre.

— Je vous l'offre, dit-elle en lui tendant la boîte en plastique jauni.

X

Il était tard quand Adamsberg revint à la Brigade, qui ne sentait plus que modérément la marée. Les fenêtres restaient grandes ouvertes, avec cette multitude d'objets hétéroclites toujours posés sur les bureaux pour protéger les documents des assauts des courants d'air. Odeur rémanente à laquelle s'ajoutait un parfum de rose ou de lilas pulsé par le lieutenant Froissy – qui d'autre ? –, mue par son impérieux besoin de veiller au bien-être de ses collègues. Le résultat de ce mélange était assez nauséeux, et Adamsberg y préférait la nette odeur de port.

— C'est Froissy, lui dit Veyrenc en s'approchant.

— Je m'en doute.

— On ne peut rien dire, elle le fait pour notre bien. Elle a vidé deux bombes entières, personne n'a osé la décourager dans son œuvre. Mais comme en toute chose, rien ne sert de déposer un voile sur la puanteur.

— On pourrait apporter une nouvelle murène pour étouffer la rose et le lilas. Ou cela, tiens.

Adamsberg sortit de sa poche la petite boîte en plastique.

— C'est une recluse, et c'est un cadeau. Admire. J'avoue que jusqu'ici, personne ne m'avait jamais offert une araignée morte. Seulement, ça ne sent rien. Contrairement au blaps.

— Tu parles du blaps puant ?

— Lui-même. Le blaps annonce-mort.

— Et qui a eu la délicatesse de t'offrir une araignée morte ?

— Une petite femme que j'ai rencontrée au Muséum. Elle avait fait le voyage depuis Nîmes pour apporter ça au spécialiste des araignées.

— L'arachnologue.

— Oui. Comme elle n'a pas aimé le gars, elle a choisi de me donner sa recluse. C'est une offrande, un honneur, Louis. Comme Rögnvar qui a sculpté Retancourt sur une rame en bois.

— Il a fait cela ?

— Parfaitement. Tu as fini ton rapport ?

— Il est déjà dans les mains de Mordent.

— Il faut que je t'en parle, de ce que m'a dit cette femme. Mais à l'écart. Retrouve-moi dans mon bureau, avec discrétion. Comment va Danglard ?

— Je crois que la passion du papier et l'élaboration du « Livre » ont dissous sa contrariété.

Adamsberg déposa l'araignée sur sa table déjà encombrée. Il ouvrit la boîte, sortit une loupe volée à Froissy, et examina le dos de la bête. Comment appelaient-ils cela, ces arachnologues ? Il feuilleta son carnet, il avait noté ce nom quelque part. Le céphalothorax. Très bien. Autant appeler cela le dos. Et il eut beau scruter ce dos, le dessin du violon ne lui paraissait pas évident. Il entendit des pas et referma vivement le couvercle. Non qu'il craignît les agents de sa Brigade, mais il ne tenait pas à tourmenter Danglard.

C'était Voisenet, qui repéra aussitôt la boîte et se pencha dessus.

— Une recluse, dit-il. Comment l'avez-vous eue ? demanda-t-il avec envie. C'est rare.

— On me l'a offerte.

— Mais qui ? Comment ?

— Au Muséum.

— Vous ne lâchez pas prise, commissaire ?

— Justement si. Pas de multiplication des araignées, et pas de mutation. C'est plié de ce côté.

— Mais trois morts, tout de même.

— Je croyais que vous n'en étiez plus, lieutenant. Vous avez répété que c'étaient des vieux.

— Je sais. Il n'empêche que la recluse n'a jamais tué en France. Pas de mutation, vous en êtes certain ?

— Oui.

— D'accord. Ce n'est pas notre boulot, de toute façon.

Adamsberg sentait son lieutenant osciller entre logique et tentation.

— Je venais vous voir pour le rapport.

Voisenet tapota son ventre rond, un tic malheureux chez lui et qui trahissait embarras ou satisfaction, si bien qu'il y avait recours assez souvent.

— Pour cet interrogatoire avec Carvin, comment dire, est-ce qu'il serait possible de ne pas consigner les passages où il s'est foutu de ma gueule, avec ses « aperceptions » et ses citations ?

— Qu'est-ce qui vous prend, Voisenet ? Vous voulez aussi qu'on découpe la bande vidéo et qu'on la recolle avec du scotch ?

— Ces passages ne sont pas nécessaires à l'enquête.

— Ils sont nécessaires à la mise en valeur du caractère de Carvin. Depuis quand vous vient l'idée de falsifier les comptes rendus d'enquêtes ?

— Depuis cette « aperception ». Ça ne passe pas.

— Et moi, que devrais-je faire avec un arachnologue et un céphalothorax, voulez-vous me le dire ? Ravalez votre aperception, assumez-la, et digérez-la.

— Mais le céphalothorax, il n'est pas dans un rapport.

— Qui sait, Voisenet ?

Adamsberg eut Veyrenc en ligne et Voisenet quitta la pièce, massant son ventre.

— J'ai entendu Voisenet dans ton bureau, dit Veyrenc, j'ai passé mon chemin. Mieux vaut qu'on se retrouve ailleurs.

— Où ?

— On pourrait retourner à La Garbure. Danglard nous a gâché le plaisir hier.

Estelle, pensa aussitôt Adamsberg. Sa main posée sur l'épaule de son collègue hier soir. Cela faisait longtemps que Veyrenc était seul, son extrême exigence quant aux multiples qualités d'une femme réduisant de beaucoup ses choix. Adamsberg, lui, connaissait des problèmes inverses en raison de ses modestes prétentions. Estelle, se répéta-t-il, il y retourne pour elle et non pas pour une soupe au chou, même venue des Pyrénées.

XI

Parce que c'était eux, Adamsberg et Veyrenc, et surtout Veyrenc, Estelle posa la soupière de garbure sur un petit réchaud afin qu'ils puissent prendre leur temps sans que le plat refroidisse. Veyrenc avait inopinément changé de place et, à la différence de la veille, s'était installé face au comptoir et non pas de dos.

— Tu m'as bien dit que la recluse n'avait jamais fait de morts en France, dit Veyrenc.

— C'est vrai. Alors que la vipère y tue une à cinq personnes par an.

— Ça change les choses.

— Tu ne me suis plus ?

— Je n'ai pas dit cela. Raconte-moi cette femme qui t'a offert une araignée morte.

— Les hommes offrent bien des manteaux de fourrure. Quelle idée. Imagine-toi serrer dans tes bras une femme qui porte soixante écureuils morts sur le dos.

— Tu vas porter ton araignée sur le dos ?

— Je l'ai déjà sur les épaules, Louis.

— Et moi j'ai déjà un morceau de peau de panthère sur la tête, dit Veyrenc en passant sa main dans son épaisse chevelure.

Adamsberg sentit son ventre se nouer, comme chaque fois que Veyrenc évoquait cette histoire. Ils étaient enfants, là-haut, dans la montagne. Le petit Louis Veyrenc avait pris quatorze coups de canif sur la tête. Sur les cicatrices, les cheveux avaient repoussé roux, de ce roux qu'on nomme flamboyant. Cela ne passait pas inaperçu et on n'utilisait jamais Veyrenc pour une filature. Ce soir, sous la lampe basse du restaurant, ces mèches brillaient dans le brun sombre de ses cheveux. Ce qui évoquait en effet une peau de panthère, mais à l'envers.

— Que t'a dit cette femme ? demanda Veyrenc.

Adamsberg eut une rapide grimace et se pencha en arrière, se balançant sur les deux pieds de sa chaise, se tenant des deux mains à la table.

— C'est difficile, Louis. J'ai l'impression, non, pas l'impression. Je crois que je l'ai déjà vue.

— La femme ?

— Non. La recluse.

La raideur serra cette fois sa nuque, et Adamsberg secoua la tête pour la chasser.

— Enfin non, je ne l'ai jamais vue. Ou si. Quelque chose comme cela. Il y a longtemps.

— Bien sûr tu l'as vue. Mais il y a seulement trois jours. Elle est partout sur les forums.

— Et la veille, elle était sur l'écran de Voisenet. J'ai ressenti un trouble, un dégoût.

— Les araignées dégoûtent beaucoup de gens.

— Mais pas moi.

— N'oublie pas qu'il y avait l'odeur atroce de cette murène.

— Et cela s'est mélangé. La puanteur et l'araignée. Ça a compté, cette puanteur, je le sais.

— Tu te souviens précisément de l'écran de Voisenet ?

— Je ne me souviens jamais des mots, mais des images, oui. Je pourrais te décrire tous les objets que chacun a posés sur sa table pour que les papiers ne s'envolent pas. Je pourrais te dessiner l'arbre, là-haut, sur la montagne, quand tu…

— Laisse cette histoire. Elles sont très bien, mes mèches.

— Très bien.

— Sur l'écran de Voisenet ? Qu'y avait-il ?

— Rien de particulier. La photo agrandie d'une araignée, d'un brun assez clair, tête en bas, et la légende en haut de l'image, en lettres bleues, *Recluse d'Europe ou araignée violoniste.* C'est tout.

Adamsberg frotta vigoureusement sa nuque.

— Tu as mal ?

— Un peu. C'est quand j'entends son nom, parfois.

— Et quand tu la vois ? Dans la boîte ?

— Non, dit Adamsberg en haussant les épaules. Je m'en fous de la voir. Ses pattes, son dos, je m'en fous. Ou bien c'est une autre forme.

— Quelle forme ?

— Aucune idée.

— Tu vois une forme ? En rêve, en cauchemar, en réel, en somnolence ?

— Je ne sais pas. En spectre peut-être, dit Adamsberg en souriant.

— C'est un mort ?

— Non… Ou bien un mort qui danse. Tu sais, on en voit sur ces vieilles gravures qui font peur aux enfants, ces êtres qui s'agitent.

Adamsberg tourna la tête. La raideur s'était enfuie.

— Oublie mes questions, reprit Veyrenc. Dis-moi ce que t'a raconté cette femme.

Adamsberg fit retomber sa chaise, goûta la garbure et résuma sa discussion à L'Étoile d'Austerlitz.

— Du même orphelinat ?

— C'est ce qu'elle a dit.

— Des « mauvais coups de mauvaise graine ».

— C'est son expression.

— Ils ont pu continuer sur leur lancée. Mais quels « mauvais coups » ?

— Je rendrais volontiers visite au directeur de cet orphelinat.

— Qui doit avoir aujourd'hui quelque cent vingt ans.

— À son successeur, j'entends.

— Sous quel prétexte ? Tu ne peux pas lui servir à nouveau les soi-disant ordres de ta hiérarchie. Tu as de la chance que cette femme garde sa langue. Tu es sûre d'elle ?

— Depuis ce chocolat à L'Étoile d'Austerlitz, oui.

— Enjôler les vieilles femmes, ce n'est pas très joli, t'aurait-elle dit.

— Ne t'en fais pas, elle a très bien deviné ce que je trafiquais, et elle me l'a fait savoir. Et m'a demandé de la tenir au courant, si j'avais du neuf. Mais je n'ai rien promis, ajouta Adamsberg en souriant.

— Sauf de porter son araignée morte. C'est déjà beaucoup. Quel « neuf », Jean-Baptiste ?

Adamsberg haussa les épaules.

— Rien, dit-il. On ne peut pas forcer deux cents recluses à attaquer.

— Et à l'extérieur, en plus. On ne voit pas pourquoi des hordes d'araignées seraient sorties de leur tas de bois pour aller mordre un homme.

— Impensable. Elles sont solitaires. Et elles attendent frileusement que l'homme s'en aille.

— On tourne, Jean-Baptiste.

— C'est pourquoi il faut passer par l'autre chemin. Qui démarre à l'orphelinat. Il s'appelait « La Miséricorde ». Quelqu'un a dû conserver les anciens registres, non ? On ne jette pas comme cela des piles de papiers contenant des piles d'orphelins.

— Et ensuite ?

— Retrouver le nom des pensionnaires de La Miséricorde, dans les mêmes années que nos deux premières victimes, tenter de reconstituer cette « bande » dont elle a parlé.

— Si tu en es là, Jean-Baptiste, tu vas devoir informer la Brigade.

Veyrenc leur servit un second verre de vin, pendant que tous deux réfléchissaient en silence, faisant le tour des très maigres données, Adamsberg fixant son assiette vide, et Veyrenc observant Estelle qui, ce soir-là, allait et venait un peu exagérément dans la salle.

— Et pourquoi donc ? reprit Adamsberg. Tu veux affoler Danglard ? On peut très bien se débrouiller sans sonner la charge. On peut compter sur Froissy pour effectuer des recherches sur les trois morts et l'orphelinat. Sur Voisenet peut-être, pour prêter main-forte. Sur toi et moi pour effectuer quelques visites. Mercadet sans doute.

— Et de la sorte, on formerait une sympathique troupe de conspirateurs au sein même de la Brigade.

Danglard est au courant et il guette tes pas, comme si tu frôlais l'abîme. Et nous, nous nous éclipserons pour nos conciliabules près du distributeur de boissons. Combien de temps crois-tu que cela va tenir ?

— Que veux-tu que je leur explique, Louis ? réagit Adamsberg. Que je vais enquêter sur trois décès par morsure de recluse parce que la recluse ne tue pas ? Qu'elle ne se jette jamais sur l'homme ? Ils diront comme Voisenet qu'ils étaient vieux. Il n'y a pas de dossier, pas le premier début d'une évidence. Que crois-tu qu'il va se passer ? Tu te souviens de la récente mutinerie ? Quand les trois-quarts de l'équipe ont refusé de me suivre ? La Brigade a manqué exploser. Ce sera pire. Je n'ai pas envie de revivre cela. Et je n'ai pas envie de les emmener dans le mur.

— Mais toi, tu y vas ?

— Moi, je n'ai pas le choix, Louis.

— D'accord, dit Veyrenc après un silence. Fais juste ce que tu as à faire.

Ils avaient achevé leur dîner, Adamsberg s'apprêtait à partir. Ils étaient les derniers clients.

— Déjà ? dit Veyrenc. Ce que je t'ai dit te déplaît ?

— En rien.

— Je resterais bien prendre un café.

— Ça ne t'ennuie pas que je te laisse ?

— Va.

Adamsberg déposa sa quote-part, enfila sa veste et, en passant, prit rapidement le bras de Veyrenc.

— Je pars penser, dit-il.

Veyrenc savait qu'Adamsberg ne partait pas pour penser. Tout simplement parce qu'il ne savait pas le faire : penser seul, assis devant sa cheminée, méditant, triant les données, pesant le pour et le contre. Chez lui, aurait-on pu dire, les pensées se formaient avant même qu'il y songe. Le commissaire s'était retiré pour le laisser seul avec Estelle.

Une fois rentré, Adamsberg tira une cigarette usée du vieux paquet de Zerk. Son fils lui manquait. À la veille de quitter l'Islande, Zerk – Armel de son vrai nom, qu'il ne connaissait que depuis ses vingt-huit ans – lui avait annoncé qu'il restait là, avec cette jeune fille qui menait son élevage de moutons sur les plateaux. Revenir sans lui avait aggravé son refus de revoir la ville. Et comment allait-il faire pour les cigarettes ? Il ne fumait pas, à l'exception de celles qu'il dérobait dans les paquets de Zerk. Ce qui n'était pas fumer, mais voler. Eh bien, il achèterait un paquet pour son fils et, de temps à autre, il lui en prendrait une. Cela, au moins, était résolu.

Lucio lui manquait aussi. Il aurait adoré cette histoire d'araignées. Mais Lucio était parti ce matin même pour l'Espagne, en visite à sa famille. Adamsberg ouvrit la porte qui donnait sur le petit jardin, considéra la vieille caisse en bois qui leur servait de banc, sous l'arbre. Il s'y assit et alluma la cigarette de Zerk, résolu malgré tout à penser. Ce n'était pas plus mal, au fond, que son fils soit absent, ignorant de sorte la confusion de son esprit où ces pattes d'araignée s'agitaient sans raison dans la puanteur de la murène. Ces images-là, il n'allait tout de même pas les dessiner aux membres de la Brigade pour exposer son début d'enquête. Il s'adossa au tronc de l'arbre, jambes allongées sur la caisse. Ou bien mentir, arrondir les angles ? Mais même arrondis, les angles ne passeraient pas. Penser, il fallait penser.

XII

Au matin, Froissy accueillit Adamsberg d'un œil soucieux, diagnostiquant aussitôt l'origine du mal.

— Vous n'avez pas pris votre petit-déjeuner, commissaire ?

— Peu importe, lieutenant.

Se dirigeant vers son bureau, il fit signe à Veyrenc de le rejoindre.

— J'ai dormi d'un coup, Louis. Mais à cinq heures du matin, en me réveillant sous l'arbre, j'ai écrit cela. Juste deux pages, qui résument les données connues sur la recluse, sur les décès, sur l'orphelinat et sur les conclusions du professeur Pujol. Pourrais-tu me taper cela en bon français et y mettre un peu d'ordre ?

— Donne-moi dix minutes.

— Qui est présent aujourd'hui ? lui demanda Adamsberg en consultant le tableau d'affichage.

— Pas grand monde. Samedi et dimanche derniers, ils ont été nombreux en heures supplémentaires pour le 4×4. Ils sont en récupération.

— On a qui ?

— Justin, Kernorkian, Retancourt, Froissy. Mordent finalise sa phase 2 du rapport, mais chez lui.

— Convoque les autres, Louis. Mieux vaut que cela vienne de toi.

— Tu préviens la Brigade ?

— C'est ce que tu m'as conseillé de faire, non ? Et tu as raison. Rassemble-les. Danglard bien entendu, Mordent, Voisenet, Lamarre, Noël, Estalère, Mercadet. Prépare autant de copies de mon texte, quand tu l'auras arrangé. Début de séance à 11 heures, inutile de les tirer du lit trop tôt et qu'ils arrivent d'un mauvais pied. Ils auront toute occasion de changer d'humeur pendant la réunion.

— C'est possible, dit Veyrenc en parcourant les notes d'Adamsberg.

— La photocopieuse usuelle est en panne, il faudra soulever le chat.

Froissy entra à cet instant, chargée d'un plateau complet de petit-déjeuner, qui tremblait légèrement entre ses mains, faisant tinter les tasses.

— J'ai enroulé la cafetière dans un linge, précisa-t-elle. Pour que cela ne refroidisse pas trop vite. J'ai ajouté une tasse pour vous, lieutenant, dit-elle avant de sortir.

— Que lui as-tu dit ? demanda Veyrenc, considérant le nombre excessif de croissants. Que tu n'avais pas mangé depuis cinq jours ?

Le lieutenant fit de la place sur la table, poussa sur sa droite la boîte à recluse, et versa le café.

— Moins bon que celui d'Estalère, commenta-t-il. Cela reste entre nous.

— Elle est nerveuse en ce moment. Elle est pâle.

— Très. Et elle a maigri.

Retancourt s'encadra dans la porte ouverte. Et quand Retancourt s'encadrait dans une porte, il était difficile d'avoir une quelconque visibilité, ni vers la salle arrière, ni vers le plafond.

— Joignez-vous à nous, lieutenant, dit Adamsberg. Croissants de Froissy.

Retancourt se servit sans un mot et s'installa à la place de Veyrenc, parti mettre en forme les notes d'Adamsberg. Elle n'avait aucune inquiétude pour son poids – assez considérable –, semblant convertir tout apport de graisse en masse musculaire pure.

— Je peux vous parler ? dit-elle. Parce que c'est un dossier qui, normalement, ne nous regarde pas.

— On a un peu de temps, lieutenant, j'ai fixé une réunion à 11 heures.

— Sur quoi ?

— Sur un dossier qui, normalement, ne nous regarde pas.

— Ah oui ? dit Retancourt, méfiante.

— Mais je ne suis donc pas le seul. Donnant donnant, confiez-moi le vôtre.

— C'est un cas de harcèlement sexuel. Peut-être. Mais la personne habite le 9e arrondissement.

— Elle a porté plainte ?

— Elle n'oserait jamais. Et je dois dire qu'il n'y a pas d'élément probant, rien qui justifie qu'on aille voir les flics. Elle assure que ce n'est rien. Mais en réalité elle pense au pire, elle se rétracte et dort à peine.

— Et vous pensez qu'elle n'a pas tort. Pourquoi ?

— D'abord parce que c'est vicieux, commissaire, invisible et incompréhensible.

— Mon dossier l'est aussi. Invisible et incompréhensible. Cela arrive. Quoi d'autre ?

— Il y a eu deux viols en un mois dans le 9e. À trois cents mètres et cinq cents mètres de chez elle.

— Allez au fait, dites-moi l'histoire.

— Cela se passe dans la salle de bains. Pas de menace, pas de filature, pas de coup de téléphone. Juste cette foutue salle de bains. La pièce n'a pas de vis-à-vis. Elle n'est éclairée que par une fenêtre sur cour, en verre opaque.

Retancourt s'interrompit.

— Et ? demanda Adamsberg.

— Si vous souriez, commissaire, ne serait-ce que d'un quart de sourire, je vous mets en charpie.

— Le harcèlement sexuel n'est pas un sujet qui m'amuse, lieutenant.

— Mais il n'y a qu'un seul élément, non probant.

— Vous me l'avez dit. Continuez.

— Dès qu'elle entre dans cette foutue salle de bains, l'eau du voisin se déclenche aussitôt, de l'autre côté du mur mitoyen. Chaque fois. Et c'est tout. Cela vous fait marrer ?

— J'ai l'air de me marrer ?

— Non.

— Quelle eau, Retancourt ?

— La chasse d'eau.

Adamsberg fronça les sourcils.

— Elle vit seule ?

— Oui.

— Cela dure depuis combien de temps ?

— Plus de deux mois. Ça n'a l'air de rien, mais...

— Cela n'a pas l'air de rien, lieutenant.

Le commissaire se leva et marcha lentement, bras croisés.

— Comme un signal, en quelque sorte ? dit-il. Comme si chaque fois qu'elle entrait, on lui disait : « Je suis là. »

— Ou pire : « Je te vois. »

— C'est à cela qu'elle pense ? À une caméra ?

— Oui.

— Et vous aussi.

— Oui.

— Et donc aux images. Il y a eu un cas de ce type, il y a sept mois. C'était parti de Romorantin. Et d'une chasse d'eau. Quelque temps après, tout était sur le net. Son visage était bien identifiable. On ne lui a rien épargné, les toilettes étaient dans la salle de bains.

— Elle aussi.

— Et la femme s'est tuée.

Adamsberg marcha en silence quelques instants, bras toujours croisés, serrés.

— Mais c'est exact, reprit-il, une plainte pour un bruit d'eau restera sans suite. Elle connaît son voisin ?

— Elle ne l'a jamais vu.

— Comment sait-elle que c'est un homme ?

— Par son nom sur la boîte aux lettres : Rémi Marllot. Avec deux « l ».

— Une seconde, je le note. C'est donc qu'il l'évite. Il sort quand elle est partie et il rentre avant elle. Elle a des horaires réguliers ?

— Non.

— Elle est donc sans doute suivie. Et le week-end ?

— Il est là, en continu. Avec sa putain de chasse d'eau.

— C'est une amie ?

— Si l'on veut. Si j'ai des amies.

— Ce qui m'étonne, c'est que vous m'en parliez. Vous connaissant, vous auriez expédié le problème par vous-même. Aller sur les lieux, démonter l'appareil, rafler les enregistrements, choper le type et le réduire en charpie.

Veyrenc entra et déposa les photocopies sur le bureau, jetant un regard surpris au visage tendu de Retancourt.

— Tu as pu les contacter ? lui demanda Adamsberg.

— Oui.

— Qui vient ?

— Tous.

— Parfait. Il nous reste vingt minutes.

— J'ai été chez elle un soir, admit Retancourt, j'ai inspecté la salle de bains, j'ai cherché une caméra, j'ai examiné les murs, le radiateur, le sèche-cheveux, le miroir, le porte-serviettes, les siphons, et même les ampoules. Rien.

— Il y a une plaque d'aération ?

— Bien sûr, dans le mur extérieur. Je l'ai démontée. Rien.

— Puis vous êtes entrée chez lui

— Oui. C'est crasseux et ça pue. Ce n'est pas un truc installé, c'est du campement provisoire. J'ai examiné la salle d'eau, rien non plus. Pas de revues ou de DVD pornos, pas de photos, et rien sur l'ordinateur. C'est peut-être juste une chasse d'eau qui déraille après tout, ajouta-t-elle avec une moue.

— Non, lieutenant. Il stocke ses images ailleurs.

— Des images qu'il aurait comment ? Je vous l'ai dit, j'ai cherché. Néant.

— Mais c'est tant mieux, Violette.

Il arrivait parfois qu'Adamsberg passe inopinément au prénom du lieutenant, mû par un élan d'affection brusque. « Violette », le prénom le plus inopportun qui puisse être pour une femme telle Retancourt.

— Si vous aviez touché la caméra, reprit-il, il l'aurait vu aussitôt. Il aurait démonté son capteur en vitesse et pris la tangente avec ses images. Au plafond, vous n'avez rien remarqué ?

— Rien de suspect. Deux spots classiques avec ampoules inoffensives, et un détecteur de fumée.

— Un détecteur de fumée ? Dans une salle de bains ?

— Oui, dit Retancourt en haussant ses larges épaules. Le gars lui a dit que, comme elle y avait sa machine à laver, ce qui n'est pas conforme, plus un sèche-cheveux mural, le détecteur était obligatoire.

— Le gars ? Quel gars ?

— Il y a un gros marché, vu que les gens ne savent pas poser eux-mêmes ces engins, dit-elle avec cet air perplexe de ceux qui sont nés clef à molette en main. Un installateur est passé dans l'immeuble. Pour ceux qui ne savent pas bricoler. Ou pour les gens âgés qui ne vont pas grimper sur leur escabeau avec une perceuse. Chez moi aussi quelqu'un est venu, il n'y a pas de quoi se frapper.

— Il ressemblait à quoi, ce détecteur ?

— À un détecteur, pour ce que je m'y connais. Je n'ai pas encore acheté le mien. Des rainures en éventail pour la prise d'air, un cercle ajouré pour l'alerte sonore, et un petit voyant pour la batterie.

— Noir, le voyant ?

— Noir. Normal, quoi. Ça doit s'allumer quand il n'y a plus de jus.

— Oui, en rouge. Il me faut le nom de cette femme, dit Adamsberg d'un ton impératif, et son adresse.

Retancourt hésita.

— C'est délicat, dit-elle.

— Mais bon sang, pourquoi êtes-vous venue, Violette ? Sinon pour me le dire ? Je ne vous ai jamais connue aussi lente.

Cette remarque stimula le lieutenant, dont l'inquiétude pour « la femme » semblait en effet absorber un peu de son énergie.

— Froissy, murmura-t-elle.

— Pardon ?

— Froissy, répéta Retancourt, à voix tout aussi basse.

— Vous êtes en train de me dire qu'on a besoin de l'aide de Froissy ou bien que c'est elle, la femme ?

— Elle.

— Nom de Dieu.

Adamsberg repoussa ses cheveux en arrière puis reprit sa marche. Une rage brève lui fit contracter les bras.

— On va s'en occuper, Violette, croyez-moi.

— Sans les flics ? Personne ne doit l'apprendre, jamais.

— Sans les flics.

— Mais nous sommes flics.

Adamsberg éluda le paradoxe d'un geste de la main.

— Ces images ne doivent atterrir entre les mains de personne, dit-il. On prétend les voyeurs passifs, mais quantité de violeurs se nourrissent aussi d'images. Il nous reste six minutes avant la réunion. Filez dans la cour et vérifiez, avec des gants, s'il n'y a pas un traceur GPS sous sa voiture. Si oui, laissez-le en place.

— Je peux convaincre Froissy d'aller à l'hôtel quelque temps.

— Surtout pas. On ne fait rien qui puisse alerter le gars. Elle continue comme avant. Où est situé le mur mitoyen de sa salle de bains ? Est, ouest, sud, nord ?

— Nord.

— Très bien. Pendant la réunion, asseyez-vous à côté d'elle. Débrouillez-vous pour faucher ses clefs dans son sac. Puis glissez-les dans la poche de ma veste. J'irai faire un tour là-bas. J'ai de quoi retenir Froissy ici pour un bon moment. De toute façon, elle n'aura aucune envie de rentrer chez elle.

— Merci, commissaire, dit Retancourt en se levant.

— Une chose encore, lieutenant. Au cours de la réunion qui vient, si vous souriez, ne serait-ce que d'un quart de sourire…

Retancourt fronça les sourcils.

— C'est un chantage, non ?

— Un échange, lieutenant.

La réunion s'ouvrit en salle du concile, appellation sophistiquée que Danglard avait un jour donnée à ce lieu de rassemblement, et qui avait fini par entrer dans le domaine courant. On disait « se retrouver au concile », ou bien « au chapitre », pour désigner la plus petite salle des réunions restreintes. Adamsberg salua tous les agents, et particulièrement Danglard, comme pour le mettre en garde sur la suite à venir, puis, souriant, il distribua à chacun les deux pages du texte parfaitement revu par Veyrenc. Ce qui ne lui donnait pas de sens policier pour autant.

— Je vous laisse en prendre connaissance sans moi, pendant qu'Estalère vous sert les cafés.

Avant de sortir, il jeta un regard à Retancourt, qui lui adressa un discret signe affirmatif.

Un GPS, il y avait une saleté de GPS sous la voiture. Bon sang, Retancourt aurait dû lui parler plus tôt.

Pendant qu'il tournait dans la salle de travail en attendant que ses agents aient achevé de lire le texte, il ne se préoccupait pas encore de la manière dont il allait mener cette séance. Qui avait de fortes chances de saper l'unité de la Brigade. Pour l'instant, il songeait à Froissy, à la façon de la protéger absolument tout en informant les types du 9e. À présent, il entendait des exclamations monter de la salle de réunion, des débuts de discussions vives.

Il passa à son bureau, nota l'adresse personnelle du lieutenant et revint affronter ses collègues. Il prit sa place sans se préoccuper des mouvements divers des agents ni du silence qui s'installait rapidement. Il nota combien Froissy était devenue menue, à vif, les doigts tendus sur son clavier.

XIII

Adamsberg n'eut pas besoin de regarder les membres de son équipe pour percevoir la nature de ce silence. Il était fait de perplexité, de lassitude et de fatalisme. Il ne sentait pas même la tentation d'une agression de leur part, pas même l'envie de lui poser des questions. Cette réunion, pressentit-il, allait être l'une des plus expéditives de leur histoire. Chacun semblait avoir jeté l'éponge, dans un geste de renoncement triste qui, dans la foulée, abandonnait le commissaire à sa solitude. À l'exception de Veyrenc, Voisenet, Mercadet peut-être, et de Froissy, tout simplement car l'histoire de la recluse était à des lieues de ses préoccupations. Danglard, lui, considérait le commissaire d'un œil combatif et désolé.

— Je vous écoute, dit Adamsberg.

— Ah quoi bon ? dit Danglard, ouvrant le feu. Vous savez fort bien ce qu'on en pense. Ce n'est en aucun cas pour nous.

— C'est votre opinion, Danglard. Mais les autres ?

— Même chose, dit Mordent d'un ton las en tordant son long cou.

Il y eut plusieurs signes d'approbation – le poids des deux commandants n'était pas rien – et des visages qui n'osèrent pas lever un cil.

— Que ce soit clair, reprit Adamsberg. Je comprends vos doutes, je n'oblige personne à se joindre à cette enquête. Je ne fais que vous informer. Les deux premiers morts se connaissaient depuis l'enfance, vous l'avez lu.

— Nîmes n'est pas si grand, dit Mordent.

— En effet. Seconde chose : selon le professeur Pujol, il n'y a pas mutation du venin de la recluse. Et de ses morsures, on ne meurt pas, sauf exception.

— Mais ils sont vieux, dit Kernorkian.

— Oui, appuya Mordent.

— « Enquête » ? releva Danglard. Vous avez bien dit qu'il s'agissait d'une « enquête » ? C'est-à-dire avec des victimes et un assassin ?

— Je le dis.

— Faudra trois paires de menottes quand on tiendra le tueur, dit Noël en ricanant. Une pour chaque paire de pattes.

— Quatre paires de menottes, Noël, rectifia Adamsberg. Elles ont huit pattes.

Le commissaire se leva, écarta les bras d'un geste impuissant.

— Eh bien, dispersion, annonça-t-il. Froissy, Mercadet, j'ai besoin de vous pour quelques recherches.

La salle du concile se vida dans un bruit de pas lents, la réunion avait duré moins de six minutes. Peu à peu, les agents qu'on avait arrachés à leurs lits s'en allèrent. Adamsberg rattrapa Mercadet devant la porte.

— Lieutenant, vous auriez cinq minutes à me consacrer ?

— Froissy est de garde, commissaire, dit Mercadet d'une voix languissante. Je vacille de sommeil.

— Je ne peux pas demander cela à Froissy. J'ai besoin de vous, Mercadet. C'est une urgence.

Le lieutenant se frotta les yeux, secoua sa tête, étira ses bras.

— De quoi s'agit-il ?

— Voici l'adresse, 82, rue de Trévise, escalier A, 3e étage, porte 5, je vous l'ai notée. Je veux en savoir le plus possible sur le voisin, côté nord. Au moins son nom, son âge, sa profession, sa situation de famille.

— J'essaie, commissaire.

— Merci. Cela reste entre vous et moi, strictement.

Cet appel au secret parut réveiller un peu Mercadet, qui partit tête plus haute vers son ordinateur. Adamsberg fit signe à Estalère d'apporter du café au valeureux lieutenant puis rejoignit Veyrenc.

— Es-tu toujours si certain qu'il fallait leur parler ?

— Oui.

— As-tu déjà vu un tel abattement ? Je crois avoir réussi à plonger en dépression immédiate les trois-quarts de la Brigade.

— Ils s'en remettront. Tu lances Froissy sur l'orphelinat ?

— Et sur les victimes.

Adamsberg entra dans le bureau du lieutenant comme s'il pénétrait dans une chambre d'hôpital. Pour une fois dans sa vie, elle ne faisait rien, mâchant un chewing-gum, tournant entre ses doigts une petite boule souple. Probablement un de ces engins à pétrir censés apaiser les nerfs.

Non, rectifia Adamsberg, il s'agissait de la pelote de laine du chat, confectionnée par Mercadet. Bleue, car le chat était un mâle. Un mâle entier qui ne présentait pas la moindre pulsion sexuelle. Un jour, Froissy irait peut-être se lover en rond sur le capot de la photocopieuse tiède.

— Merci pour le petit-déjeuner, dit-il. J'en avais besoin.

Cette reconnaissance arracha un sourire au lieutenant. De ce côté au moins, les choses étaient en ordre. Penser, se dit Adamsberg, à faire disparaître les croissants excédentaires, donner à croire qu'il avait tout avalé.

— Lieutenant, j'ai trois gars sur lesquels je ne sais rien.

— Et sur lesquels vous voudriez tout savoir.

— Oui. Mais c'est en rapport avec l'araignée recluse. Et j'ai donné la liberté à chacun de déclarer forfait sur cette enquête.

— Un droit de grève en quelque sorte. Vous voulez parler, je suppose, des trois hommes décédés ?

Froissy avait abandonné la pelote de laine. Un bon point déjà. Il pariait sur sa collaboration. Non pas qu'elle ait formé son opinion sur la pertinence de l'enquête et choisi son camp. Ce genre de choses lui importait peu. Ce qui l'animait avec intensité, c'était de débusquer des données ignorées dans les profondeurs de son clavier, et plus ces données étaient adroitement enfouies, plus l'art de les faire surgir la galvanisait.

— J'espère que c'est difficile, dit-elle en plaçant déjà ses mains au-dessus des touches.

— Vous avez les noms des trois hommes sur la note que je vous ai remise tout à l'heure.

Les peaux claires rougissent vite, et Froissy s'empourpra.

— Je suis désolée, commissaire, je ne la trouve plus.

— Aucune importance, c'est que la réunion n'était pas bien agréable, voilà tout. Je vous les redonne. Vous y êtes ? Albert Barral, né à Nîmes, décédé le 12 mai à quatre-vingt-quatre ans, courtier en assurances, divorcé, deux enfants. Fernand Claveyrolle, né à Nîmes, décédé le 20 mai suivant, quatre-vingt-quatre ans, professeur de dessin, deux fois marié, divorcé, sans enfants. Claude Landrieu, né à Nîmes, décédé le 2 juin, quatre-vingt-trois ans, commerçant.

Froissy avait déjà fini d'encoder les informations et attendait la suite, mains suspendues, regard plus clair.

— Les deux premiers, Barral et Claveyrolle, ont été élevés ensemble à l'orphelinat de La Miséricorde, près de Nîmes. Ils y auraient fait les quatre cents coups. Pas seuls, avec une petite bande. Quels quatre cents coups ? Quelle petite bande ? Fouillez par là. Le troisième mort, Claude Landrieu, où a-t-il fait sa scolarité ? Les a-t-il connus ? Où serait le point commun ? Et pour les trois, tâchez de savoir s'ils ont par la suite été coupables de délits ou crimes.

— En quelque sorte, s'ils ont pu se faire des ennemis ? Et si leurs quatre cents coups étaient le seul effet de leur rude enfance ou s'ils sont devenus, temporairement ou non, des sales types ?

— C'est cela. Et cherchez aussi qui dirigeait l'orphelinat à l'époque. Où sont les archives de ces années ? Vous y êtes ?

— Bien sûr j'y suis. Où voulez-vous que je sois ?

Dans la salle de bains, pensa Adamsberg.

— Autre chose, sans doute impossible. Je n'obtiendrai pas l'aval du divisionnaire pour lancer une enquête.

— N'y comptons pas, dit Froissy.

— Donc je n'ai aucun droit d'interroger les médecins qui ont traité les malades. Je ne suis pas de leurs familles.

— Qu'est-ce qui vous intéresse ?

— L'état de santé général des trois hommes, tout d'abord. Cela paraît inaccessible, n'est-ce pas ?

— En partie, oui. Je peux accéder aux noms de leurs médecins traitants via les dossiers de la Sécurité sociale. Mais ensuite, il me faudrait pousser plus loin dans les couloirs de la Sécu pour connaître leurs traitements. D'où l'on déduirait leurs pathologies éventuelles. Ce n'est pas exactement licite. Mieux vaut que vous le sachiez, on entre dans les terres du piratage.

— Les mers du piratage. Les pirates, donc les mers.

— Si vous voulez. Les mers du piratage. Vous devenez comme Danglard ? demanda-t-elle en souriant. À cheval sur les mots ?

— Qui pourrait devenir comme lui, lieutenant ? C'est seulement que je trouve cela plus joli : les mers.

— C'est parce que vous rentrez d'Islande. Et ces mers seront brumeuses. Donc, que fait-on, on y va tout de même ?

— On y va.

— Très bien.

— Vous pourrez tout effacer ensuite ?

— Cela va sans dire. Ou bien je ne vous le proposerais pas.

— J'aimerais aussi connaître les dates de leurs admissions à l'hôpital, c'est-à-dire combien de temps après la morsure. Ensuite, connaître l'évolution de l'attaque. Attendez.

Adamsberg feuilleta son carnet, où rien n'était inscrit dans l'ordre.

— Connaître l'évolution de leur loxoscélisme.

— Comment cela s'écrit ?

— Avec un « s » entre loxo et célisme, dit Adamsberg en lui montrant la page.

— Et c'est ?

— Le nom de la maladie due au venin de la recluse.

— Compris. Vous voulez savoir si ce loxoscélisme s'est développé à un rythme ordinaire ou anormal ?

— C'est cela. Et s'il y a eu des prises de sang, des résultats d'analyses.

— Là, dit Froissy en reculant devant son clavier, roulant sur sa chaise, nous serons en haute mer. Il faudrait connaître les noms des médecins qui se sont occupés d'eux. Cela, c'est facile. Mais ensuite accéder à leurs données confidentielles.

— C'est infaisable ?

— Je ne peux rien promettre. Quoi d'autre, commissaire ?

— Rien pour le moment. Je me doute que ce n'est pas le travail d'une journée. Prenez votre temps.

— Éventuellement, cela ne me gêne pas de venir travailler demain dimanche.

Oui, songea Adamsberg, idéal pour Froissy de demeurer dans le refuge de la Brigade, où aucun cinglé n'allait actionner une chasse d'eau au premier robinet qu'on ouvre.

— C'est d'accord, je vous ajoute au tableau d'affichage. Merci, lieutenant.

— Si mon travail m'entraîne loin dans la nuit, dit-elle d'une voix moins ferme, est-ce possible de dormir sur les coussins là-haut ?

C'est dans la petite salle du distributeur à boissons qu'on avait installé le long du mur trois épais coussins de mousse pour pourvoir aux phases de repos de Mercadet.

— Cela ne me pose pas de problème. Gardon sera de garde, avec Estalère. Mais je ne voudrais pas que vous tiriez trop sur la corde.

— Je ne manque pas de sommeil, tout ira bien. J'ai un petit bagage de rechange avec moi, j'en ai toujours un.

— Tout ira bien, répéta Adamsberg.

Mercadet. Le commissaire s'en voulait d'avoir exigé une recherche alors que l'homme titubait de fatigue. Culpabilité qui grimpa en vrille quand il vit le visage gris de son adjoint qui tenait son menton d'une main et tapait d'un seul doigt sur les touches.

— Arrêtez, lieutenant, dit-il. Je suis désolé. Allez dormir.

— Mais non, dit Mercadet d'une voix lente. Disons que je ne vais pas vite.

— Mercadet, c'est un ordre.

Adamsberg souleva le lieutenant par le bras et l'entraîna vers l'escalier. Marche à marche, il soutint son adjoint dans cette longue ascension d'un seul étage. Mercadet s'écroula de tout son long sur les coussins salvateurs. Avant de fermer les yeux, il leva un bras.

— Commissaire, le nom du voisin, c'est Sylvain Bodafieux. Avec un seul « f ». Il a trente-six ans, il est célibataire, brun, dégarni. Il a loué ce truc, ce machin…

— Cet appartement.

— … il y a seulement trois mois. Code d'entrée 3492B. Il va de piaule en piaule. Il est déménageur à son compte, stépialiste…

— Spécialiste.

— … en déménagement de meubles anciens et de pianos à queue, demi-queue…

— Dormez, lieutenant, s'il vous plaît.

— Et quart-de-queue, acheva Mercadet en un murmure.

Bodafieux. Et non pas Marllot. L'homme utilisait un faux nom. Retancourt entra à cet instant dans la petite pièce, portant le chat plié sur son bras comme un vieux torchon, pattes pendantes. Ainsi étendu, il avait quasi la taille d'un jeune lynx. C'était l'heure de la pâtée. Adamsberg mit un doigt sur ses lèvres.

— Les clefs ? chuchota-t-il.

— Dans votre poche gauche.

— Je pars. Froissy va passer la nuit ici, ainsi que tout le dimanche.

— Vaudrait mieux que j'aille garer sa voiture près de chez elle. Pour que son voisin ne se doute de rien.

— Si tout se passe bien, c'est inutile.

Retancourt hocha la tête, soulagée. Bien qu'opposante systématique aux méthodes d'Adamsberg, son flegme apaisant se propageait parfois vers elle comme un flux bénéfique. Ainsi que le disait Danglard, il fallait prendre garde aux eaux silencieuses du commissaire, prendre garde à ce qu'elles ne vous encerclent puis ne vous absorbent avec lui.

Adamsberg enfila sa veste, tâta les clefs dans sa poche, mêlées à trois cigarettes effritées de Zerk. Ultime démarche : Danglard. Qui, retranché dans son bureau, consolait son désarroi en éclusant du vin blanc, ce qui ne l'empêchait en rien de poursuivre la rédaction du « Livre ».

— Je ne viens pas pour la recluse, précisa d'entrée Adamsberg.

— Non ? Auriez-vous d'autres pensées, commissaire ?

— Cela m'arrive. Danglard, le commissaire du 9e ?

— Oui ?

— Nom, tempérament, états de service ? C'est urgent.

— Rien à voir avec *Loxosceles rufescens* ?

— Je viens de vous le dire.

— Hervé Descartier, cinquante-huit ans environ.

La mémoire du commandant Danglard ne se limitait pas à l'érudition. Il savait sur le bout des doigts tous les noms des commissaires, commandants et capitaines de gendarmerie de France, et se tenait régulièrement au courant des transferts, mutations et retraites.

— Je crois que je l'ai connu, dit Adamsberg. Je devais être brigadier, et lui déjà jeune lieutenant.

— Sur quelle affaire ?

— Un homme nu jeté sur la voie de l'express Paris-Quimper.

— Paris-Deauville, corrigea Danglard. Oui, cela fait un sacré bout de temps. Le type est bon, assez sec, allant droit au but. Nerveux, intelligent, sens de l'humour, grand amateur de jeux de mots et diverses contrepèteries. Petit, mince, coureur de femmes jusqu'à ce qu'il lui reste un souffle. Un problème néanmoins, qui a manqué lui coûter sa carrière.

— Corruption ?

— Certainement pas. Mais il prend des libertés avec le règlement quand il lui paraît plus efficace d'emprunter un chemin de traverse.

— Un exemple, Danglard, donnez-m'en un seul.

— Laissez-moi voir. Eh bien, dans l'enquête sur le violeur de Blois, il a défoncé la porte sans commission rogatoire, démoli la gueule du type sans être en légitime défense ni posséder de preuve définitive de sa culpabilité. L'homme a manqué perdre un œil.

— Quand même.

— Oui. Descartier s'en est sorti parce que ce type était bien le bon, finalement. Mais il a été suspendu six mois.

— C'était quand ?

— Il y a onze ans.

— Merci, commandant, dit Adamsberg en repartant en coup de vent, n'ayant nulle envie que Danglard oblique vers la recluse.

— Attendez une minute. Si vous essayez de le joindre, vous ne le trouverez pas forcément sur place un samedi. J'ai peut-être un numéro de portable.

Danglard feuilleta un lourd classeur de feuillets manuscrits, posé sur une étagère.

— Vous avez de quoi noter ?

Adamsberg inscrivit le numéro, remercia de nouveau et sortit. Il était rare qu'il se hâte. Mais il traversa la grande salle d'un pas rapide, adressa un signe discret à Retancourt et démarra quelques minutes après, tournevis en poche, en direction du 9e arrondissement.

XIV

Le commissaire s'installa à l'écart, à la table d'une brasserie située presque en face de l'immeuble de Froissy. Il était déjà presque 16 heures et, malgré les croissants du matin, il avait faim. Il commanda sandwich et café et composa le numéro du commissariat du 9e arrondissement. Comme l'avait prévu Danglard, le commissaire Hervé Descartier était absent. Le déranger sur son portable rendait les choses plus délicates. Il envisagea de nouveau ses différentes réactions possibles et appela.

— Commissaire Descartier ?

— Il n'est pas là, répondit une voix juvénile en pleine mue.

Le fils avait ses consignes. Mais sa voix incertaine attestait que Descartier était bel et bien chez lui.

— Une seconde, jeune homme, avant de raccrocher. Je connais ton père, on a travaillé ensemble. C'est bien ton père ?

— Oui, mais il n'est pas là.

— Essaie juste ceci : dis-lui que je suis le commissaire Adamsberg. Adamsberg, tu te souviendras du nom ?

— Attendez, je l'écris. Mais il n'est pas là.

— Je sais. Dis-lui aussi que je peux l'aider à trouver l'homme qu'il recherche en ce moment. Que c'est urgent.

— Vous voulez parler du violeur ?

— Puisque tu es au courant, oui. Tu as écrit tout cela ?

— Oui.

— Je sais qu'il n'est pas là, mais va tout de même montrer cela à ton père. Tu veux bien faire ça ?

Adamsberg entendit l'enfant courir, puis une porte claquer.

— Descartier en ligne. C'est toi, Adamsberg ? C'est vraiment toi ?

— Tu te souviens de moi ?

— Parle encore un peu.

— On était ensemble sur l'affaire d'un homme trouvé nu sur les rails du Paris-Deauville. Il avait des ecchymoses aux épaules et une blessure au front. Pour les uns – pour toi et moi –, c'était la preuve qu'on avait assommé et poussé le type sur le ballast. Pour d'autres – notre chef, quelque chose comme Jardion, Jardiot –, c'étaient des coups reçus en tombant sur les rails…

— C'est bon, Adamsberg, je reconnais ta voix. C'était Jardiot, comme idiot.

— Si tu le dis.

— On s'en fout, remarque. Je t'écoute.

— Désolé de te déranger.

— Si c'est pour cet enfoiré de violeur, tu ne me déranges pas. On patauge.

— Tu as un ADN ?

— Une empreinte et son ADN. Ce débile a laissé trois gouttes de sperme dans le parking en ôtant son préservatif. Un vrai crétin.

— Mais tu n'as aucun nom ?

— Il n'est pas fiché.

— J'ai une présomption, assez lourde. J'ai un nom, une adresse. Sylvain Bodafieux, 82, rue de Trévise. Logement provisoire, il y habite sous un faux nom, Rémi Marllot. Boulot indépendant, déménageur. Ça t'intéresse ?

— Joue pas au con. Elle vient d'où ta présomption ?

— C'est le problème : je ne peux pas te le dire.

— Merci, collègue. Et que veux-tu que je foute de ta présomption si je ne sais rien ? Pas de présomption, pas de commission rogatoire. T'as pas oublié le métier, des fois ? Pourquoi tu gardes tes infos ? Tu veux une part de la couronne pour ta Brigade ?

— Je m'en fous. Mais si je te parle, une femme meurt. Et je ne le veux pas.

Il y eut un silence, et Adamsberg entendit le bruit crissant d'une molette de briquet. Il se leva à son tour, fit un signe au serveur et sortit sur le trottoir pour allumer une cigarette de Zerk.

— Tu fumes ? demanda Descartier.

— Non, je fume celles de mon fils.

— Quand je t'ai connu, t'avais pas de fils.

— Non, je ne l'ai croisé qu'à ses vingt-huit ans.

— Tu n'as pas l'air d'avoir tellement changé. Qu'est-ce que tu proposes ?

— Il est quelle heure ?

— 16 h 15.

— En combien de temps peux-tu rassembler six hommes rue de Trévise ? Compte large, l'immeuble a peut-être deux entrées, à toi de vérifier.

— Vingt minutes, à partir de la fin de notre conversation.

— Très bien, dans trente minutes, tu postes tes hommes. Discrets, banalisés. Quand je saurai que le type risque de filer, je t'appelle. Si c'est notre homme.

— Ensuite ?

— Ensuite, ils enfilent leurs blousons de flics, ils arborent les flingues, tu les rends aussi voyants que possible. Si tu vois un gars de trente-six ans, brun, dégarni, sortir de l'immeuble, vivement ou furtivement, jetant des regards à droite à gauche, avec un sac à dos ou je ne sais quoi, c'est lui. S'il court, c'est encore plus lui.

— Et c'est toi qui vas le faire déguerpir ?

— C'est moi. Mais je veux que tu sois là pour lui sauter dessus.

— Et comment tu vas le faire déguerpir ? Tu ne peux pas me le dire, j'ai compris. Cette femme, tu la connais ?

— Non.

— Tu mens.

— Oui. Attention cela dit, je ne sais pas s'il est chez lui. Normalement, c'est son habitude durant le week-end. Si tu ne le vois pas sortir, attends. Jusqu'au soir s'il le faut. Dès qu'il sera rentré, crois-moi, il ne mettra pas longtemps à se tirer de là.

— Compris. Mais comment j'explique que j'avais six flics autour de l'immeuble ?

— Invente. Tu as reçu le coup de fil d'un désespéré, tu as une suspicion d'agression, tout ce que tu veux, débrouille-toi. Voyant par pur hasard un homme s'enfuir à la vue des flics, vous l'avez alpagué. Vous l'emmenez au commissariat, cas de flagrance et prise d'empreintes.

— Ça se tient mais c'est hors des clous.

— Depuis quand cela te gêne ? Depuis que t'as enfoncé une porte et un œil sans commission ?

— N'empêche, c'était lui. C'était ça ou il nous filait entre les pattes. Le juge ne voulait rien entendre.

— Il y a des fois, comme ça.

— Oui.

— Donc tu marches ?

— Oui.

— Une chose essentielle encore : dans son sac, tu trouveras sans doute un ordinateur, un récepteur de caméra, des enregistrements sur disque dur.

— De quoi ?

— De cul. Quoi d'autre ?

— Et donc ?

— Tu me les donnes.

— Tu te fous de moi, Ad, dit Descartier en retrouvant sans le vouloir son ancienne manière de nommer son équipier. Et mes preuves ? T'en fais quoi, de mes preuves ?

— Tu auras les empreintes et l'ADN. Ça ne te suffit pas ?

Adamsberg rentra dans la brasserie, le téléphone toujours collé à l'oreille.

— Ça marche, dit Descartier.

— Si c'est bien lui. Je ne t'ai rien promis. Mais je ne crois pas me tromper.

— Pourquoi veux-tu ces enregistrements ?

— Pour les détruire.

— Sinon elle se tue. Ça va, Ad, j'ai compris.

— Il est quelle heure ? demanda de nouveau Adamsberg.

— T'as pas de montre ?

— J'en ai deux, mais elles ne marchent pas.

— C'est certain maintenant, t'as pas changé. Et c'est la seule raison pour laquelle je te fais confiance.

— Merci.

— Il est 16 h 23.

— Lance ton dispositif. Je t'appellerai. Ne quitte pas ton portable d'une seconde.

Adamsberg acheva son sandwich sans hâte, l'œil fixé sur la pendule du café qu'il venait tout juste de découvrir. Il ne leva le camp qu'à 16 h 35.

Il traversa la rue de Trévise à pas tranquilles. Nul n'avait moins l'air d'un flic que lui. Il composa le code de l'immeuble, gagna le troisième étage et ouvrit en silence la porte de Froissy. Il traversa le salon – impeccable bien entendu –, avisa l'énorme réfrigérateur dans la cuisine – réserves de survie – et s'assit pour se déchausser. Mais il ne croyait pas à un capteur sonore. Toutes les caméras, mobilité 360°, étaient équipées d'un détecteur de mouvements, bien plus efficient. Le monde des caméras furtives avait fait un grand bond. Planquées dans des stylos, des ampoules, des briquets, des montres. Cela se vendait comme quelque inoffensive babiole sur internet, sous le nom sans ambiguïté de « micro-caméra espion ». Sous « envoi discret », cependant. Et sous l'enseigne « Protégez votre maison ». Autrement dit, « surveillez les autres ». Néanmoins, au cas où le gars serait un peu à la traîne, il avança pieds nus vers la salle de bains. Se plaçant hors du champ de vision, monté sur une des chaises du salon et plaqué derrière le chambranle, il poussa doucement la porte, parcourut d'un coup d'œil et pour la forme les murs, le carrelage, la douche, la tuyauterie, puis enfin, s'arrêta au plafond. De côté, il pouvait observer le détecteur de fumée, avec ses rainures et son témoin de batterie, petit cercle noir de quelque cinq millimètres. Noir, mais luisant comme une bille. Luisant comme une lentille optique.

Il descendit de la chaise en souriant, s'enferma dans la cuisine sans faire plus de bruit que La Boule sur sa photocopieuse, consulta l'heure sur son portable, qu'il avait enfin réglée à la brasserie. 16 h 52. Il attendit une minute et appela Descartier.

— Tu es en place ?

— À l'instant. Et toi ?

— En place. Combien de temps pour que tes flics s'équipent en flics ?

— Deux minutes.

— Je lance le truc. Bonne chance, Descartier.

— À toi aussi, Ad.

Cette fois, Adamsberg entra sans précaution dans la salle de bains, chaise en main, ouvrit le robinet du lavabo et se lava les mains avec naturel. La chasse d'eau mitoyenne se déclencha dans l'instant. Alors que le voisin n'avait que faire d'un homme. Mais il était prudent, très. S'il souhaitait faire croire à un énigmatique défaut de plomberie, s'il désirait alarmer Froissy tout en laissant flotter un doute oppressant, il devait lancer son signal quel que soit l'utilisateur. Dans le miroir, Adamsberg regardait le « détecteur de fumée » qui ne détectait que cette pauvre Froissy. En plein jour, Retancourt n'aurait pas manqué l'objectif de la caméra. Mais elle avait examiné la pièce le soir, levant les yeux vers le plafond, aveuglée par les ampoules des spots qui encadraient le détecteur. Adamsberg alluma la lumière, fixant la lentille optique. Sa brillance n'était plus visible. Avec un sentiment d'intense satisfaction, il grimpa sur la chaise et dévissa l'appareil. Dès cette seconde, le gars savait. Il colla son oreille au mur nord, d'où ne parvenaient que de faibles bruits, mais on s'activait dans l'appartement, déplaçait des objets, ouvrait un placard.

Onze minutes plus tard, un homme sortait de l'immeuble, en alerte. Par la fenêtre au store levé, Adamsberg observa les flics de Descartier, plus que visibles avec leurs blousons et leurs flingues. Rémi Marllot, ou quel que soit son nom, un petit gars ventru de taille moyenne, portant sac à dos, choisit de courir. Et tomba dans les bras du commissaire Descartier.

— Où tu files comme ça, toi ? cria le commissaire sur un ton de brute, pour être certain que des témoins l'entendraient. T'as quoi ? T'as peur des flics ? Tu cours dès que t'en vois ?

— T'as quelque chose à te reprocher peut-être ? demanda un lieutenant.

— Mais non ! Qu'est-ce que vous me voulez, merde ?

— Juste savoir pourquoi tu cours.

— Parce que je suis pressé !

— T'étais pas pressé quand t'es sorti de l'immeuble. C'est quand tu nous as vus que t'as couru.

— T'as quoi dans ton sac ? De la came ?

— Je touche pas à ça, moi !

— Tu touches peut-être à autre chose ?

— Mais qu'est-ce que vous me voulez à la fin ?

— Savoir pourquoi tu cours.

Tranquillisé, Adamsberg ferma le store puis effaça toute trace de son passage chez Froissy. Qu'elle ne sache jamais, bon sang, qu'on avait récupéré cet engin chez elle. Faire poser en urgence un nouveau détecteur de fumée. Il appela Lamarre, un gars capable de fabriquer à lui seul la maison de sa mère à Granville. Le brigadier assura que le boulot serait fait dans les deux heures. Adamsberg lui envoya une photo de l'appareil démonté et ses dimensions, pour qu'il choisisse un modèle quasi semblable. Bien que Lamarre ne sût pas qu'il opérerait dans l'appartement de Froissy, le commissaire exigea un silence total, et Lamarre fut un peu choqué qu'on pût mettre en cause sa discrétion. Après tout, il venait de la Grande Muette, l'armée, et les empreintes en étaient indiscutables. Si Lamarre manquait certes un peu d'imagination, c'était un homme on ne peut plus sûr dans l'exécution. Au lieu que les imaginatifs – et c'était leur sacro-saint boulot – interrogeaient sans relâche les bien-fondés de l'exécution.

Descartier n'avait plus qu'à tenir parole. Adamsberg pensait qu'il le ferait.

XV

Le commissaire avait donné rendez-vous à Retancourt dans la cour arrière de la Brigade. Elle vint vers lui dès qu'il eut claqué la portière de sa voiture, avec ses grands pas de hussard.

— C'est fait, lui dit tranquillement Adamsberg. Elle n'en saura jamais rien.

Il plongea la main dans sa poche intérieure et en sortit le détecteur de fumée.

— Ici, dit Adamsberg en lui montrant le petit voyant noir incurvé et brillant au soleil.

— Nom de Dieu, dit Retancourt, les yeux plissés de contrariété.

— C'est fini, Violette, dit-il doucement.

— Non, elle va s'apercevoir qu'il n'y a plus de détecteur.

— À l'heure où nous parlons, Lamarre est en train d'en poser un autre. Très semblable, sauf que c'est un vrai.

Retancourt éprouva quelque admiration pour Adamsberg, sentiment qu'elle savait peu exprimer, parmi beaucoup d'autres.

— Il m'avait paru normal, ce détecteur, dit-elle entre ses dents, les sourcils toujours froncés. Comme il m'avait paru évident que Froissy en avait fait poser dès que possible. Merde, j'aurais dû le voir.

— Non.

— Si. Mais je n'ai pas imaginé que les caméras espions s'empareraient si vite de ce nouveau truc. Ça fait quoi ? Même pas six mois que c'est obligatoire. Ça a dû jouer, ça m'a amortie. Mais merde, j'aurais dû le voir, répéta-t-elle.

— Non, car vous ne le pouviez pas. Pas sous la lumière des spots le soir. La luisance disparaît. J'ai fait le test.

Adamsberg sentit son adjointe se détendre et ses regrets faiblir.

— Et j'ai dit « c'est tant mieux », Violette. Le type a été cueilli par les hommes de Descartier, le commissaire du 9e.

— Bon sang, vous ne lui avez rien balancé tout de même ?

— Retancourt, dit seulement Adamsberg.

— Pardon.

— Je viens de vous dire qu'elle n'en saura jamais rien. Voici ses clefs. Arrangez-vous pour les remettre dans son sac. Je récupérerai l'ordinateur et les enregistrements dès que possible. En attendant, détruisez-moi cette saleté, dit-il en déposant l'appareil dans sa main. Ainsi que la pile de croissants de Froissy.

— Les croissants ?

— Pour qu'elle ne sache pas que je n'ai pas tout avalé ce matin. Cela compte aussi.

— Ah, bien sûr.

— Quand elle rentrera chez elle, elle constatera que l'eau du voisin ne se déclenche plus. Et tout ira bien.

— Elle n'entre plus jamais dans cette foutue salle de bains. Alors, comment saura-t-elle ?

— C'est juste.

— Je ne vois qu'une solution. Je l'invite à dîner demain soir.

— Et ?

— Et, venant la prendre chez elle, je vais me laver les mains. Et je l'informe de l'absence de réaction chez le voisin. Je fais plusieurs fois le test : rien. C'est donc que l'homme a fait réparer sa plomberie défaillante, sensible aux vibrations du sol.

— Cela existe ?

— Non. Je la convaincs, j'y mets toutes mes forces.

— Je compte sur vous pour cela.

— Le problème, c'est que je ne l'ai jamais invitée à dîner. Il y aurait bien une issue, reprit-elle après un moment. Elle est entichée de Vivaldi, non ?

— Mais je n'en sais rien.

— Si, c'est Vivaldi. Et il y a un concert dimanche dans la petite église à deux rues de chez moi. Je lui dis que je n'ai pas envie d'y aller seule. Cela marchera.

— Car vous comptiez y aller ?

— Mais non.

— Et comment expliquerez-vous que vous venez la chercher au lieu qu'elle vienne vers chez vous ?

— Je n'explique pas. Je la convaincs.

— Bien sûr.

— Commissaire, un instant : pour cette araignée, je suis contre, tout à fait contre.

— Je le sais, lieutenant. Est-ce nécessaire de relancer le débat ? D'ailleurs, il n'y a même pas eu de débat.
— À quoi bon, en effet ?
— Fin de cette conversation, donc.
— Sauf ceci, commissaire : si vous avez besoin de quelqu'un pour votre saleté de recluse, je serai là.

Adamsberg s'éloigna vers les bâtiments, mains dans les poches, un léger sourire aux lèvres. Il entra dans le bureau de Froissy, trop absorbée par ses recherches pour être sensible à quelque mouvement. Il dut poser la main sur son épaule pour qu'elle sursaute.
— Dételez un peu, lieutenant. C'est le moment de détente.
— Mais je commence tout juste à trouver des choses.
— Raison de plus, allons marcher dans la cour. Avez-vous remarqué que le lilas est en pleine floraison ?
— Moi ? répondit Froissy, un peu offusquée. Mais qui croyez-vous qui l'a arrosé quand il a fait si sec ? Pendant que vous étiez en Islande ?
— Vous, lieutenant. Mais il y a autre chose. Vous vous rappelez ce couple de merles qui avait fait son nid dans le lierre, il y a trois ans ? Eh bien ils sont revenus. La femelle couve.
— Vous croyez que ce sont les mêmes ?
— J'ai demandé à Voisenet. Ce sont eux. Il en est sûr, le mâle n'est pas bien épais. Vous n'auriez pas du quatre-quarts, du cake ? Ils en sont fous. Ce que je souhaite, Froissy, c'est ne pas discuter de la recluse dans les bureaux.
— Je comprends. Attendez-moi dans le couloir, j'ai quelque chose à finir.

Adamsberg s'éloigna. Chacun savait que Froissy n'ouvrait ses placards à réserve devant personne, imaginant son secret bien gardé. Tout en sachant qu'il ne l'était pas. Elle le rejoignit un instant plus tard, avec deux tranches de cake dans une main et son ordinateur sous le bras.

— Ils sont là, lui dit Adamsberg une fois dans la cour et lui désignant une masse de brindilles entrelacées dans le lierre, à deux mètres de hauteur. Vous la voyez ? La mère ? Ne vous approchez pas trop. Ici, le mâle.

— C'est vrai qu'il est fluet.

Froissy déposa avec précaution son ordinateur sur une marche en pierre et commença à émietter la première tranche de cake.

— C'est au sujet de l'orphelinat, dit-elle. Il s'agit de la Maison de l'Enfance de La Miséricorde. Cet institut a été reconverti il y a vingt-six ans en centre d'accueil pour adolescents. Donc les archives ont pu être détruites, ou transférées.

— Pas de chance, dit Adamsberg qui distribuait la seconde part de cake.

— Attendez. L'ancien directeur est mort – il aurait cent onze ans aujourd'hui –, mais il avait un fils qui fut élevé dans cette Miséricorde. Pas tout à fait avec les autres, pas dans les dortoirs, mais il participait aux mêmes cours et aux mêmes repas. Il semble avoir suivi les traces du père, puisqu'il est devenu pédopsychiatre. Pour les enfants, quoi. Donnez-moi une seconde.

Froissy essuya ses mains, graissées par le cake, sur un mouchoir blanc, et alla consulter sa machine.

— C'est le nom du livre qui m'échappait, expliqua-t-elle pendant qu'Adamsberg essuyait ses propres mains sur son pantalon.

— Il va être foutu, votre pantalon.

— Mais non. Quel livre ?

— Le fils a publié – à compte d'auteur – un petit ouvrage intitulé : *Père de 876 enfants*. Le texte est en libre accès, je n'ai eu aucun mérite à le lire, ajouta-t-elle un peu déçue. Il y décrit sa vie là-bas, les garçons qui l'entouraient, les drames, les fêtes, les bagarres, les ruses pour déjouer la surveillance et aller regarder les filles, par le haut grillage qui séparait les deux cours. Mais surtout les mille et une finesses dont usait son père pour gérer ces garçons à l'abandon. De là, il analyse les différents effets de la carence parentale. C'est pénétrant, c'est dur, mais il n'y a rien pour nous là-dedans. Sauf que ce fils en sait manifestement beaucoup sur La Miséricorde, et il y tient. Il y a des quantités de notations précises, avec des dates et les prénoms des protagonistes, qui ne peuvent provenir que des registres. Il les a, commissaire.

— Très bon, Froissy. Vous savez où trouver ce fils ?

— Au Mas-de-Pessac, à dix-sept kilomètres au nord de Nîmes. Roland Cauvert, soixante-dix-neuf ans, 5, rue de l'Église. Tout simple. J'ai son numéro de téléphone, son mail, tout ce qu'il vous faut pour le contacter.

Adamsberg attrapa Froissy par le bras.

— Ne bougez pas. Vous voyez le mâle ? Il brave déjà notre présence pour bouffer le gâteau.

— Vous en voulez ? Du gâteau ? J'ai su que Zerk était resté là-bas. Et j'ai idée que depuis, vous devez vous nourrir n'importe comment. J'ai autre chose encore, sur le troisième mort, Claude Landrieu. C'est presque rien. D'ailleurs il n'était pas à La Miséricorde.

— Landrieu ? Le commerçant ?

— Oui. Un chocolatier, plus précisément. Quand il avait cinquante-cinq ans, il a été interrogé dans le cadre d'une affaire de viol, à Nîmes.

— Quelle date ? Le viol ?

— Le 30 avril 1988. Victime : Justine Pauvel.

— Landrieu était soupçonné ?

— Non, il s'est présenté le lendemain du viol comme simple témoin, spontané. Il voyait la jeune fille presque tous les jours. Les parents travaillaient et c'est dans sa boutique que Justine venait faire ses devoirs après le collège. Un vieil ami de la famille, une sorte de parrain. Il connaissait les noms des principaux camarades de classe de la petite, c'est pour cela qu'il est allé trouver la police. Mais aucune des pistes n'a donné quoi que ce soit.

— Trouvez-moi l'adresse actuelle de la victime. Je me méfie toujours des témoins spontanés. De ceux qui accourent pour aider les flics sans qu'on les ait sonnés. Il y a eu des affaires de viol autour des deux autres ?

— J'ai commencé à chercher dans les archives judiciaires du Gard, rien pour le moment. J'étendrai à la France entière, bien que les violeurs attaquent le plus souvent sur leur territoire. Et ces types n'ont jamais quitté leur département. Mais pour un week-end, mais pour des vacances, qui sait ?

— Pour les deux premiers morts, on peut supposer une vengeance pour leurs « quatre cents coups » à l'orphelinat. Mais soixante ans après ? Pour Landrieu, une vengeance pour viol ? Mais presque trente ans après ? Quelqu'un qui tue ces blaps ?

— Ces blaps, commissaire ?

— Des scarabées puants. Qui se nourrissent de merde de rats. C'est peut-être ce que ces trois morts ont été : des blaps. Mais on en revient toujours au nœud du problème. Peut-on tuer avec des recluses ? Non. Impossible.

— Cela ne sert à rien, ce que j'ai trouvé ?

— Au contraire, Froissy. Continuez et raflez tout ce que vous pouvez sur votre route. Impossible ou pas, il y a des blaps dans cette histoire.

Adamsberg reçut le message du commissaire Descartier une heure plus tard, quand il s'apprêtait à quitter les lieux : *Empreintes OK. C'est notre gars.*

Il répondit rapidement :

— *Tu as la bécane et les enregistrements ?*

— *Oui. Personne au courant. Passe les prendre quand tu veux.*

Puis un nouveau message : *Salut, Ad, et merci.*

Adamsberg posa le portable ouvert sur la table de Retancourt. Le lieutenant lut en silence.

— Je ne serai pas là demain, Retancourt. Aller-retour en province. Mais joignable.

— Un dimanche de divertissement, je suppose ?

Adamsberg entendit dans son souffle le soulagement que le lieutenant ressentait pour Froissy.

— C'est cela. Je me balade.

— En Languedoc peut-être ? C'est agréable par là.

— Très agréable. Je vais dans un petit village pas loin de Nîmes.

— Attention, commissaire, c'est un coin à recluses. Il paraît qu'elles mordent en ce moment.

— Vous savez bien des choses, lieutenant. Vous en êtes ?

— Je ne peux pas, j'ai Vivaldi demain, vous vous rappelez ?

— Ah oui. Très agréable aussi.

Le commissaire passa devant le bureau de Veyrenc.
— Le train pour Nîmes, demain 8 h 43. Ça te va ?
— J'y serai.
— Ce soir, 20 h 30 à La Garbure ?
— J'y serai.

Veyrenc avait eu raison. L'enquête sur la recluse, même annoncée, tournait au conciliabule, obligeant Adamsberg à murmurer près d'un bureau ou s'évader dans la cour. Ce qui se voyait, bien entendu. Cette atmosphère de secret et de chuchotements ne faisait de bien à personne. Il fallait étoffer les troupes, unir les intelligences.

— On amène Voisenet ? demanda Veyrenc.
— Tu tentes de grossir l'armée ? J'ai déjà Retancourt.
— Retancourt ? Comment t'y es-tu pris ?
— Miracle.
— Donc ? On invite Voisenet ? Ce soir ?
— Pourquoi pas ?
— *Nous partîmes tous deux ; mais par un prompt renfort / Nous nous vîmes trois mille en arrivant au port. / Tant, à nous voir marcher avec un tel visage, / Les plus épouvantés reprenaient leur courage !*
— C'est ton faux Racine ?
— Non, c'est du vrai Corneille, à un détail près.
— Aussi, je me disais : c'est meilleur. Crois-tu Voisenet « épouvanté » par l'enquête sur la recluse ?
— Pas un instant. Qui affronte une murène ne fuit pas une recluse.
— Alors préviens-le.

Adamsberg manœuvrait pour partir quand Danglard se plaça à sa portière. Le commissaire abaissa sa vitre, tira son frein à main.

— Vous avez vu la merlette, Danglard ? Elle est revenue couver chez nous. Signe de chance.

— Ils viennent d'arrêter le violeur du 9e, lui annonça le commandant, assez excité.

— Je le sais.

— Et quelques heures avant, vous m'avez demandé les coordonnées de Descartier.

— Oui.

— Donc c'était vous. L'arrestation ?

— C'était moi.

— Sans prévenir personne ? Tout seul ?

— Je *suis* seul, non ?

Cela, c'était un coup bas, pensa Adamsberg, qui vit en effet se défaire les traits de son adjoint. Les émotions s'inscrivaient sur le visage de Danglard comme de la craie sur un tableau noir. Adamsberg venait de lui faire mal. Mais Danglard commençait à poser un sérieux problème pour l'équipe. Avec le poids de son savoir et la justesse de ses arguments – qui allait croire qu'on avait tué ces hommes « à la recluse ? » –, Danglard dissolvait la cohésion de l'équipe. Dressant un camp très majoritaire contre le commissaire. Pour la seconde fois en un an. Bon sang, pour la seconde fois. Bien sûr, le commandant avait en partie raison. Mais sur l'autre flanc, Danglard perdait de son imagination, au moins de son ouverture d'esprit, a minima de sa tolérance. Et il le mettait, lui, Adamsberg, en danger. Danger de perte d'autorité, mais il s'en foutait. Danger de passer pour un cinglé, mais il s'en foutait. Danger d'être moqué par ses agents, il s'en foutait un peu moins. Danger que tout s'ébruite – et tout s'ébruitait –, danger de se retrouver éjecté, comme un divagant ou un incapable, et il ne s'en foutait pas. Outre le fait que si

Danglard poursuivait dans cette voie, l'affrontement deviendrait inévitable. Lui, ou lui. Deux cerfs mâles affrontés, bois entremêlés. Et c'était son plus vieil ami. D'une manière ou d'une autre, il allait falloir en découdre.

— On en reparlera, Danglard.

— Du violeur du 9e ?

— De vous et moi.

Et Adamsberg démarra, laissant le commandant déconcerté dans la cour.

XVI

Pour la troisième fois consécutive, Estelle vit les agents de la Brigade prendre place dans son restaurant. Ce soir, les deux Béarnais étaient accompagnés d'un petit homme à la crinière noire et au teint rougeaud qu'elle ne connaissait pas. Le policier aux mèches rousses, par son amabilité, ses sourires, semblait indiquer qu'il lui portait, peut-être, un certain intérêt. La veille, il s'était attardé après le départ du commissaire, ils avaient parlé de la montagne. Mais ces réunions répétées autour d'une soupière n'étaient certes pas une manœuvre orchestrée pour la rencontrer. Non, ils affrontaient sans doute des difficultés qui les obligeaient à ces entrevues du soir. Les trois hommes restèrent à peu près silencieux jusqu'à ce qu'elle apporte le plat sur la table.

— Vous n'êtes pas obligé de prendre de la garbure, Voisenet, dit Adamsberg.

— Ah bien, dit Voisenet en souriant, tapotant son ventre. À me convoquer ainsi, j'aurais pu croire qu'il existait un rite à accomplir pour entrer dans la clandestinité. C'est cette espèce de soupe à tout de chez vous ?

— Pas à tout, corrigea Veyrenc. Au chou, aux pommes de terre et au jarret de porc, si on en a.

— Ça me va, dit Voisenet, je ne suis pas difficile.

— Quant à la clandestinité, au moins la discrétion, vous n'avez pas tort, dit Adamsberg. Et c'est détestable. L'ambiance à la Brigade n'est pas saine.

— C'est le moins qu'on puisse dire. De nouveau divisée en trois. Les « contre », et face à eux, non pas les « pour », mais les compagnons de marche, les accompagnants, dirais-je. Car y a-t-il vraiment des « pour » ? Et en troisième part, les indécis, les neutres, qui préfèrent ne pas s'en mêler. Mais on peut avoir des neutres bienveillants, comme Mercadet, ou plus critiques, comme Kernorkian. C'est cela que vous vouliez savoir ? Ce qui se passe à la Brigade ? Mais vous le voyez aussi bien que moi.

— Aussi bien et je ne vous utilise pas comme espion, lieutenant. Je vous ai demandé de venir pour vous informer de quelques bricoles.

— Pourquoi moi ?

— Parce que vous avez débusqué le premier les frasques de la recluse.

— Je vous ai déjà dit pourquoi elle m'intéressait.

— N'empêche. Outre votre grand-père, cela vous tracassait.

— Que la recluse ait tué, oui. Ces rumeurs de mutation, d'insecticides, de prolifération, ça ne laisse personne indifférent. Ce n'est pas mauvais, cette garbure. De quelles bricoles s'agit-il, commissaire ?

— Ces deux morts, Claveyrolle et Barral, ont continué à se voir toute leur vie, se racontant les bons vieux souvenirs entre deux pastis.

— Nîmes n'est pas si grand, a dit Mordent. Mais j'admets que c'est curieux.

— Surtout sachant qu'ils faisaient partie des « mauvais garçons » de l'orphelinat.

— De ceux qui terrorisent les petits, les malingres et les gros. J'ai connu, allez, et j'ai dérouillé, vous pouvez me croire. J'aurais parfois voulu les voir morts. De là à dézinguer mes anciens tortionnaires tant d'années après, non, commissaire. Car c'est à cela que vous pensez, non ?

— C'est à envisager, dit Veyrenc. Dans une enquête, on ne laisse pas passer les coïncidences, vous le savez comme nous.

— « Enquête », le mot qui fait bondir Danglard.

— Rien ne dit non plus qu'ils n'ont pas continué leurs carrières de salauds.

— De blaps, ajouta Adamsberg.

— De blaps ? dit Voisenet. Vous voulez parler des coléoptères puants ?

— Oui.

— Mais le troisième mort, Landrieu, ne vient pas de cet orphelinat.

— Reste à savoir s'ils se connaissaient.

— Et ce Landrieu, reprit Veyrenc, a été témoin spontané dans une affaire de viol sur adolescente.

— Je n'aime pas trop les témoins spontanés, dit Voisenet.

— J'allais le dire, acquiesça Adamsberg.

— On a trouvé le coupable du viol ?

— Non.

— Ça a eu lieu quand ?

— Il y a vingt-huit ans.

— Là aussi, c'est beaucoup, dit Voisenet en tendant son assiette pour une seconde ration. Mais ça reste concevable. La jeune femme, jamais remise, se décide à l'âge mûr à tuer son violeur. Après toutes ces années, qui penserait à elle ? Surtout si sa mort se fond parmi d'autres victimes. De morsures.

— On en revient toujours là, dit Adamsberg. On ne peut pas commander à une recluse de mordre, encore moins à soixante.

— Soixante ?

— Savez-vous, Voisenet, combien il faut de venin de recluse pour tuer un homme ?

— Voyons, réfléchit le lieutenant. Trois à cinq vipères je crois, à raison de quelque quinze milligrammes de venin par bête. Alors, pour la petite recluse, il faudrait bien cinq fois plus de morsures, non ?

— Vous y êtes presque. Il faudrait le contenu complet de quarante-quatre glandes à venin, soit de vingt-deux recluses.

— Sans compter les morsures blanches et les demi-morsures.

— Exactement.

— Mais j'insiste, dit Voisenet. Ils étaient âgés. Supposons que trois morsures suffisent à démolir le barrage immunitaire des vieux. Ce n'est tout de même pas rien, comme venin. La nécrose, la septicémie, l'hémolyse. Pourquoi pas trois morsures ?

— Je n'y avais pas pensé, dit Veyrenc.

— Alors cela devient possible, dit Voisenet en s'échauffant et tendant son verre. C'est quoi ce vin ?

— Du madiran.

— Très bon. Possible si un gars a développé une technique pour choper des recluses. Dans l'ombre, à la nuit.

— Ou, dit Veyrenc, en les aspirant hors de leurs planques ? Ça résiste, une araignée. Il n'y a plus qu'à ouvrir le sac de l'aspirateur et à la choper.

— Excellente idée, dit Adamsberg.

— Là-dessus je confirme, dit Voisenet. Elles restent vivantes dans le sac, aucun doute. Alors supposons que notre tueur – attention je dis « notre », cela ne veut pas dire que j'y crois.

— On a bien saisi cela, Voisenet, dit Veyrenc.

— Supposons que notre tueur se soit monté une collection de quelques recluses. Il en fourre deux ou quatre dans une chaussure, dans un pantalon – c'est bien, dans un pantalon, car elles s'y coincent –, dans une chaussette ou dans le lit du vieux, et il y a de bonnes chances pour que l'homme les télescope et qu'elles mordent.

— L'ennui, dit Adamsberg, c'est que pour deux des décès, on sait que les morsures ont eu lieu dehors.

— Merde, dit Voisenet.

Adamsberg et Veyrenc échangèrent un regard. Que Voisenet se sente contrarié à l'idée que sa théorie ne fonctionne pas était bon signe. Tout homme détenteur d'une théorie, même depuis si peu, n'aime pas la voir battue en brèche. La route s'ouvrait, d'un rien, mais elle s'ouvrait.

— Ou alors, proposa lentement Adamsberg, les deux vieux ont menti. Ils ont été mordus à l'intérieur.

Les trois hommes restèrent un instant silencieux, méditant sur cette hypothèse. Estelle apportait la tomme de brebis.

— Je ne vois pas pourquoi ils auraient menti, dit Veyrenc.

— Moi non plus, éluda Adamsberg, qui discernait en réalité un motif valable mais préférait que Voisenet s'efforce encore de venir dans son sens.

— C'est tiré par les cheveux, dit enfin Voisenet, mais imaginons qu'ils aient menti parce qu'ils savaient.

— Savaient quoi ? demanda Adamsberg.

— Qu'ils étaient l'objet d'une vengeance. En ce cas, on préfère ne pas révéler aux autres qu'on a commis un truc assez moche pour en subir les représailles.

— Avec des recluses ? insista Adamsberg.

— Il faudrait supposer, en plus, continua Voisenet, qu'ils savaient que les recluses étaient un signe de vengeance. Par exemple, s'ils avaient attaqué des gosses avec des recluses, à l'orphelinat. Si, dès qu'ils arrivaient à attraper une araignée, ils la fourraient dans le lit d'un de leurs souffre-douleur.

Voisenet se redressa, avala une gorgée de vin en souriant, assez fier de sa performance. Adamsberg et Veyrenc échangèrent un nouveau regard.

— Bien sûr, ajouta le lieutenant, il faudrait réussir à savoir ce qui s'est passé là-bas, à l'orphelinat. Et comment ? Cela fait plus de soixante ans !

— Froissy a trouvé le fils de l'ancien directeur, un pédopsychiatre. Selon elle, il est presque certain qu'il a conservé les registres de l'établissement.

— Froissy en est ? demanda Voisenet, utilisant bel et bien une formule de conspirateur. Elle cherche pour vous ?

— Peu importe le sujet pour elle. Chercher et trouver, telle est sa flamme.

— Il faut voir ce type absolument, dit Voisenet à voix forte.

— Ce sera fait demain, dit Adamsberg. Veyrenc et moi partons pour Nîmes au matin.

— Et la femme violée ?

— Je ne l'oublie pas. Mais nous ne sommes que deux.

— Cette femme, elle habite loin ?

— Pas très, elle travaille à Sens.

Voisenet finit son verre, méditant. En silence, Adamsberg fit glisser vers lui une note portant l'adresse de la femme, Justine Pauvel. Le lieutenant hocha la tête.

— Je prends, dit-il.

XVII

— Je n'ai pas tout, messieurs, loin de là, disait le Dr Cauvert en secouant bras et mains comme s'il avait voulu se défaire d'une nuée de moucherons. Pensez que cet orphelinat, comme on disait alors, a été fondé en 1864 ! Alors pensez, pensez !

L'homme s'agitait de manière étonnante, allant par petits bonds ou pas rapides alternés, rejetant sa tête pour écarter de longues mèches blanches, avec une vivacité qui lui ôtait dix ans. Cela faisait bien longtemps, leur avait-il expliqué en les accueillant avec chaleur, qu'on ne s'était pas intéressé à ses registres. « Une mine, expliquait-il, si vaste et riche que je n'aurai pas assez de mon existence pour l'exploiter. Rendez-vous compte, huit cent soixante-seize vies d'enfants, de leur naissance ou petite enfance jusqu'à leurs dix-huit ans ! Et ces vies d'orphelins, mon père en a consigné chaque détail, soir après soir. Trente-huit années, trente-huit volumes ! »

Puis le médecin avait paru s'apercevoir qu'il n'avait pas encore invité ses hôtes à s'asseoir, ni ne leur avait proposé à boire sous la chaleur de trente-trois degrés qui régnait à Nîmes. Il débarrassa deux chaises des livres qui les encombraient puis courut presque à la cuisine pour rapporter des boissons.

— Dynamique, constata Veyrenc.

— Très, répondit Adamsberg. On imagine plutôt un psychiatre installé sans bouger, économisant gestes et paroles.

— Peut-être n'était-il pas ainsi avec ses patients. Il avait l'air heureux de nous accueillir comme s'il n'avait vu personne depuis des lustres.

— Peut-être est-ce le cas.

Froissy leur avait envoyé un court message pendant leur voyage : *Dr Roland Cauvert, enfant unique, célibataire, sans enfants, 79 ans. Livre en préparation : « 876 orphelins : 876 destins ».*

Suivi d'un texto de Voisenet, à 14 h 20 :

— *Arrivé, commissaire.*

— *Où ?* avait demandé Adamsberg.

— *À Sens.*

— Il n'a pas traîné, avait commenté Veyrenc.

— Vous verrez, messieurs, vous verrez ! s'enflammait le Dr Cauvert, tous bras ouverts. Que la « miséricorde » me donne encore cinq ans et sortira de mes mains l'ouvrage le plus définitif jamais écrit sur la pédopsychiatrie des esseulés. J'ai déjà mes analyses sur la trajectoire quotidienne de sept cent cinquante-deux d'entre eux, manquent cent vingt-quatre. En y ajoutant bien sûr les effets de groupes, les paradoxes et similitudes, les synthèses et les vies d'adultes quand j'ai pu les repérer, unions, professions, aptitudes à la paternité. Ah oui, une œuvre qui le ferait sortir de sa tombe et s'incliner bas.

— Qui ? demanda Veyrenc qui savait la réponse.

— Mon père ! dit le docteur en éclatant de rire. De l'eau fraîche, du jus de pomme ? Je n'ai rien d'autre. Car vous vous en doutez, mon père, à tant s'occuper de ces gosses en détresse, ne m'a pas beaucoup vu. Moi, son seul enfant, je suis passé inaperçu. Invisible ! Il ne s'est jamais rappelé un seul de mes anniversaires. Grâce soit rendue à la miséricorde – il rit de nouveau –, j'avais ma mère, ma sainte mère. Glaçons ? Moi, je n'ai pas voulu d'enfants. J'ai vu trop d'orphelins pour croire en la pérennité d'un père, vous pensez. Enfin, dit-il en leur tendant leurs verres, ce n'est pas l'objet de votre visite. Allez-y messieurs, fouillez, piochez, servez-vous dans la vaste marmite où baignent ces malheureux ! Quels noms, quelles années m'avez-vous dit ?

— Deux, docteur. En 1943, à onze ans, le jeune Albert Barral est entré…

Le Dr Cauvert eut un nouveau rire, mais cette fois court et mordant.

— Le petit Barral, nom d'un chien ! Barral, Lambertin, Missoli, Claveyrolle, Haubert !

— Claveyrolle nous intéresse aussi.

— Toute la clique alors ! La pire qu'ait connue mon père en trente-huit ans de carrière. La seule qu'il n'a pas pu abattre, les seuls qu'il a voulu exclure. Le diable était entré dans leur âme. Formule prohibée pour un pédo-psychiatre mais c'était ce que disait mon père, et quand j'étais petit, je croyais que c'était vrai. Il a tout essayé. Les discussions innombrables, l'écoute, la compréhension, les médecins, les médicaments, mais aussi les punitions, les privations, les suppressions de promenades. Tout. Est-ce que les jeux étaient faits ? Est-ce que les choses auraient tourné autrement sans ce petit salaud de Claveyrolle ? Parce que c'était lui, la tête, l'inspirateur, le meneur, le dictateur de sa troupe, appelez cela comme vous voudrez. Il y en a toujours un. Mais que je suis sot ! Marie-Hélène m'a apporté de la tarte Tatin à la cannelle ! Et il est seize heures ! Cette femme est un don du ciel.

Le docteur repartit à bonne allure vers sa cuisine, excité par la perspective de cette tarte.

— Claveyrolle et Barral. Des blaps, dit Adamsberg.

— Ne t'avance pas à dire cela à un psychiatre.

— Il a lui-même traité Claveyrolle de petit salaud, et dit que le diable était entré dans leur âme. Je l'envie, ce doc. Il a l'air d'aimer ardemment la vie. Je ne suis pas certain d'être comme cela. Une tarte Tatin ne me mettrait jamais dans cet état-là.

— Il est un peu fou, Jean-Baptiste. Imagine, être le fils invisible de son père parfait. Vouloir, aujourd'hui encore, se grandir auprès de lui. C'est pour cette raison qu'il fait tout cela.

— Il n'a peut-être jamais quitté l'orphelinat, au fond.

Cauvert revint, allègre, servit la tarte et tendit leurs assiettes à ses hôtes. Lui-même mangea debout, à grands coups de dents.

— Vous avez de la chance, mon père avait constitué un dossier spécifique sur la bande de Claveyrolle. Quelle ordure. Je m'en souviens comme si j'y étais. Impossible de le foutre à la porte – enfin, de le transférer. Avec la guerre et l'afflux d'orphelins, les places étaient chères. Et vous pensez bien que les autres orphelinats ne tendaient pas les bras à des petits gars comme ça. Il a semé la terreur à La Miséricorde. Missoli et Torrailles à sa suite. J'avais cinq ans de moins, mais il ne m'approchait pas. Le fils du directeur, ça, on n'y touchait pas. Quiconque m'adressait la parole était traité de fayot et menacé par la troupe des brutes. Je ne me suis pas pris une seule baffe, c'est vrai, mais je ne me suis pas fait un seul camarade. Malheureux, hein ? Bonne, cette tarte ?

— Parfaite, dit Veyrenc.

— Merci, commissaire.

— C'est lui, le commissaire, dit Veyrenc en désignant Adamsberg du pouce.

— Ah pardon ! Je n'imaginais pas. Pas d'offense, hein ?

— Aucune, dit Adamsberg en se levant, la station assise ayant déjà trop duré pour lui. Votre père avait donc rassemblé des documents sur la bande de Claveyrolle ?

— Faites-moi plaisir d'abord, commissaire : qu'est devenu Barral ? Claveyrolle, je le sais : professeur de dessin. Professeur, ironie du sort. Mais c'est vrai qu'il avait du talent, surtout pour caricaturer les enseignants et dessiner des femmes à poil sur les murs de la cour. Une fois – vous verrez cela dans le dossier –, il a réussi à s'introduire dans le dortoir des filles et il y a peint sur tous les murs. Quoi ? Une cinquantaine de sexes masculins. Mais Barral ?

— Courtier en assurances.

— Ah, un homme rangé, donc. À moins qu'il ne fût un escroc, bien sûr. Marié, Barral ?

— Divorcé, il a eu deux enfants. Pour Claveyrolle, deux divorces et pas d'enfants.

— Une stabilité affective difficile à trouver, c'est le cas de bien d'entre eux. Comment fonder une famille quand vous ne savez pas même ce que c'est ?

Et comme Veyrenc l'avait prédit, le docteur Cauvert, dès qu'il abordait son sujet, redevenait calme, et même concentré, presque triste. Peut-être avait-il appris à rire excessivement et se réjouir d'une tarte pour oublier de temps à autre ces huit cent soixante-seize vies broyées qu'il avait suivies pas à pas.

— Ils se sont vus toute leur vie.

— Ah tiens ? La bande ne s'est pas brisée à l'âge mûr ?

— Non, elle se reconstituait dans le pastis, pour deux d'entre eux au moins.

— Et puis ils sont morts, dit Veyrenc.

— J'aurais dû m'en douter. Vous êtes flics après tout. Donc il y a des morts. Que s'est-il passé ?

— Ils sont décédés le mois dernier à huit jours d'intervalle, dit Adamsberg. Tous les deux des suites d'une morsure de recluse. L'araignée.

Le visage du Dr Cauvert s'était figé. Sans un mot, il empila les assiettes, rassembla les verres, puis abandonna sa tâche de diversion et tira de son étagère un dossier cartonné, d'un bleu passé. Il le déposa avec gravité sur la table, entre les deux enquêteurs, sans les quitter du regard. Une large étiquette y était collée, refixée de multiples fois, après tant d'années d'usage. Elle portait un titre calligraphié à l'encre : *La Bande des recluses.* Dessous, en plus petit : *Claveyrolle, Barral, Lambertin, Missoli, Haubert & Cie.*

— Qu'est-ce que cela veut dire ? demanda Adamsberg après une bonne minute de silence.

— Cela veut dire : « Qui a vécu par la recluse périra par la recluse. » Non ?

— On ne peut pas périr d'une recluse, dit Veyrenc.

— Non, mais avec elle, on peut blesser sauvagement. Ce fut une de leurs occupations favorites, parmi leurs diverses brutalités, et sans compter les harcèlements sexuels.

Cauvert sortit du dossier une série de photos de tout jeunes garçons qu'il étala sur la table en les faisant claquer, comme on abat des cartes.

— Voici leur œuvre, dit-il avec dégoût. Onze gosses, onze victimes de leur cruauté et de leurs recluses. Ces quatre-là, dit-il en montrant des photos du doigt, ont reçu des morsures blanches. Ces deux-là, des demi-morsures. Mais ici, vous pouvez voir sur le bras du petit Henri un disque violacé d'environ neuf centimètres de diamètre. Il en a guéri, comme celui-ci, Jacques. Mais sur ces cinq-là, voyez les dégâts.

Adamsberg et Veyrenc se passèrent les cinq photos tour à tour. Un garçon d'environ quatre ans, amputé de la jambe, un autre du pied.

— Ces deux-là ont été mordus en 1944. Louis et Jeannot, quatre et cinq ans. À cette date, on n'en était qu'aux tout débuts de la pénicilline. Et le premier stock d'ampleur a été livré aux soldats, dirigé sur la Normandie lors du débarquement. Il n'a pas été possible de soigner les enfants, de sauver leurs membres de la gangrène. Il a fallu couper. Mon père est allé en justice. Claveyrolle, Barral et Lambertin ont passé huit mois en maison de redressement. Ce qu'on nommait « le cauchemar des recluses » s'est effacé un temps. Et quand ils sont revenus, ils ont remis ça.

Grave, le docteur distribua de nouveau les trois verres qu'il remplit de jus de pomme.

— Désolé, dit-il en les tendant à ses hôtes, les glaçons ont fondu.

Il avala son verre d'un coup et revint aux photos.

— Ici c'est Ernest, sept ans. Une plaie de presque dix centimètres de longueur et cinq de large. Cette fois, on est en 1946, on a pu sauver son bras. 1946 encore, c'est le tour du petit Marcel, onze ans, il a le tiers du visage emporté. Guéri lui aussi, mais défiguré. Sa cicatrice était hideuse, celle d'Ernest aussi. Enfin Maurice, en 1947, douze ans, mordu au testicule gauche. Il n'en est resté qu'une petite bille, voyez. La nécrose a gagné la verge, le garçon est devenu impuissant. En 1948, fin des attaques à la recluse. Claveyrolle se tourne vers le harcèlement sexuel. Avec les autres bien sûr. Il était à la tête de huit petits salopards qui suivaient leur héros comme leur ombre.

Adamsberg reposa sans bruit les photos abominables des enfants blessés.

— Comment s'y prenaient-ils, docteur ?

— Ils sortaient la nuit et n'avaient que l'embarras du choix pour attraper leurs bestioles : les combles, les communs, la grange, le bûcher, le hangar à outils. Elles étaient assez nombreuses en été. D'après ce qu'on a su, ils les attiraient avec les insectes qu'ils avaient collectés, des mouches et des grillons surtout, qu'ils étalaient au sol à un endroit propice. Vous savez que la recluse apprécie les cadavres d'insectes ?

— Non, dit Veyrenc.

— Eh bien si, et ça leur facilitait la tâche. Ils déversaient leur récolte de mouches et ils attendaient, avec leurs lampes de poche.

— Et comment faisaient-ils pour les attraper sans se faire mordre eux-mêmes ? demanda Adamsberg, à la façon naïve dont l'eût fait Estalère.

Le Dr Cauvert le regarda, perplexe.

— Vous n'avez jamais attrapé d'araignées ? dit-il.

— Des crapauds seulement.

— Eh bien, vous prenez un verre et un carton. Vous piégez la bête sous le verre, vous glissez le carton par-dessous et le tour est joué.

— Simple, acquiesça Adamsberg.

— Pas tant que cela. Les recluses sont très méfiantes. Ils n'en ont pas capturé tellement, onze en quatre années. C'était déjà bien trop. Ils choisissaient ensuite leur victime et, à la nuit, ils coinçaient l'araignée dans la chemise ou le pantalon. Et ce qui devait arriver arrivait. Acculée, l'araignée mordait. Les immondes petits salauds. Quand je pense qu'ensuite, ça a donné des cours de dessin, ça a démarché en costume-cravate.

— Vous n'essayez pas d'adopter le point de vue du médecin avec eux, docteur ? questionna Veyrenc.

— Non, dit sèchement Cauvert. N'oubliez pas que je les ai connus, et leurs victimes aussi. J'ai haï la Bande des recluses de toutes mes forces. Mon père a pris les mesures qu'il pouvait. Augmenter la surveillance aux portes du dortoir, faire secouer les habits tous les matins, fermer les communs. Mais cela ne suffisait pas. Ils étaient malfaisants, fiers de l'être, orgueilleux de leur virilité et grisés de leur toute-puissance au sein de La Miséricorde. Et ils parvenaient à leurs fins car le sadisme procure quantité d'énergie et d'idées. L'extinction des feux était à 9 heures : comment parvenaient-ils à sortir le soir ? Certains ont même été vus la nuit en ville. Ils y avaient été à vélo, le local avait été forcé. Je vous laisse le dossier complet, faites-en une copie et prenez-en grand soin. Si l'une de ces petites victimes, messieurs, s'est finalement vengée d'eux dans son grand âge, œil pour œil dent pour dent, recluse contre recluse, eh bien foutez-lui la paix. Voilà tout ce qui me plairait.

Adamsberg et Veyrenc remontèrent la longue rue de l'Église sans dire un mot, trop stupéfaits pour parler sur-le-champ des recluses, celles d'aujourd'hui et celles d'hier, qui venaient de faire leur jonction à soixante-dix années d'intervalle.

— Elle est jolie, cette petite rue, observa Veyrenc, lointain.

— Très jolie.

— Tu vois cette niche, au-dessus de cette porte ? Avec la sculpture d'un saint à l'intérieur ? Danglard dirait que c'est du XVIe siècle.

— Sûr qu'il le dirait.

— Il dirait aussi que la pierre est très usée, mais tu reconnais un chien à ses côtés. C'est saint Roch, celui qui protège de la peste.

— Sûr qu'il le dirait. Et je demanderais, pour lui faire plaisir : « Pourquoi saint Roch est-il représenté avec un chien ? »

— Et il t'expliquerait que saint Roch ayant attrapé la peste, il se réfugia dans une forêt pour ne contaminer personne. Mais le chien du seigneur local lui apportait chaque jour quelque nourriture volée. Et il guérit.

— Est-ce qu'il protégeait des morsures de recluse aussi ?

— Certainement.

— Et que dirait Danglard des morsures de recluse ?

— Sachant ce que l'on sait à présent, il serait sacrément embarrassé.

— Sacrément dans la merde, veux-tu dire. Car il y a bien une affaire de recluses, oui ou non ?

— Oui.

— Et qui partait de ce rocher, Louis. De cet orphelinat. Crois-tu que Danglard ravalera son erreur ?

— Il va devoir ravaler beaucoup plus que cela. J'ai su quelque chose, hier.

— Que tu ne m'as pas dit.

— Danglard a eu l'intention d'aller s'ouvrir de son problème au divisionnaire Brézillon, afin de faire fermer officiellement la route de la recluse.

Adamsberg s'arrêta net et se tourna vers Veyrenc.

— Qu'est-ce que tu dis ?

— Ce que tu as entendu.

— Voir Brézillon ? Et pourquoi pas me faire suspendre, tant qu'à faire ? Avec un blâme pour incompétence ? dit Adamsberg d'une voix rapide, la lèvre supérieure agitée d'un spasme de stupeur et de colère.

— Ce n'était pas son but. Il estimait que la Brigade risquait de dériver. Il en a parlé à Mordent. Qui en a parlé à Noël. Et Mordent et Noël – Noël, parfaitement, notre brute personnelle – ont débarqué dans le bureau de Danglard, dont Noël a fracassé l'ordonnance en assenant sur la table un violent coup de poing. On raconte que des pages du Livre ont voltigé. Que Noël a menacé – tu connais son tact – de séquestrer Danglard dans son bureau s'il s'avisait de faire le moindre pas en direction du divisionnaire.

— Qui te l'a dit ?

— Retancourt.

— Mais pourquoi ? Pourquoi Noël et Mordent ont-ils pris ma défense ?

— Instinct de protection du groupe face à la haute hiérarchie. Défense de la Brigade, défense du territoire. On peut ajouter à cela une note poétique.

— Tu crois que c'est vraiment le moment, Louis ?

— On sait Mordent tout à fait contre une enquête sur la recluse. On le sait aussi tout à fait passionné des contes de fées. Eh bien crois-moi, il y a tant d'improbable et d'irréel dans l'affaire de notre recluse qu'elle touche au conte de fées.

— De fées ?

— Les contes de fées sont par essence cruels, c'est à cela qu'on les reconnaît. Et quelque chose, sans qu'il le sache, séduit Mordent dans cette affaire.

— Mais pas Danglard. Il a commencé par diviser la Brigade, puis tenté de me faire mettre aux fers. Louis, Danglard est-il en train de devenir un blaps ?

— Non. Il a peur.

— De quoi ?

— De te perdre peut-être. Et dès lors, de se perdre. Il a pensé vous sauver tous les deux.

— Mais cette peur, si c'est bien cela, dit Adamsberg en serrant de nouveau les lèvres, l'a transformé en traître.

— Ce n'est pas ainsi qu'il le voit.

— Ne me dis pas alors qu'il devient tout bonnement con ?

Veyrenc hésita.

— Je me trompe peut-être, reprit-il. Ce doit être une peur plus profonde encore.

XVIII

Pendant le court trajet jusqu'à la gare, dans le car surchauffé, Adamsberg resta muet, composant des messages sur son téléphone. Veyrenc ne l'interrompait pas, attendant qu'il se calme. Son humeur était hautement compréhensible. Mais Adamsberg n'était pas homme à demeurer en rage. Son esprit vagabond l'empêchait de suivre trop longtemps la trajectoire, beaucoup trop nette, de la colère.

— Tu devrais changer d'appareil, dit finalement Veyrenc.

— Pourquoi ?

— À force d'écrire « Ji viux » pour « Je veux », cela va te contaminer.

— C'est-à-dire ?

— Très vite, tu parleras ainsi. Change.

— Un jour, dit Adamsberg en rempochant son portable. On a un rendez-vous au buffet de la gare.

— Si tu veux.

— Tu ne veux pas savoir avec qui ?

— Si.

— Tu te rappelles Irène Royer, cette femme que j'ai rencontrée au Muséum.

— Celle qui t'a offert un manteau de fourrure en recluses mortes.

— Celle qui entendait parler Claveyrolle et Barral à l'heure du porto. Elle pourrait peut-être se rappeler d'autres fragments de leurs conversations. Elle habite dans le coin, à Cadeirac.

— Puisqu'on est dans le coin. Elle fait le trajet pour toi ?

— Pour la recluse, Louis.

Impatiente, Irène Royer les attendait dès la gare routière, secouant sa canne en l'air pour les saluer. Adamsberg lui avait dit avoir du neuf. Avec cette chaleur, elle avait laissé son jean pour une robe fleurie tout aussi vieillotte, mais gardé aux pieds chaussettes courtes et baskets.

— C'est elle, je suppose, dit Veyrenc depuis la vitre du car. Tout à fait le genre à offrir des recluses mortes en toute ingénuité.

— Tu es jaloux de ma recluse morte, Louis, voilà tout.

Alors qu'Irène Royer allait serrer la main du commissaire, apparemment bien heureuse de le revoir – ou d'avoir des nouvelles –, son regard se détourna vers la chevelure de Veyrenc, aux éclats roux très visibles sous le soleil de Nîmes, et elle en arrêta son geste. Embarrassé, Adamsberg attrapa cette main inerte et la serra.

— Merci d'être venue, madame Royer.

— On avait dit « Irène ».

— C'est vrai. Je vous présente mon collègue, le lieutenant Veyrenc. Il m'épaule dans l'affaire des recluses.

— Ah mais moi, je n'ai jamais dit que je vous épaulais.

— Je me souviens. Mais comme nous étions à trois pas de chez vous, j'ai voulu venir vous remercier.

— C'est tout ? demanda Irène. C'est pas vrai qu'il y a du neuf ? Vous mentez tout le temps, commissaire ?

— Allons d'abord à ce café de la gare. Le car était bouillant.

— Moi j'aime bien, pour mon arthrose.

Comme si c'était déjà devenu une habitude, Adamsberg prit Irène par le coude pour la conduire à une table isolée, collée à la vitre qui donnait sur les rails.

— Pas de nouveau caillou dans vos fenêtres ? demanda-t-il en s'installant.

— Non. Il n'y a pas eu d'autres morsures, alors leur bêtise commence à se tasser. Ils oublient. Mais pas vous, hein ? Vous faisiez quoi à Nîmes, sans être indiscrète ?

— On a suivi votre piste, Irène. Je vous offre un chocolat chaud ?

— Vous, vous allez encore essayer de me faire promettre quelque chose, pas vrai ?

— Le secret, c'est sûr. Ou bien je ne vous raconte pas les nouvelles. Un flic n'est pas censé exposer le déroulé de son enquête.

— Le secret, oui, c'est normal. Je m'excuse.

Le regard d'Irène s'était à nouveau posé sans discrétion sur la chevelure de Veyrenc, et on ne savait pas si elle tenait plus à entendre les nouvelles ou savoir d'où pouvaient bien sortir ces fabuleuses bigarrures. Adamsberg jeta un œil à la pendule du café, leur train partait à 18 h 38. Il hésitait sur la manière de ramener à lui l'intérêt de la petite femme, qui prit les devants sans gêne.

— Vous vous teignez, lieutenant ? Parce que c'est la mode, aussi.

Jamais Adamsberg n'avait entendu quelqu'un oser interroger Veyrenc sur l'étrangeté de ses mèches. On remarquait, et on se taisait.

— C'est quand j'étais enfant, répondit Veyrenc sans embarras. Une bande de gamins, quatorze coups de canif sur la tête, les cheveux ont repoussé roux.

— Dites, vous n'avez pas dû rigoler.

— Non.

— Des sales gosses, des têtes creuses. Ils font ça pour se marrer, hein, sans savoir que ça durera toute la vie.

— Justement, Irène, dit Adamsberg en faisant signe à Veyrenc de sortir le dossier du Dr Cauvert. Je disais que j'avais suivi votre piste.

— Quelle piste ?

— Votre « anguille sous roche ».

— Votre « murène sous rocher ».

— Oui. Ces deux premiers vieux qui sont morts. Ceux qui se voyaient au café pendant que vous preniez votre porto.

— *Un* porto, précisa Irène à l'adresse de Veyrenc. À 19 heures, pas avant, pas après.

— Ils parlaient de leurs quatre cents coups, insista Adamsberg. C'est cette anguille que j'ai suivie.

— Et ensuite ?

— C'était bien une murène.

— Vous voulez bien être clair, commissaire ?

— Le fils de l'ancien directeur de l'orphelinat a conservé les archives de son père. Et un dossier complet sur la « mauvaise graine ». Des sales coups, ça oui, ils en ont fait. Vous ne vous êtes pas trompée. Claveyrolle était le chef de bande, et Albert Barral, son suiveur. Une bande de blaps.

— Blaps ?

— De petits salauds. Vous n'êtes pas trop sensible ?

— Ah si, je suis très sensible.

— Eh bien avalez une gorgée de chocolat et prenez sur vous.

Adamsberg posa sur la table, l'une après l'autre, les photos des victimes de la recluse, en commençant par ceux qui avaient développé des lésions nécrosées. Irène grimaça.

— Vous savez ce que c'est, Irène ? Vous reconnaissez ?

— Oui, dit-elle à voix assez basse. C'est la nécrose de la recluse. Mon Dieu, celui-ci a une plaie terrible.

— Et celui-ci, dit Adamsberg, a eu le tiers du visage mutilé. Onze ans.

— Mon Dieu.

Puis Adamsberg plaça avec douceur devant elle les photos des deux enfants amputés. Irène poussa un petit cri.

— Je n'essaie pas de vous faire mal. Je vous donne les nouvelles de votre anguille sous roche. Pour ces deux gosses, il n'y avait pas encore de pénicilline. Le petit Louis, quatre ans, a perdu la jambe, le petit Jeannot, cinq ans, le pied.

— Sainte Mère de Dieu. Mais c'était cela, leurs quatre cents coups ?

— Oui. On les appelait « la Bande des recluses ». Claveyrolle, Barral et le reste. Ils attrapaient des araignées et les coinçaient dans les vêtements des enfants qu'ils martyrisaient. Onze victimes, dont deux amputés, un défiguré, un impuissant.

— Sainte Mère. Mais pourquoi vous m'avez montré cela ?

— Pour vous faire réellement comprendre, et pardon pour le choc, que vos deux vieux qui sirotaient leurs pastis à La Vieille Cave étaient vraiment des ordures. Les deux enfants amputés, les petits Louis et Jeannot, ce furent leurs premiers. Cela n'a pas empêché qu'ils continuent encore, pendant quatre années.

— Quand je pense, dit Irène, quand je pense que j'ai bu mon porto à côté d'eux. Que j'étais assise là, près de ces salauds, pardon, je m'excuse. Quand j'y repense.

— Justement, c'est ce que je vous demande : d'y repenser, d'y repenser fort.

— Je me disais bien aussi que vous vouliez me demander quelque chose. Attendez, coupa-t-elle, ça signifie que vous aviez pas tort ? Que les deux vieux ont été tués avec de la recluse par un de ces pauvres mômes, pour se venger ? Et le troisième mort ? C'est quoi son nom ?

— Claude Landrieu.

— Il était à l'orphelinat ?

— Pas lui. On débute, Irène.

— Mais on ne peut pas tuer avec une recluse, on sort pas de là.

— Et avec plusieurs ? Supposez qu'on en mette trois, ou quatre, dans un pantalon. Alors là, peut-être qu'une personne âgée…

— Elle peut en crever, acheva Irène.

— Vous me suivez, comme dit le professeur Pujol.

— Mais tout de même, trois vieux sont morts. Ça ferait neuf ou douze recluses à trouver pour le tueur. Ben c'est pas rien.

— C'est vrai que les gosses de la bande, dit Veyrenc, n'en ont attrapé que onze en quatre ans. Et ils étaient neuf, et ils avaient la main.

— Et un élevage ? Si le tueur avait un élevage ? dit Adamsberg.

— Pardon, commissaire, mais on voit que vous n'y connaissez toujours pas grand-chose. Parce que vous croyez peut-être qu'on attend que les œufs éclosent et qu'on les ramasse ensuite comme des oisillons ? Pas du tout. Quand les petits naissent, ils « volent ». Ils se laissent porter par le vent, comme des petites poussières, et au revoir et bonne chance, s'ils ne se font pas bouffer par les oiseaux. Sur deux cents, il en reste un ou deux. Vous avez déjà essayé d'attraper une poussière ?

— Je dois dire que non.

— Eh bien c'est pareil avec les petites recluses.

— Et si on les met dans une grande boîte pour qu'elles ne s'envolent pas ?

— Alors elles se bouffent les unes les autres. À commencer par les mères se jetant sur les petits.

— Et dans les labos, ils font comment alors ? dit Veyrenc.

— J'ai pas idée. Mais je suppose que c'est très compliqué. C'est toujours compliqué, dans les labos. Vous croyez que votre tueur, il a des tas d'appareillages de ce genre ?

— S'il a travaillé dans un labo, pourquoi pas ?, insista Veyrenc.

— De toute façon, ça ne colle pas, ce truc. On oublie que les vieux, ils ont été mordus dehors, le soir, pas dans leur pantalon en se levant. Ça, je vous l'ai déjà raconté.

— Et s'ils avaient menti ? dit Adamsberg.

— Et pourquoi donc ?

— Parce que, eux, ils savent. Se faire mordre par trois recluses dans leur pantalon, ils savent ce que cela signifie. Et ils ne veulent pas qu'on apprenne qu'un homme se venge. Ils ne veulent pas qu'on sache qu'ils ont massacré des gosses à l'orphelinat.

— C'est possible, ça, oui. Moi j'aurais menti aussi.

— Alors s'il vous plaît, Irène, rappelez-vous, concentrez-vous. Pouvez-vous vous souvenir de bribes plus précises de leurs conversations ?

— Mais si un de ces gosses s'est vengé, j'ai pas envie qu'on l'attrape, moi.

— On en est tous là. Je n'ai pas dit que je l'attraperai. Si c'est l'un d'eux, je peux le convaincre de s'arrêter avant qu'il ne finisse sa vie en taule.

— Ah je vois. C'est pas totalement bête.

Irène, comme Adamsberg l'avait déjà vue faire, redressa la tête pour penser, les yeux fixés droit devant elle à travers la vitre.

— Il y aurait peut-être quelque chose, dit-elle enfin. Mais attendez. C'était en rapport avec un vide-grenier qu'avait eu lieu à l'Écusson, il y a quoi, dix ans peut-être, sur la place piétonne. Bon, ces vide-greniers, il n'y a pas grand-chose à trouver, hein, que des vieilles chaussures à cinquante centimes, c'est surtout histoire de sortir et de causer. Remarquez, ma robe, c'est à un vide-grenier que je l'ai eue, et elle est très bien.

— Très, intervint aussitôt Veyrenc.

— Un euro, dit Irène. Attendez voir, que je me rappelle. Oui, c'est le grand qui causait.

— Claveyrolle.

— Il disait quelque chose comme : « Tu sais qui j'ai vu à ce putain de vide-grenier ? » Je suis désolée, excusez-moi, vraiment, mais je vous dis la manière avec laquelle ils parlaient.

— C'est parfait.

— Alors il dit ça. Et puis il dit : « Le petit Louis. Ce connard m'a reconnu, je sais pas comment il a fait. » Le petit Louis, c'est bien un des enfants ?

— Celui à qui on a coupé la jambe, oui.

— Et l'autre, Barral, il dit au grand – Claveyrolle, c'est cela ? – que c'est peut-être à cause de ses dents que le petit Louis l'a reconnu. Parce que, enfant déjà, Claveyrolle les avait pas toutes, ses dents. Enfin, c'était ça, l'histoire, le petit Louis l'avait reconnu, et au grand, ça ne lui plaisait pas du tout. Mais alors pas du tout. Il était en rogne. Ah oui, il a dit que ce petit connard était resté tout autant maigrichon qu'avant, avec ses grandes oreilles. Et que pourtant, il avait osé le menacer. Il l'avait envoyé « se faire foutre » mais l'autre, le petit Louis, il avait dit : « Tu ferais bien de faire gaffe, Claveyrolle, je ne suis pas tout seul. »

— « Pas tout seul » ? Les victimes auraient continué de se voir ?

— De se voir, j'en sais rien. Mais aujourd'hui, avec tous ces trucs sur la toile, les « Copains d'hier », les « Anciens de la classe » etc., tout le monde s'amuse à retrouver tout le monde. Alors pourquoi pas eux ?

Irène sursauta soudain.

— Votre train, cria-t-elle en tendant le bras, il est à quai. Ça siffle !

Adamsberg eut juste le temps de rassembler les photos, Veyrenc de rempocher le dossier et tous deux attrapèrent la rame en courant.

Adamsberg envoya un texto : *Navré pour le chocolat, pas eu le temps de payer.* À quoi Irène Royer répondit : *Je vais m'en remettre.*

Deux nouveaux messages l'attendaient. Le premier de Retancourt : *Alors, c'était agréable ?* Adamsberg montra le message à Veyrenc, souriant.

— Retancourt vient aux devants, dit-il. On ne sera plus seulement trois, mais quatre. Comment c'était, ton poème de Racine ?

— De Corneille.

— Eh bien, il va falloir le changer.

— *Nous partîmes tous quatre ; mais par un prompt renfort, / Nous nous vîmes trois mille…*

— Voilà, coupa Adamsberg en levant une main. À quatre, nous serons bien assez pour interroger ces cinq victimes.

— Onze victimes.

— Mais sur les onze, quatre n'ont reçu qu'une morsure blanche, et deux autres une morsure légère. Ils n'ont pas souffert.

— Ce n'est surtout pas une raison pour les exclure. Ils font partie des souffre-douleur, ils sont solidaires des blessés. Et ceux qui en ont réchappé se sentent fautifs face aux compagnons mutilés du groupe. C'est la « culpabilité des survivants ». Ils peuvent devenir bien plus haineux et vengeurs que les autres.

— D'accord. Onze. Il faudra que Froissy nous les localise.

Adamsberg répondit à Retancourt : *Très. Journée d'implacable détente.*

— *Intéressant ?*

— *TRÈS intéressant.*

— Il y a aussi un message de Voisenet. Il sera en gare avant nous, il nous attend en tête de quai. À quelle heure arrive-t-on ?

— 21 h 53.

— Il demande si on se fait une garbure.

Veyrenc hocha la tête.

— C'est ouvert le dimanche, dit-il.

— Tu sais cela, toi ?

— Oui. On demande à Retancourt de nous rejoindre ? On accroît nos effectifs ?

— Impossible. Elle écoute Vivaldi ce soir.

— Tu sais cela, toi ?

— Oui.

Adamsberg tapa un dernier message, glissa son portable dans sa poche et s'endormit aussitôt. Veyrenc s'interrompit au milieu d'une phrase, toujours stupéfait par la soudaineté du sommeil du commissaire. Les paupières étaient closes mais pas tout à fait, laissant une fine fente ouverte, comme on le voit aux yeux des chats. D'aucuns disaient que l'on ne pouvait pas toujours savoir si le commissaire était en veille ou en sommeil, parfois même en marchant, et qu'il errait aux limites de ces deux mondes. Peut-être était-ce en ces moments, se dit Veyrenc en ouvrant le dossier du Dr Cauvert, qu'Adamsberg pensait. Peut-être étaient-elles là, ces brumes à travers lesquelles il voyait. Il abaissa la tablette de son fauteuil et établit la liste des neuf garçons de la Bande des recluses. Puis celle de leurs onze victimes. Louis, Jeannot, Maurice… Où étaient-ils à présent ? Celui qui n'avait plus de jambe ? Celui qui n'avait plus de pied ? Celui qui n'avait plus de joue ? Celui sans testicule ? Celui au bras « hideux » ?

Il lut attentivement le reste du rapport, secouant la tête. Tous les gars de la Bande des recluses avaient atterri à l'orphelinat après des circonstances tragiques. Parents décédés, parents déportés, assassinat du père par la mère, ou l'inverse, parents emprisonnés pour viol ou meurtre, et à la suite. Après la période des recluses, venaient les violences faites aux filles. Ils n'étaient parvenus qu'une seule fois à pénétrer dans leur dortoir, pourtant « inviolable » était-il noté, et le gardien les avait arrêtés alors qu'ils arrachaient draps et couvertures. Comme l'avait dit le Dr Cauvert, ces types parvenaient à se faufiler partout.

— C'est un névrosé, dit Adamsberg à voix basse, sans lever plus ses paupières.

— Qui ?

— Cauvert. C'est toi qui l'as dit.

— Jean-Baptiste, mets-toi une bonne fois en tête que nous sommes tous névrosés. Tout dépend ensuite de l'équilibrage que nous sommes capables d'élaborer.

— Moi aussi ? Je suis névrosé ?

— Bien sûr.

— Eh bien tant mieux.

Adamsberg se rendormit aussitôt tandis que Veyrenc continuait à prendre des notes. Plus le train se rapprochait de Paris, plus le visage de Danglard devenait présent. Bon

Dieu, qu'est-ce qui lui avait pris ? Adamsberg avait abandonné sa colère, il n'en avait plus dit un mot. Mais Veyrenc savait qu'il irait fatalement au combat, à sa manière.

XIX

Veyrenc s'arrêta sur le quai, à une quinzaine de mètres de Voisenet, qui fumait une cigarette illicite dans un des lieux publics les plus éventés de Paris.

— Il fume, Voisenet ? demanda Veyrenc.

— Non. Peut-être qu'il l'a volée à son fils.

— Il n'a pas de fils.

— Alors je ne sais pas.

— Tu as connu Balzac ?

— Non, Louis. L'occasion ne s'est pas présentée.

— Eh bien tu regardes Voisenet, tu vois Balzac. Il n'a pas ses sourcils froncés, il n'est pas encore aussi gros, mais ajoute une moustache noire et tu vois Balzac.

— Alors Balzac n'est pas mort, tout compte fait.

— Tout compte fait non.

— C'est réconfortant.

Estelle accueillit les trois policiers sans surprise. Tant que durerait leur problème, elle verrait ce policier aux mèches rousses tous les soirs. Elle commençait à en prendre l'habitude, et l'habitude commençait à tourner en un désir vague. Quand leur affaire serait résolue, ils s'envoleraient, et lui avec. Elle choisit de reculer, de se montrer moins disponible ce soir.

— Je vais changer, dit Voisenet. Je vais prendre le cochon de lait farci. Ça vaut le coup ?

— De l'avis de Danglard, certainement, dit Veyrenc.

— Que doit-on penser de l'avis de Danglard à présent ? demanda Adamsberg. Néanmoins, pour le cochon de lait, je suis d'accord, et pour cela seulement. Vous avez eu quelques échos, Voisenet, quant à Danglard ? On dit que le poing de Noël s'abattant sur sa table a fait quelque bruit.

Voisenet baissa la tête, posa la main sur son ventre. Veyrenc se leva pour aller jusqu'au comptoir passer la commande. Il n'avait pas échappé à l'attention d'Adamsberg qu'Estelle avait peu regardé le Béarnais. Elle reculait un pion, Veyrenc en avançait un autre.

— Il a cru bien faire, je suppose, dit Voisenet.

— Peu m'importe ce qu'il a cru, lieutenant. Sans l'intervention de Mordent et Noël, j'écopais d'un blâme. C'est ce que vous croyez, vous, qui m'importe.

— Il avait forcé sur le vin, sûrement.

— Cela n'explique rien, il force toujours sur le vin.

— Il a cru bien faire.

— Et il a mal fait.

Voisenet demeurait tête baissée et Adamsberg s'arrêta là. Il n'avait pas à torturer le lieutenant, pris entre l'arbre et l'écorce.

— Parce que, rebondit Voisenet, vous avez trouvé de quoi prouver qu'il a mal fait ? Vous avez vu les archives ?

— Complètes. Ces « mauvais garçons » avaient formé une bande à l'orphelinat. Qui portait un nom.

Veyrenc tira le dossier de sa sacoche et le posa devant le lieutenant. *La Bande des recluses. Claveyrolle, Barral, Lambertin, Missoli, Haubert & Cie.*

Voisenet ne vit pas Estelle lui apporter son cochon de lait, ne la remercia pas même d'un signe de tête. Son regard ne quittait pas l'étiquette.

— Nom de Dieu, dit-il finalement.

Il semblait à Adamsberg que chacun en appelait à Dieu ou à sa Sainte Mère en découvrant ces recluses de soixante-dix ans d'âge.

— Du Diable, corrigea-t-il. L'ancien directeur disait que le diable était entré dans leur âme. À Claveyrolle, Barral et aux autres.

— Qu'est-ce qu'ils foutaient avec des recluses ? Il s'agit de vraies recluses ? Je veux dire, des araignées, ou bien des femmes ?

— Quelles femmes ? demanda Adamsberg.

— Ces femmes, vous savez, au temps jadis, qui se cloîtraient pour offrir leur vie à Dieu. Les recluses.

— Non, on parle bien des araignées. Mangez avant de regarder les photos. Veyrenc va d'abord vous résumer cela, il a lu tout le dossier dans le train.

— Comment le sais-tu ? Tu dormais.

— C'est vrai.

Veyrenc exposa l'ensemble des faits à Voisenet, qui mangeait mécaniquement, sans paraître saisir le goût de son plat, concentré sur le récit du lieutenant. Il n'avait pas même touché à son verre de madiran.

— À présent buvez un peu, Voisenet, je vous montre les photos.

Qui, une fois de plus, claquèrent sur la table comme de sinistres cartes à jouer. Voisenet obéit et but quelques gorgées. Son regard s'affola devant les petits amputés, le gosse sans testicule, celui sans joue, l'autre au bras hideux. Puis il repoussa les clichés, finit son verre d'un coup et le reposa bruyamment sur la table.

— Alors vous aviez raison, commissaire, dit-il. Il y a bien eu une affaire de recluses. Dans le temps. Qui revient aujourd'hui, rampant sur ses huit pattes. Les descendantes des recluses d'hier. Je veux dire, leur retour, dans les mains d'une ancienne victime.

— Oui, Voisenet.

— Ou de plusieurs anciennes victimes, dit Veyrenc. Ou de toutes ensemble.

— Il y a quelque dix ans, dans un bistrot de Nîmes, Claveyrolle a parlé du petit Louis. Celui à la jambe amputée. Le petit Louis l'avait menacé. Claveyrolle s'était foutu de sa gueule, comme au bon vieux temps, mais Louis lui avait répondu de faire gaffe, qu'il n'était pas seul.

— Les victimes auraient constitué une bande à leur tour ?

— Pourquoi pas ?

— D'accord, mais Landrieu, le troisième, n'a rien à faire avec la Bande des recluses. On a un étoc, là.

Étocs. Ces rochers immergés sur lesquels s'éventrent les bateaux. Voisenet avait été élevé en Bretagne.

— Pas forcément, dit Adamsberg. Claveyrolle et sa bande faisaient le mur. Ils ont très bien pu connaître Landrieu dans les nuits de Nîmes. C'est probable, même. Donc cette jeune fille violée, Voisenet ? Justine Pauvel ?

Le lieutenant soupira, massa son front, revivant les deux heures si difficiles passées avec cette femme.

— Chez les flics, dit-il, on est un peu formés pour cela, hein ? Pour savoir parler avec des femmes violées, et surtout les amener à parler. Mais pas assez, commissaire, vraiment pas. J'ai mis plus d'une heure à passer ses défenses. Elle s'était figée, bloquée, murée. Et pourtant j'ai suivi la formation, et pourtant je crois que je peux être délicat. Je respecte profondément les femmes, mais je ne suis jamais payé de retour. Ça doit être mon physique, ça doit être ça.

— Qu'est-ce qu'il a, votre physique ? demanda Veyrenc.

— Pas assez délicat, justement. Ça a dû jouer contre moi, avec cette femme.

— Ou ce fut simplement parce que vous êtes un homme, Voisenet, dit Adamsberg, touché par le jugement que Voisenet venait d'assener sur lui-même.

— On aurait dû envoyer une femme, dit Voisenet. Cela aussi, on nous l'apprend. Broyée, cette Justine, broyée. Enfin, elle a fini par parler tout de même. Parce que si elle avait accepté de me rencontrer, c'est bien qu'elle le souhaitait, d'une manière ou d'une autre. Qu'est-ce que j'avais fait ? Je m'étais bien habillé, comme vous le voyez, et j'avais apporté des fleurs, et un gâteau, délicat aussi : une mousse aux fruits. Ça paraît idiot mais ça a peut-être aidé. Encore qu'elle ne supporte aucun homme, aucune approche, c'est vrai. Elle est demeurée terrifiée et honteuse, car justice ne lui a pas été rendue. Cela aussi, on nous l'apprend. Mais j'ai menti, j'ai dit qu'on lui rendrait justice. C'est cela qui l'a apaisée.

— On le fera peut-être, lieutenant.

— Ça m'étonnerait.

— Elle a une idée de son violeur ?

— Elle jure n'avoir pu reconnaître personne, ni être capable de décrire quiconque. Car si seulement il n'y en avait eu qu'un. Ils s'y sont mis à trois. Trois. Elle avait seize ans, elle était vierge.

Voisenet s'interrompit, massa de nouveau son front, sortit un médicament de sa veste.

— Mal au crâne, dit-il. Elle, c'est tous les jours, il paraît.

— Mangez, dit Veyrenc en lui tendant une assiette de fromage qu'il venait de lui préparer.

— Merci, Veyrenc. Désolé, mais ce ne sont pas des choses faciles.

— Ils étaient trois ? reprit Adamsberg. Phénomène de bande ?

— Oui. Dans une camionnette, le traquenard classique. Un qui conduit, deux qui choisissent la proie. Le chauffeur s'arrête pour demander son chemin, les deux autres sautent sur la fille et l'embarquent. Elle m'a confié un article sur son « parrain », dans le cas où cela m'intéresserait de l'interroger encore. Ce Claude Landrieu, notre témoin spontané. Apparemment, elle ne sait pas encore qu'il est mort. Il s'agit d'une simple interview où l'homme témoigne du « choc terrible » qu'il a ressenti. Sans intérêt pour nous.

— Avec une vue de sa boutique, je suppose ? demanda Adamsberg.

— Bien sûr, pourquoi se priver d'une publicité gratuite ?

— Montrez-moi cela, lieutenant. Je trouve curieux qu'elle vous l'ait donné.

Sans comprendre, Voisenet sortit l'ancien article de son portefeuille. Veyrenc servit la seconde tournée de madiran et, cette fois, Voisenet prit une gorgée avec plaisir. Il allait mieux.

— Vous vous êtes attaché, Voisenet, dit Veyrenc.
— Un peu.
Adamsberg se concentrait sur la vieille coupure de presse, sur le gros visage d'un Landrieu vieilli, photographié dans sa chocolaterie de luxe, où un serveur en blouse s'affairait face à une file de clients. Il fronça les sourcils, rouvrit le dossier du Dr Cauvert, en sortit les photos des neuf garçons de la Bande des recluses, prises depuis leur entrée à l'orphelinat jusqu'à leurs dix-huit ans. Veyrenc le laissait faire, sans poser de question.
De longues minutes plus tard, le commissaire releva la tête, souriant, l'expression presque belliqueuse, comme revenant d'un combat. Il n'avait pas dû percevoir les mouvements ordinaires autour de lui et regarda son verre plein avec surprise.
— C'est moi qui me suis resservi ? demanda-t-il.
— Non, c'est moi, dit Veyrenc.
— Ah bien, je n'ai pas dû m'en rendre compte.
Il posa ses deux longues et larges mains sur la table, l'une sur la coupure de presse, l'autre sur les photos du dossier Cauvert.
— Bravo, Voisenet, dit-il.
Il leva son verre vers le lieutenant, qui accepta sans comprendre.
— Ici, Claude Landrieu, dit-il. Cela, on le sait. Autour de lui, sa boutique, son serveur, ses clients. Le journal date de trois jours après le viol. La photo aussi.
— Elle ne porte pas de date.
— Le viol a eu lieu un 30 avril. Le 1er mai, la boutique n'est pas ouverte, mais la gendarmerie, oui. Landrieu y court avec la liste des fréquentations de sa « filleule ». Le journal date du 2 mai. La photo aussi. Sur le comptoir,

observez bien : des brins de muguet, encore tout frais. Oui, la photo est bien du 2 mai. Ce n'est pas forcément ce qu'aurait voulu Landrieu.

— Pourquoi ?

— Parce qu'ici, dit Adamsberg en désignant un visage parmi les clients, c'est Barral. Et ici, c'est Lambertin.

Veyrenc secoua la tête et attrapa la photo.

— Je ne vois pas, dit-il. Les derniers clichés de Barral et de Lambertin datent de leurs dix-huit ans. Comment peux-tu les identifier sur ces visages de quinquagénaires ? Voisenet ?

Veyrenc passa au lieutenant la coupure de presse et les photos des jeunes Barral et Lambertin. Adamsberg but une gorgée de madiran, patient, serein.

— Non, dit Voisenet en rendant les photos à Adamsberg. Je ne vois pas non plus.

— Mais servez-vous de vos yeux, bon sang. Je vous dis que ces deux gars ne sont pas là pour acheter des chocolats. Ce sont Barral et Lambertin.

Ni Veyrenc ni Voisenet ne contrèrent. Ils savaient que l'analyse visuelle du commissaire était singulière.

— Admettons, dit Voisenet, s'animant à nouveau. Qu'est-ce qu'ils foutent là dans ce cas ?

— Deux jours après le viol ? dit Adamsberg. Ils viennent aux nouvelles. Savoir comment s'est passé le « témoignage spontané » de leur ami Landrieu chez les flics.

— Et pourquoi ne pas se voir la veille, le 1er mai ? C'était congé.

— Mais pas discret. Plus malin de faire la queue au magasin et d'échanger un simple clin d'œil. C'est ainsi qu'ils se donnaient rendez-vous. Par un signe, par un mot, dans la boutique.

— Pour quoi faire ?

— Partir en virée se faire une fille. Justine Pauvel a été violée par le « vieil ami de la famille », un type en qui elle avait confiance depuis l'enfance. Elle est montée dans sa camionnette sans se poser de question. Violée par Claude Landrieu, Barral et Lambertin.

— Alors elle sait.

— Bien sûr qu'elle sait, au moins pour son « parrain ». Et c'est bien pour cela qu'elle vous a confié cet article. Elle n'a jamais pu le dire. Ce qui n'exclut pas le désir de vengeance. Autre point : cette photo nous montre que, plus de trente ans après, la Bande des recluses ne s'était pas dissoute. Outre Claveyrolle et Barral, on y ajoute Lambertin et Landrieu.

— Vrai, approuva Veyrenc.

— Ni dissoute, ni bonifiée. Les jeunes blaps de l'orphelinat ont grandi. Fini le jeu des recluses glissées dans les frocs des souffre-douleur. Les blaps devenus grands se tournent vers l'agression sexuelle, dès leurs dernières années d'orphelinat.

— Comment ? dit Voisenet. Ils étaient isolés de la section des filles.

— Pas dans la cour, précisa Veyrenc, où filles et garçons étaient séparés par un haut grillage, un grillage classique de type simple torsion. Soit ils s'exhibaient en érection. Soit ils passaient leur sexe à travers une maille du grillage et éjaculaient sur une fille qui avait eu l'imprudence de s'en approcher. Soit ils couvraient les murs de graffitis pornographiques. Un gardien les a arrêtés dans le dortoir des filles, mais une seule fois. Ils arrachaient les couvertures.

— Et qui dit qu'il n'y a pas eu d'autres intrusions ? dit Adamsberg. Des viols ? Que les jeunes filles ont gardés secrets, comme le font quatre-vingts pour cent des femmes violées ? La Bande des recluses s'est convertie en la Bande des violeurs. Et ne s'est pas séparée après La Miséricorde. Les coups, ils ont continué à les monter ensemble. Comme dans leur enfance.

— Mais où cherche-t-on le tueur ? dit Veyrenc. Et qui veut des cafés ?

Les mains d'Adamsberg et Voisenet se levèrent. La journée avait été longue et lourde, pour tous. Une fois de plus, Veyrenc alla passer la commande au comptoir.

— Où ? répéta Veyrenc en se rasseyant. Parmi les garçons mordus par les recluses ? Ou parmi les femmes violées, que nous ne connaissons pas, à l'exception d'une seule ?

— Parmi toutes et tous, Louis.

— Et pourquoi les femmes violées utiliseraient-elles du venin de recluse, vu l'extrême complexité du procédé ? Cet effort s'explique pour les garçons mordus. Venin contre venin. Mais pour les femmes violées ? Un coup de flingue et tout est dit.

— Il y aurait bien une possibilité, dit Voisenet. Mais vous allez dire que je fais mon zoologue, ou mon Danglard.

— Allez-y tout de même, lieutenant.

— Il faut descendre dans les pensées les plus primaires et profondes des êtres humains.

— Descendez, dit Adamsberg.

— Je ne sais pas par où commencer. C'est très enchevêtré, les pensées primaires.

— Alors commencez par « Il était une fois ». Veyrenc dit qu'il y a une touche légendaire, avec ces recluses.

— Ah très bien, cela me va. Il était une fois le venin animal. Il a toujours eu une place très à part dans l'imaginaire des hommes. On lui a prêté des tas de qualités magiques, bénéfiques et prophylactiques et il fut beaucoup utilisé, en pharmacopée par exemple, selon le principe paradoxal que ce qui tue peut guérir.

— Je ne saisis pas « prophylactique », dit Adamsberg.

— Tout ce qui empêche la maladie, tout ce qui protège contre elle.

— D'accord.

— Les bêtes à venin, qu'il s'agisse de serpents, de scorpions ou d'araignées, étaient tenues pour des ennemis jurés de l'homme. Les croiser était signe de mort. Mais si un homme parvenait à les vaincre, il « retournait le sort ». Il devenait plus fort que le venin, plus fort que la mort, invincible. Si je vous emmerde, dites-le-moi surtout.

— Pas du tout, lieutenant, dit Adamsberg.

— J'ajoute qu'il existait un lien inconscient entre ce venin, ce liquide animal projeté par la bête, et le sperme humain. Particulièrement pour les serpents qui se dressent avant de mordre, pire encore pour les serpents cracheurs. On pourrait imaginer qu'une femme violée, souillée par le sperme de son agresseur, ait l'idée de lui renvoyer une vengeance de même nature. Pour elle, le venin du serpent serait le liquide le plus approchant du sperme détesté.

— Juste, dit Veyrenc.

— Mais je vais serrer sur l'araignée. Dans cette idée de vaincre le venin toxique et de se fortifier en le dominant, l'araignée abattue devenait alors une bête qui portait chance et qui protégeait. On a fabriqué des décoctions d'araignées pour soigner des quantités de maladies – parfois on les faisait carrément avaler au patient –, particulièrement les fièvres intermittentes, les hémorragies, les saignements de l'utérus, l'arythmie, la démence sénile, l'impuissance.

— L'impuissance ?

— C'est très logique, commissaire, j'ai parlé de ce lien qui se noue entre le fluide venimeux et le fluide spermatique.

— Mais pourquoi ne pas soigner l'impuissance avec le sperme réel des animaux ?

— Parce qu'il est vécu comme équivalent au nôtre, ni plus ni moins. Il faut un fluide supérieur. L'homme s'incline néanmoins devant les grands animaux, s'ils sont dangereux. On n'a pas manqué d'utiliser des couilles de taureau. Je reviens à l'araignée ?

— Revenez, Voisenet.

— Il n'y a pas si longtemps encore, porter une araignée vaincue sur soi, dans un médaillon ou dans une coque de noix pour les pauvres, ou cousue dans un habit, protégeait contre les maladies, les mauvais sorts ou les dangers de la guerre.

— Vrai ?

— Vrai. Imaginons une femme violée qui devient maître de l'araignée : elle devient alors maître de la liqueur venimeuse, elle domine le sperme offensif. Ainsi peut-elle vaincre, ainsi peut-elle tuer, par l'araignée et grâce à l'araignée.

— Pour avoir l'idée d'y recourir, Voisenet, il faudrait une femme sacrément désaxée.

— Le viol désaxe.

— Mais aujourd'hui, Voisenet ? En notre temps ? Qui croirait encore à ces trucs ?

— « Notre temps », commissaire ? Mais quel temps ? Civilisé ? Rationnel ? Apaisé ? Notre temps, c'est notre préhistoire, c'est notre Moyen Âge. L'homme n'a pas changé d'un pouce. Et surtout pas dans ses pensées primaires.

— Juste, dit Veyrenc.

— Et quand les petits blaps attaquaient avec leurs recluses, c'était déjà, au fond, une agression sexuelle. La loi du dominant, l'injection du venin, de la liqueur animale.

— Onze victimes de morsures, résuma Adamsberg, et on ne sait combien de femmes violées. Et nous ne sommes que cinq.

— Cinq ? dit Voisenet.

— Vous, Veyrenc, Froissy et moi. Ajoutez Retancourt.

— Pas Retancourt.

— Si, Voisenet. Elle collabore, sans y croire mais sans s'opposer. Cinq.

— La partie n'est pas gagnée.

— Mais elle est commencée, lieutenant.

XX

Fait rarissime, Adamsberg se rappelait son rêve de la nuit. Tout en avalant pain et café, tout en songeant que le pain n'était plus si intéressant que lorsque Zerk lui découpait de grosses tranches inégales, il se souvenait qu'il était devenu impuissant dans ce rêve. Un sentiment d'effondrement l'avait propulsé vers l'unique solution possible : les recluses. Il avait démonté des quantités de tas de bois et de pierres sans en trouver aucune à dévorer.

C'est avec ces vains amas de pierres en tête et l'idée assez déplaisante d'avoir voulu avaler des recluses qu'il traversa la salle de la Brigade, où s'achevait enfin Le Livre. On allait et venait, transmettant les dernières moutures, et les imprimantes crachaient les premières copies. Il arrêta Estalère qui, aidé de Veyrenc, transportait des piles de feuillets jusqu'au bureau de Danglard, avec les précautions qu'on eût prises pour un très ancien et précieux manuscrit. Tout eût pu être fait par envoi via les ordinateurs, mais Danglard exigeait des versions papier, ce qui allongeait d'autant le travail.

— Réunion au concile à 11 heures, Estalère, faites passer le mot. Appelez ceux qui ne sont pas de service aujourd'hui.

— Vous souhaitez que je les réveille ? demanda le jeune homme, toujours soucieux d'avoir pleinement compris sa mission. Comme l'autre fois et que ça n'a servi à rien ?

Il n'y avait aucune pointe critique dans la remarque d'Estalère. Il n'existait pas la moindre fissure dans son adoration pour Adamsberg, par où pût passer une pensée négative.

— Exactement. Comme l'autre fois et que ça n'a servi à rien.

— Même le commandant Danglard ?

— Surtout lui. Louis, c'est toi qui vas présenter l'ensemble des faits à l'équipe, si on peut appeler cela une équipe. Avec Voisenet, pour les fluides. Peux-tu montrer les photos des gars sur grand écran, tortionnaires et victimes ?

Veyrenc hocha la tête.

— Pourquoi ne veux-tu pas parler ?

— Je crains que Danglard ne contre-attaque, appuyé par Mordent, dit Adamsberg en haussant légèrement les épaules. Et je ne souhaite pas croiser le fer ce matin. Aujourd'hui, ce ne sont pas eux qui comptent, c'est l'équipe. Je dirai quelques mots d'introduction et tu prends la relève.

Quels mots ? se demanda-t-il. Il n'y avait pas pensé. Il s'éloigna vers le bureau de Froissy.

— Lieutenant, il fait beau, la marche en pierre est sans doute déjà tiède dans la cour.

— On apporte le cake ? dit Froissy en débranchant aussitôt sa machine.

Une fois dans la cour, le lieutenant s'assit sur la marche, son ordinateur calé sur les genoux, tandis qu'Adamsberg émiettait le gâteau à quelque quatre mètres du nid.

— Il va être foutu, ce pantalon, dit Froissy pour elle-même, tandis qu'Adamsberg revenait vers elle.

Elle allait mieux. Retancourt avait dû atteindre son but en se lavant les mains dans la salle de bains, devenue muette. Il n'avait pas supposé que Retancourt puisse échouer.

— Qu'est-ce que ça a donné, lieutenant ? Les médecins ?

— J'ai accédé à leurs comptes rendus. J'avoue que je me sentais coupable.

— Mais satisfaite.

— Tout d'abord, continua Froissy avec un petit sourire, les trois hommes étaient encore costauds, cœur en bon état mais de sérieux problèmes de foie. Éthylisme, tous. L'un prenait un médicament contre l'hypertension, l'autre contre le cholestérol, le troisième du Nigradamyl.

— Qui est ?

— Un traitement contre l'impuissance.

— Tiens. Et lequel des trois prenait cela ?

— Celui de quatre-vingt-quatre ans, Claveyrolle.

— Bien sûr.

— J'ai un cousin médecin. Il dit que le nombre d'hommes âgés qui ne renoncent pas est impressionnant.

— Et le vieux Claveyrolle n'avait toujours pas abdiqué.

— Donc, résuma Froissy, pas de raison qu'ils succombent à une morsure de recluse. Ni que leur loxo…, attendez voir…

— Loxoscélisme, proposa Adamsberg.

Enfin, ce mot, il le tenait bel et bien, sans avoir besoin de consulter son carnet une énième fois.

— C'est cela. Ni que leur loxoscélisme évolue si vite. Le premier mordu, Barral, s'est présenté à l'hôpital le 10 mai. Il avait été piqué la veille au soir, alors qu'il arrachait des orties près d'un tas de bûches. Je vous lis le rapport du médecin : *Le patient a senti une piqûre au bas de la jambe gauche, douleur faible, ortie incriminée.* Puis : *10 mai, 11 h 30. Aspect inquiétant de la piqûre. Tache violacée, 7 x 6 cm, début de nécrose. Suspicion de morsure de recluse. Commande d'anti-venin CAP Marseille. Perfusion d'émoxiocilline + midocaïne en local* – c'est un anesthésique. Puis le soir, à 20 h 15 : *Évolution alarmante de la plaie. Extension nécrose 14 x 9 cm. Fièvre 39,7°. Modification traitement : riatocéphine* – c'est un antibiotique beaucoup plus puissant – *et tédricotec* – c'est un antihistaminique. Le lendemain, à 7 h 05 : *Température 40,1°. Jambe nécrosée 17 × 10 cm. Plaie creusée sur 7 mm. Augmentation ¼ riatocéphine. Résultats sanguins : résistance immunitaire satisfaisante. Présence d'une hémolyse* – c'est la perte des globules rouges –, *développement nécrose viscérale sur rein gauche. Mise sous dialyse. 12 h 30 : injection anti-venin. 15 h 10 : baisse température, 39,6°. Rapidité de l'envenimation jamais constatée. 21 h 10 : Température 40,1°. Hausse rapide hémolyse, septicémie constatée, attaque viscérale rein droit, foie touché. 12 mai : Patient décédé à 6 h 07, cause hémolyse, septicémie, cessation activité rénale, arrêt cardiaque. Cas de loxoscélisme foudroyant, jamais répertorié. Commande d'anti-venins CAP.*

— « Jamais répertorié », répéta Adamsberg. Mort en deux jours et trois nuits. En réalité moins que cela, Froissy : en deux jours et deux nuits.

— Comment cela ?

— Parce que Barral a menti. À mon idée, il s'est fait mordre au matin, en enfilant son pantalon, et non pas la veille au soir près du tas de bois. Et les deux autres ?

— Je peux vous lire le même genre de texte – ils sont déjà transférés sur votre machine. L'évolution et les traitements ont été similaires. À ceci près que l'injection d'anti-venin a été effectuée dès l'arrivée du malade, et que la riatocéphine a été perfusée sur-le-champ. Cela n'a rien changé. Et maintenant ?

Adamsberg tira deux feuilles un peu froissées de sa poche.

— Voici la liste des neuf gars de la bande de Claveyrolle, à l'orphelinat. Plus Landrieu.

— D'accord.

— Trois sont morts, restent sept. Et voici les noms de leurs onze victimes. Des gosses.

— À l'orphelinat ?

— Oui. Pardon, lieutenant, je n'ai pas le temps de détailler, je sais que je vous fais travailler à l'aveugle. Vous apprendrez tout cela à la réunion. Il faut me les localiser, Froissy, tous. Mercadet se chargera d'enquêter sur les viols dans le département. On ne saura si l'on a sa collaboration qu'après la réunion.

— *Les* viols ?

— En grandissant, lieutenant, les blaps ont changé de distraction. Cela m'étonnerait qu'ils n'en aient commis qu'un seul.

— Parce que celui de la jeune fille, c'était lui ? Landrieu ?

— Landrieu, Barral et Lambertin. Les trois ensemble.

— Combien ? dit-elle d'une voix lointaine. Combien sommes-nous à vous suivre, à vous croire ?

— À me suivre, cinq. À me croire, quatre.

Adamsberg eut aussitôt en ligne le professeur Pujol. Si imbuvable soit-on, on répondait sans traîner aux appels des flics.

— Je ne vous dérange pas longtemps, professeur. Pensez-vous que deux à quatre morsures de recluses en simultané puissent déclencher un loxoscélisme foudroyant ?

— Les recluses vivent seules. Vous n'aurez jamais de morsures simultanées.

— C'est un simple cas d'école, professeur.

— Alors je me répète. Dose létale de venin de recluse estimée à quarante-quatre glandes, soit à vingt-deux recluses, faites vos déductions : vos trois ou quatre morsures théoriques n'en viendraient pas à bout. Pour tuer vos trois hommes, il aurait fallu disposer de quelque deux cents recluses. Ou de quelque soixante à soixante-dix araignées pour un homme. On a déjà dit tout cela.

— J'ai vos chiffres. Mais des morts foudroyantes survenues en deux jours, cela vous évoque quoi, professeur ?

— Des gars qui ont engouffré une pâtée de recluses au dîner pour être sûrs de bander, en confondant la recluse avec la veuve noire, dit Pujol en riant à sa manière négligente et déplaisante.

Imbuvable.

— Je vous remercie, professeur.

Il lui restait quelque trente minutes avant la réunion. L'obscène plaisanterie de Pujol avait réveillé sa pensée sur l'impuissance et le venin. Obscène mais scientifique : « en les confondant avec la veuve noire », avait-il dit. Il tapa « venin d'araignée », « impuissance », attrapa son carnet pour noter la liste des premiers liens apparus. Et sur le thème *Guérir l'impuissance avec venin d'araignée ?*, se présentaient des dizaines de sites. Qui n'avaient rien à voir avec les croyances anciennes dont Voisenet leur avait parlé. Il s'agissait d'articles on ne peut plus sérieux sur de récentes recherches en cours, après qu'on eut découvert que la morsure de certaines araignées provoquait un priapisme long et douloureux. De là, les chercheurs s'affairaient à identifier, trier et affaiblir les toxines responsables, avec l'espoir d'en extraire un médicament nouveau et sans risque contre l'impuissance. Il s'appliqua à recopier avec lenteur la phrase suivante : *Certains composants de la toxine agissent en stimulant de manière remarquable la production de monoxyde d'azote, crucial dans le mécanisme de l'érection.* Sur une analyse de deux cent cinq types d'araignées, quatre-vingt-deux avaient déjà révélé les valeureuses toxines actives, mais trois espèces surpassaient les autres, et il en inscrivit les noms en bas de page : la *Phoneutria*, l'atrax et la veuve noire.

Mais pas la recluse.

Adamsberg ouvrit sa fenêtre, examinant les dernières variations de son tilleul. La veuve noire, il la connaissait, tout le monde la connaissait. Entre autres parties du monde, elle habitait les chaudes régions du sud de la France. Jolie petite bête par ailleurs, avec ses taches rouges ou jaunes en forme de cœur. Plus visible et plus facile à cueillir que la recluse tapie dans les profondeurs. Et qu'on ne pouvait en aucun cas assimiler à la recluse. À moins d'un crétin qui conclue : une araignée reste une araignée. Et cherche en la recluse le potentiel érectile de la veuve noire.

Il rejoignit le bureau de Voisenet.

— Lieutenant, peut-on confondre les effets d'une morsure de recluse et ceux d'une morsure de veuve noire ?

— Jamais de la vie. La veuve noire décharge un venin neurotoxique, la recluse un venin nécrotique. Pas le moindre point commun.

— Je vous crois. Où ils vont, tous ? ajouta-t-il en regardant les agents quitter un à un leurs postes.

— À la réunion que vous avez convoquée, commissaire.

— Il est quelle heure ?

— Moins cinq. Vous l'aviez oubliée ? La réunion ?

— Non, l'heure.

Adamsberg revint à son bureau chercher ses notes emmêlées, sans se presser. Il préférait arriver une fois chacun installé, comme il y a deux jours. Deux jours bon sang, il ne s'était passé que deux jours depuis que la Brigade s'était fracturée. Il n'avait pas perdu son temps néanmoins : apprendre le mot « loxoscélisme », annihiler l'angoisse du lieutenant Froissy, savoir pourquoi un chien accompagnait saint Roch, nourrir les merles et se souvenir d'un rêve.

Était-il possible, se demanda-t-il, que ces trois vieux salauds, Barral, Claveyrolle et Landrieu, aient formé le pari de retrouver leur vigueur perdue en s'injectant du broyat de recluses ? En supposant qu'une araignée vaille une araignée ?

XXI

Adamsberg laissa la réunion s'amorcer en silence, dans le tintement usuel des tasses à café et des cuillères contre les soucoupes. Il n'avait pas choisi le silence pour faire grimper la tension, elle était déjà bien assez haute comme cela. C'est simplement qu'il voulait noter une phrase sur son carnet : *Si l'on peut affaiblir la virulence d'un venin d'araignée pour en tirer un traitement contre l'impuissance, est-ce possible à l'inverse de l'amplifier, comme un vin qu'on distille pour en tirer un 70° ?*

Il secoua la tête et lâcha son stylo, eut un rapide regard pour les commandants Danglard et Mordent, assis côte à côte à l'extrémité de la table. Mordent était résolu, très concentré, comme il l'avait souvent vu. Danglard, lui, avait modifié son visage. Raide et blanc, il affectait l'air hautain d'un gars quasi flegmatique apte à se placer au-dessus des contingences. Or Danglard n'avait jamais su se placer au-dessus des contingences, pas même quelques minutes, encore moins de manière flegmatique. Cette posture était conçue pour résister aux assauts du commissaire et assumer sa tentative de délation auprès du divisionnaire. Adamsberg avait toujours saisi les complexités de son vieil adjoint mais cette fois, quelque chose lui échappait. Un élément neuf.

— Je persiste, commença Adamsberg d'une voix aussi calme qu'à l'ordinaire, à vous informer de l'affaire en cours, comme je persiste à la nommer « enquête », comme je persiste à considérer les trois décès comme des meurtres. Nous sommes quatre à y travailler et c'est peu. Je vous rappelle les noms des trois premières victimes : Albert Barral, Fernand Claveyrolle et Claude Landrieu.

— Quand vous dites « les trois premières victimes », demanda Mordent, doit-on comprendre que vous en craignez d'autres ?

— C'est cela, commandant.

Retancourt leva son grand bras, puis le laissa retomber sur la table.

— Cinq à y travailler, dit-elle. Je me suis déjà engagée à apporter mon concours, je ne reviens pas dessus.

Une déclaration incompréhensible de la part de l'implacable positiviste, qui plongea dans l'incrédulité tous ceux qui avaient opté pour l'invalidité – l'absurdité – d'une enquête sur les morts par recluse. Adamsberg adressa un léger sourire à la puissante Violette. Danglard – bien qu'au-dessus des contingences – grimaça : l'appui inexplicable de Retancourt était un avantage majeur pour le commissaire.

— L'orphelinat de La Miséricorde, dans le Gard. On en était là. Voici un dossier constitué par l'ancien directeur, années 1944 à 1947. Allez-y, Veyrenc.

— Pardon ? dit Lamarre. Quelles dates avez-vous dites ?

— 1944-1947. Soit soixante-douze générations de recluses avant les nôtres.

— Nous comptons le temps en générations de recluses à présent ? demanda Danglard.

— Et pourquoi non ?

Veyrenc projeta sur grand écran la couverture du dossier du Dr Cauvert. *La Bande des recluses. Claveyrolle, Barral, Lambertin, Missoli, Haubert & Cie.* Ce titre en hautes lettres calligraphiées généra une petite onde de choc à travers la salle, marquée par des murmures, quelques grognements, des raclements de chaises. Veyrenc laissa le texte exposé, le temps que l'improbable réalité pénètre l'esprit des agents.

— Mais, intervint Estalère, qu'est-ce que c'est, une « bande des recluses » ? Une bande d'araignées qui a attaqué l'orphelinat ?

Une fois de plus, la question d'Estalère les arrangeait tous, car ils ne comprenaient pas plus que lui. Veyrenc se tourna vers le brigadier. La fixité de son visage, ce matin-là, évoquait bel et bien un buste antique taillé dans un marbre clair, le nez droit, les lèvres très dessinées, les boucles de cheveux sculptées sur le front.

— Non, expliqua-t-il. Une bande de gars qui a attaqué les plus faibles avec des recluses. Il y avait neuf types dans cette bande, dont les deux premiers morts, Barral et Claveyrolle. Ils ont fait onze victimes. Ces quatre premiers garçons, continua Veyrenc en faisant défiler les photos à l'écran, Gilbert Preuilly, René Quissol, Richard Jarras et André Rivelin, n'ont reçu qu'une morsure blanche. Il ne faut pas les négliger pour autant. Pour ces deux-là, Henri Trémont et Jacques Sentier, les recluses n'ont pas lâché tout leur venin. Mais, même en noir et blanc, on distingue clairement le disque plus foncé, violet en réalité, de l'inflammation venimeuse. Ils se sont guéris spontanément. Louis Arjalas – dit « le petit Louis » – n'a pas eu cette chance. Il fut mordu à la jambe et la recluse a vidé ses deux glandes. Il avait quatre ans, ajouta-t-il en cernant la jambe rongée du bout de son doigt.

Des grognements de nouveau, et des mouvements de recul. Veyrenc ne les laissa pas souffler.

— Nous sommes en 44, et il n'y a pas de pénicilline.

— En 44, objecta Justin, la pénicilline existait déjà.

— Depuis peu, lieutenant. Le premier stock fut envoyé en Normandie, sur les côtes du débarquement.

— D'accord, dit Justin, écrasant sa voix.

— Il a fallu l'amputer de la jambe. Ici Jean Escande – dit « le petit Jeannot » –, mordu la même année. Il y a perdu son pied. Il avait cinq ans. Garçon suivant, Ernest Vidot, sept ans, mordu en 46, une très grande plaie sur le bras. Cette fois, la pénicilline est disponible, on sauve son bras, qui conserve une cicatrice mentionnée comme « hideuse ». Dixième victime, le jeune Marcel Corbière, onze ans, dont toute la joue a été emportée jusqu'à la mâchoire. On détournait les yeux sur son passage. Sachez que le venin de la recluse est nécrosant et qu'il dissout les chairs. Et enfin Maurice Berléant, douze ans, mordu au testicule gauche en 1947. Les tissus furent dévorés et la verge atteinte. Il est impuissant.

Adamsberg considérait le visage de Veyrenc, muré, minéral, lui qui pouvait le modifier si vivement d'un seul demi-sourire. Mais le lieutenant menait cette tragique présentation sans offrir un instant de répit aux agents. La vision de la joue emportée de Marcel et des parties génitales de Maurice les avait déportés sur un terrain d'émotions où la question théorique de savoir si oui ou non la recluse méritait une enquête était à cet instant à des lieues de leurs préoccupations. L'heure n'était pas à l'intellectualisme.

Veyrenc développa l'hypothèse qu'une ou plusieurs de ces victimes aient pu retourner l'attaque de la recluse contre leurs anciens tortionnaires, mentionnant la menace du petit Louis faite à Claveyrolle, il y a dix ans.

— Si vieux ? dit Estalère. Je veux dire : ils auraient attendu soixante-dix ans ?

— Si vieux, dit Adamsberg, qui dessinait sur son carnet. Selon les indications de Cauvert le père, les victimes étaient des enfants de nature passive, craintive, qui avaient plus à voir avec des coccinelles qu'avec des blaps. Tandis que les gars de la Bande des recluses étaient des offensifs agressifs. Des blaps.

— Blaps ?

— Ceci, dit Adamsberg en montrant son dessin, très juste, d'un gros coléoptère ventru d'un noir terne, rassemblant dans ses longues pattes de petits grains sombres. Le blaps, précisa-t-il, autrement nommé le puant, l'annonce-mort.

— C'est quoi, les petits grains ? demanda Estalère.

— Des merdes de rats. C'est ce qu'ils bouffent. Et si vous les approchez, ils projettent un liquide irritant par l'arrière-train. Les neuf gars de la Bande des recluses sont des blaps, des puants.

— Ah bien, dit Estalère, satisfait.

— Mais pas ceux de la Bande des mordus, poursuivit Adamsberg. Néanmoins, quand s'approche l'heure du départ, bien des choses deviennent possibles qui ne l'étaient pas auparavant.

— Et le troisième mort ? demanda Kernorkian.

— Claude Landrieu.

— Il était donc dans la bande aussi ? Vous n'en avez pas parlé.

— Il n'y était pas. Allez-y, Voisenet.

Le lieutenant enchaîna sur le cas Landrieu et sa visite à Justine Pauvel, la femme violée. Veyrenc projeta la photo de la chocolaterie.

— Ici, montra Adamsberg du bout de son crayon, le patron de la boutique, Claude Landrieu. On est en 1988, deux jours après le viol de Justine Pauvel. Le fait remarquable se trouve dans la file des clients. Ici, et ici, deux hommes qui paraissent attendre leur tour. Il s'agit de Claveyrolle et de Lambertin, rien de moins. Ce sont eux trois qui ont violé Justine. La Bande des recluses ne s'est jamais dissoute. Mais ils ne jouaient plus avec les crochets des araignées. Ils violaient.

— On connaît leurs victimes ? demanda Mordent, partagé entre son opposition de départ et le fait qu'il avait barré la route délatrice de Danglard.

— Celle-ci seulement.

— Alors comment pouvez-vous dire qu'ils en ont violé d'autres ?

— Parce que dès l'adolescence, les blaps de La Miséricorde ont harcelé et tenté de violer les filles de l'orphelinat. Dessiné des quantités de pénis dans leur dortoir. Exhibé leurs sexes et éjaculé sur elles à travers le grillage de la cour. Ils faisaient le mur et poussaient jusqu'à Nîmes à vélo. Pour trouver des filles à prendre, à coup sûr. La Bande des recluses s'est muée en Bande des violeurs.

— Vous n'avez qu'un seul viol pour le dire, insista Mordent. Quant à ces hommes, photographiés dans le magasin, ce sont des quinquagénaires et l'image est floue.

Adamsberg fit un signe à Veyrenc qui projeta les photos de Lambertin et Claveyrolle à l'âge de dix-huit ans, face et profil.

— Franchement, on ne voit pas le rapport, dit Noël.

— Ce sont eux, sans le moindre doute, affirma tranquillement Adamsberg.

La salle plongea dans un nouveau silence. On butait une fois de plus sur les affirmations sans fondement du commissaire.

— Froissy le démontrera, dit-il. On ne peut pas se fier aux lignes des maxillaires empâtés, aux cous épaissis, aux yeux assaillis de rides. Mais il demeure toujours la ligne haute du profil, celle qui court du front à la base du nez. Et un élément quasi immuable, comme s'il était fait de caoutchouc : le pavillon de l'oreille. Quand elle aura fait monter la qualité de la photo du journal, Froissy pourra comparer les têtes de ces types à celles des jeunes gens de dix-huit ans. Ce sont eux.

Mercadet acquiesça ostensiblement. Le lieutenant venait de basculer de l'autre côté. Ils étaient six.

— J'y travaille, dit Froissy, plongée dans son écran.

— On pourrait comprendre, concéda Mordent, que les victimes des morsures veuillent se venger à l'aide des mêmes recluses. Mais de manière pratique et scientifique, la chose est impossible.

— Oui, dit Adamsberg.

— C'est l'étoc, dit Voisenet.

— On ne doit pas exclure non plus la vengeance d'une femme violée, ajouta Veyrenc.

— C'est pire encore, dit Mordent. Pourquoi une femme choisirait-elle le moyen impraticable du venin de recluse quand il existe mille manières de tuer un homme ?

— À vous, Voisenet, dit Adamsberg.

Et Voisenet prit son temps, comme à La Garbure, pour développer la thématique ancestrale des bêtes à venin, la force invincible qu'elles conféraient, par retournement, à ceux ou celles qui les avaient vaincues, les liens profonds unissant la puissance de la liqueur venimeuse et le pouvoir octroyé au fluide spermatique. Décidément, pensait Adamsberg, Voisenet changeait de stature et de vocabulaire sitôt qu'il était lancé sur la piste des animaux. Sans le vouloir, Danglard s'était fait attentif. Prenant conscience qu'il avait toujours rangé la passion du lieutenant Voisenet pour les poissons au niveau de l'obsession dominicale des pêcheurs à la ligne. À tort.

— Pour clore, reprit Adamsberg quand Voisenet en eut fini, l'enquête de Froissy sur les trois hommes décédés indique une évolution « foudroyante » du loxoscélisme, c'est-à-dire de la maladie causée par le venin de la recluse. Les médecins notent : « Jamais répertorié. »

— Je les ai, coupa Froissy, leurs oreilles, et la ligne du haut profil. S'il n'y a pas deux pissenlits semblables, il n'y a pas deux oreilles identiques, n'est-ce pas ?

Adamsberg tira l'ordinateur à lui, et sourit.

— Ce sont eux. Merci, Froissy.

— Pas de quoi, vous le saviez déjà.

— Mais pas eux.

L'écran circula d'agent en agent, chacun approuvant d'un signe avant de passer l'image à son voisin.

— Ce sont eux, répéta Adamsberg. Claveyrolle et Lambertin, venus au rendez-vous chez Landrieu après le viol.

— D'accord, reconnut Mordent.

— Je poursuis, enchaîna Adamsberg. Évolution foudroyante du loxoscélisme. Ce qui a tué ces trois hommes n'est pas une morsure naturelle de recluse. Leur réaction violente, anormale, n'est pas due à leur âge. Hormis des foies touchés par les pastis, leurs défenses immunitaires étaient bonnes. Ils sont morts assassinés.

— Si tueur il y a, reprit Mordent avec beaucoup plus de prudence, comment s'y est-il pris ? Avec plusieurs recluses ?

— Non, commandant. La recluse est une araignée peureuse, cachée, il est très difficile de l'attraper. Pour tuer un seul homme à coup sûr, il vous en faudra vingt-deux. Mais comme la moitié d'entre elles ne va infliger qu'une morsure blanche et une autre partie une morsure partielle, prévoyez une soixantaine de recluses pour en avoir la peau. Pour trois hommes, il vous faudra donc disposer de quelque deux cents bêtes.

— C'est possible, cela ?

— Non.

— Et si l'on en extrait le venin ?

— C'est très faisable avec une vipère mais pas avec une recluse, à moins d'utiliser les appareils sophistiqués d'un laboratoire. Et ce qu'elle va cracher est une quantité si misérable qu'elle séchera sur les parois du tube avant qu'on puisse la prélever.

Mordent étendit son cou et écarta ses bras.

— Et donc ? dit-il.

— Et donc nous butons là sur un étoc particulièrement vicieux.

Adamsberg jeta un coup d'œil amusé à Voisenet. Il avait bien aimé son mot d'« étoc ».

— Et donc ? répéta Danglard.

— Et donc on *enquête*, commandant, dit Adamsberg, appuyant de nouveau sur le mot fatal. On localise les survivants de la Bande des recluses. Eux seuls ont compris ce qui est arrivé à leurs trois camarades. Et ils ont peur, pour la première fois de leur vie. Il s'agit pour nous de sauver leur peau.

— Et pourquoi ? dit Voisenet avec une moue.

— Parce que c'est notre boulot, blaps ou pas blaps. Et parce qu'ils pourront nous mener aux victimes inconnues des viols.

— Et pour les mordus ? demanda Kernorkian.

— Froissy va nous dresser la liste de ceux qui sont toujours de ce monde. Il faudra également rechercher les viols non élucidés, disons, depuis 1950 jusqu'à 2000, en estimant que ces viols ont cessé vers leurs soixante-cinq ans. Encore qu'on ne sait pas : Claveyrolle, à quatre-vingt-quatre ans, prenait encore un médicament contre l'impuissance.

— Acharné, le gars, dit Noël.

La réunion parvenait à un moment charnière, celui de la décision, et Adamsberg fit signe à Estalère de lancer une seconde tournée de cafés. Comme on prend son souffle avant la dernière ligne droite. Chacun comprit la nature de cette pause et personne ne rompit ce délai, court, dédié à la réflexion. Pour une fois, on eût préféré que les prouesses d'Estalère en matière de préparation des cafés fussent plus lentes. D'autant qu'on pressentait que l'heure était venue pour le commissaire de régler ses comptes avec Danglard. Adamsberg regardait sa troupe avec une certaine nonchalance, sans s'attarder sur chacun d'eux, sans scruter les visages en quête d'un signe positif ou négatif.

Le commissaire attendit que le cérémonial des cafés fût largement entamé pour prendre la parole, tout en rassemblant les documents qui avaient été présentés, replaçant avec soin les photos des onze victimes dans le vieux classeur bleu du Dr Cauvert.

— Ce dossier est à la disposition de ceux qui s'y intéresseraient, dit-il en en bouclant la sangle.

On avait escompté une déclaration, une offensive, une posture. Mais, et l'équipe le savait, ce n'était pas dans les manières d'Adamsberg.

— Levez le bras, ceux qui désirent en recevoir un double sur leur machine.

Et ce fut tout. Pas de résumé, pas de fioritures. Après un moment de flottement, ce fut Noël qui leva la main le premier. Comme Adamsberg l'avait souvent constaté, Noël manquait de beaucoup de qualités essentielles, mais pas de courage. À sa suite, les bras se levèrent, tous, sauf celui de Danglard. On attendit encore quelques instants un frémissement, une ébauche de mouvement, mais le commandant, emplâtré, ne bougea pas.

— Merci, dit Adamsberg. Vous pouvez tous aller déjeuner.

La salle se vidait et les visages reflétaient les mêmes pensées paradoxales : le regret d'avoir manqué le spectacle d'une passe d'arme entre Danglard et le commissaire, mais aussi la satisfaction ambiguë de se confronter à une affaire insoluble. Pensées accompagnées, au long de regards rapides, de saluts discrets envers la ténacité d'Adamsberg. Ils le jugeaient souvent rêveur et lunaire obstiné, en bien ou en mal, et attribuaient à cette anomalie l'improbable succès de ce jour. Sans comprendre qu'il voyait dans les brumes, tout simplement.

Danglard quittait la salle à son tour, ayant un peu perdu de sa droite posture.

— Tous, sauf vous, commandant, lui dit Adamsberg.

Tout en tapant un message rapide à Veyrenc : *Reste à la porte et écoute.*

XXII

— C'est un ordre ? demanda Danglard en revenant sur ses pas.

— Si cela vous plaît de l'appeler ainsi, allez-y.

— Et si je crevais de faim, moi aussi ?

— Ne rendez pas les choses plus difficiles. Si vous aviez réellement faim, je vous laisserais aller. Je ne tiens pas à ce que vous couriez chez Brézillon me dénoncer, en plus, comme tortionnaire.

— Très bien, en ce cas, dit Danglard en reprenant le chemin de la sortie.

— J'ai dit que je souhaitais que vous restiez, Danglard.

— Donc c'est un ordre.

— Car je sais que vous ne crevez jamais de faim. Vous ne partez pas pour déjeuner, vous fuyez. Et je vous connais assez pour prédire qu'une telle fuite va vous ruiner l'âme. Asseyez-vous.

Danglard ne s'installa pas face à Adamsberg mais se déplaça d'un pas plutôt rapide – que la colère rendait rapide – jusqu'à sa propre chaise, soit à quelque cinq mètres du commissaire.

— Que craignez-vous, commandant ? Que je vous passe un fer à travers le corps ? Je vous l'ai déjà demandé, Danglard : m'avez-vous oublié, après tant d'années ? Mais si vous avez opté pour la prudence, faites comme cela vous chante.

— *La véritable prudence est de voir dès le commencement d'une affaire quelle doit en être la fin.*

— Une nouvelle citation. On se sort de tout, avec une citation. Surtout quand on en connaît mille.

— On comprend tout.

— Et vous prédisez donc une fin lamentable à cette enquête.

— Je serais attristé de vous voir bouffer le sable.

— Eh bien expliquez-vous, Danglard. Expliquez que vous ayez fendu d'entrée la Brigade en deux. Expliquez que vous ayez voulu dénoncer mes errances au divisionnaire. Expliquez pourquoi je boufferais le sable.

— Quant à ma démarche envers Brézillon, c'est très simple : *Nous n'avons point à louer ni à honorer nos chefs, nous avons à leur obéir à l'heure de l'obéissance, et à les contrôler à l'heure du contrôle.*

— Vous commencez à m'emmerder avec vos citations. Vous campez donc sur vos positions, même après les faits que vous venez d'entendre ? Et qui ont convaincu la Brigade entière ? Là encore, expliquez-vous, nom de Dieu, Danglard.

— C'est impossible.

— Et pourquoi ?

— Car *ce qu'on peut expliquer de plusieurs manières ne mérite d'être expliqué d'aucune.*

— Quand vous serez redevenu vous-même, dit Adamsberg en se levant, faites signe.

Le commissaire quitta la salle du concile en claquant la porte, attrapa Veyrenc par le bras.

— On va dans la cour, dit-il. J'y ai pris mes habitudes et j'ai les merles à nourrir. Il y a une femelle qui couve dans le lierre.

— Les merles, ça se démerde tout seul.

— Les oiseaux meurent par millions, Louis. Tu vois encore des moineaux à Paris ? C'est l'hécatombe. Et puis le mâle est fluet.

Adamsberg fit un détour par le bureau de Froissy.

— C'est elle qui a la bouffe, expliqua-t-il.

— J'ai avancé les recherches sur les onze victimes, dit Froissy à leur entrée, sans tourner la tête. Six sont déjà décédées : Gilbert Preuilly, André Rivelin, Henri Trémont, Jacques Sentier, Ernest Vidot, celui au bras mangé, et Maurice Berléant, le garçon devenu impuissant. Restent cinq : Richard Jarras et René Quissol, atteints d'une morsure blanche, sont à Alès. Les trois autres, Louis sans jambe, Marcel sans joue et Jean sans pied sont tous dans le Vaucluse. Louis et Marcel à Fontaine-de-Vaucluse, Jean à Courthézon, à cinquante kilomètres de là.

— Les trois grands blessés sont donc encore ensemble. Et pas si loin de Nîmes. Quel âge ont-ils aujourd'hui ?

— Soixante-seize ans pour Louis Arjalas, soixante-dix-sept pour Jean Escande et quatre-vingt-un pour Marcel Corbière.

— Envoyez-moi leur adresse, leur situation de famille, leur état de santé, enfin tout ce que vous pouvez.

— C'est déjà fait.

— Vous avez leur profession ?

— Dans le désordre : un commercial, un antiquaire, un gérant de restaurant, un attaché d'administration hospitalière, un instituteur.

— Et les blaps ? Il en reste combien à tuer ?

— Dit comme cela, soupira Froissy. Quatre d'entre eux sont déjà décédés : César Missoli, Denis Haubert, Colin Duval et Victor Ménard. Et trois viennent de succomber à la recluse.

— Restent trois.

— Alain Lambertin, Olivier Vessac et Roger Torrailles.

— Où vivent-ils ?

— Lambertin à Senonches, près de Chartres, Vessac à Saint-Porchaire, près de Rochefort, Torrailles à Lédignan, près de Nîmes. Tout est parti sur votre portable.

— Merci, Froissy, on vous attend dans le couloir, pour le cake. Si on pouvait en avoir un morceau aussi, on n'a rien mangé.

— Qu'est-ce qu'on fout dans le couloir ? demanda Veyrenc.

— Tu sais bien que Froissy n'ouvre son armoire à nourriture devant personne. Elle la croit inviolée.

— Je peux vous accompagner ? dit Froissy en sortant de son bureau après de longues minutes, portant un lourd panier recouvert d'un linge. J'aime bien nourrir les merles.

Tout en suivant le lieutenant, incarnation de la sécurité alimentaire de la Brigade, Adamsberg répétait : « Le petit Louis, le petit Jeannot, le petit Marcel. »

— Cela fait mal, hein ? dit Veyrenc.

— Plutôt, oui. Ils vivent à deux pas les uns des autres. Cela évoque une autre « bande », non ?

— Pas forcément. Ils sont restés soudés par les mêmes souvenirs, c'est compréhensible.

— Mais il y a dix ans, Louis a menacé Claveyrolle. « Je ne suis pas seul », a-t-il dit.

— Je n'oublie pas.

— Ce n'est pas simple, de déposer des recluses dans le pantalon d'un homme. D'entrer chez lui pendant qu'il dort. Les personnes âgées ont le sommeil léger.

— On peut toujours coller un narcotique dans leur bouteille.

— Et l'on retombe sur le même étoc, dit Adamsberg en pénétrant dans la cour. Il faudrait glisser soixante foutues recluses dans leur foutu pantalon. Et les amener à mordre au même endroit. Tu sais faire cela, toi ?

Adamsberg s'assit sur la marche en pierre face à la cour, étira ses bras, décontracta sa nuque et son corps dans l'air tiède. Froissy émietta les parts de cake au pied du nid.

— Qu'est-ce qu'elle transporte dans son panier ? dit Veyrenc.

— Sûrement notre déjeuner, Louis. Sur assiettes en dur avec couverts en métal. Un repas froid de qualité, mousse de sanglier, quiche aux poireaux, guacamole, pain frais, que sais-je encore ? Tu ne croyais pas sérieusement qu'elle allait nous filer du cake ?

Les deux hommes avalèrent leur repas – parfait – en quelques minutes et Froissy, satisfaite, débarrassa et leur laissa deux bouteilles d'eau.

— Danglard déraille, dit Veyrenc.

— Ce n'est pas le même homme. Il y a eu métamorphose, élément nouveau. Il semble qu'on l'ait perdu.

— Je crois que c'est personnel.

— Contre moi ? C'est une découverte, Louis.

— Contre toi qui enquêtes, ce n'est pas la même chose. Il ne veut pas de cette enquête. Aujourd'hui, il aurait dû accepter ses torts, il sait faire cela. Il n'avait qu'à lever le bras.

— Tu supposes anguille sous roche ?

— Plutôt murène sous rocher. C'est violent. Pour qu'il en soit là, ce n'est pas une question de théorie, de jugement clairvoyant. C'est personnel.

— Tu l'as déjà dit.

— Très personnel, intime. Je t'ai parlé d'une grande peur.

— Pour quelqu'un ?

— Pas impossible.

Adamsberg se pencha en arrière, s'accouda à la marche supérieure, ferma à moitié les yeux, cherchant à capter le soleil sur son visage. Puis il se redressa et appela Froissy.

— Il y a autre chose, lieutenant. Fouillez sur Danglard, sans vous offusquer. Il a deux sœurs, dont une de quelque quinze ans de plus que lui. C'est elle qui m'intéresse.

— Fouiller sur la famille du commandant ?

— Mais oui, Froissy.

Adamsberg raccrocha et reprit sa position, visage vers la lumière.

— À quoi penses-tu ? dit Veyrenc.

— Mais à ce que tu as dit, Louis : « Très personnel, intime. » Quoi de plus personnel que la famille ? Une « grande peur », supposes-tu. Pour qui ? Pour les siens. Ne va pas énerver une murène avec sa famille.

— Ni un buffle.

— Ni aucune bestiole. Regarde, le merle ne nous craint plus. Il s'approche en sautillant.

— C'est vrai qu'il est fluet.

Froissy rappela six minutes plus tard. Adamsberg mit l'appareil sur haut-parleur.

— Je ne comprends pas comment vous saviez, commissaire. Il a une sœur, Ariane, qui a quatorze ans de plus que lui. Elle a épousé un homme.

— J'entends bien, lieutenant. Quel homme ?

Il y eut un blanc.

— Froissy ? Vous êtes toujours là ?

— Oui. Elle a épousé Richard Jarras.

— Le nôtre ?

— Oui, commissaire, dit Froissy tristement.

— Quel âge a-t-il ?

— Soixante-quinze ans.

— Sa profession ?

— Attaché d'administration hospitalière.

— C'est-à-dire ?

— En simple, il était acheteur. Cela consiste à suivre la chaîne des besoins et des commandes de médicaments pour les hôpitaux.

— Où cela ?

— D'abord à l'hôpital Cochin à Paris, puis à Marseille.

— Où à Marseille ?

— Il a été employé vingt-huit ans à Sainte-Rosalie.

— Et comment pouvez-vous me répondre aussi vite ?

— J'ai anticipé vos questions. Et j'anticipe la suivante : oui, c'est bien à Sainte-Rosalie qu'est situé le centre anti-poison. Attention, commissaire, l'hôpital ne fabrique pas les anti-venins, si c'est à cela que vous pensez. Il les achète aux laboratoires pharmaceutiques.

— Qui, eux, possèdent des venins.

— Mais qu'ils ne vendent pas aux particuliers. Je demande quelques minutes et je vous réponds.

— À quoi ?

— À la question suivante que vous allez me poser.

— J'ai une question suivante ? Très bien, Froissy, j'attends.

Adamsberg se leva, allant et venant devant les marches, plus ou moins suivi par le merle.

— Merde, dit Veyrenc.

— Tu avais raison.

— Pourquoi as-tu songé à la sœur ?

— Elle a habité un temps chez lui, quand sa femme est partie. Elle le hissait hors du trou, elle s'occupait des enfants. Elle le soutenait déjà dans l'enfance. Les parents trimaient tellement que l'aînée maternait les deux autres. Je savais cela.

— Une sœur-mère en quelque sorte.

— Oui. Va emmerder la sœur-mère d'une murène, et tu te feras mordre.

— C'est une loi primaire, dirait Voisenet.

Adamsberg tourna un instant dans la cour puis revint vers les marches.

— Que Richard Jarras ait été mordu enfant par une recluse, avec dix autres garçons de l'orphelinat, ce n'était sûrement pas un secret dans la famille. Danglard connaissait l'histoire de la Bande des recluses, et par cœur peut-être. Il est bien possible que Jarras ait ressassé ses souvenirs, rabâchant les noms des victimes et des persécuteurs.

— Des noms que personne n'aurait mémorisés. Mais Danglard, si.

— Et les décès d'un Claveyrolle, d'un Barral, l'ont forcément alerté. Pire : son beau-frère avait été acheteur à Sainte-Rosalie. Danglard s'est affolé, il a bâti des remparts.

— Et bloqué l'enquête.

— Et mordu.

— Froissy te l'a dit : à Sainte-Rosalie, ils achètent des anti-venins, pas des venins.

— Alors il a fallu que Jarras traite en sous-main avec les fabricants. Oui, Froissy ?

— Sainte-Rosalie commande ses anti-venins de recluse au géant Meredial-Lab, à la filiale de Pennsylvanie. Parce que les États-Unis sont la terre des recluses. Mais pas seulement les États-Unis. Le Mexique aussi.

— Meredial y a une antenne ?

— À Mexico. Si vendeur il y a, il pourrait s'agir d'un cadre comme d'un banal commis d'entreprise, peu visible, d'un transporteur, d'un magasinier, d'un manutentionnaire, enfin d'un gars, d'une femme, qui ne cracherait pas sur des ventes clandestines à bon prix. Ces boîtes emploient des milliers de gens.

— Et qui irait suspecter une vente de venin de recluses ?

— En effet. Pour en faire quoi ?

— Et Richard Jarras, dit Veyrenc, qui avait accès à l'organigramme de Meredial, a pu établir un contact et, année après année, se procurer le nombre de doses nécessaires.

— Il n'a pas pu bosser seul, Louis. Les autres sont derrière lui, ils se répartissent le boulot.

— Et comment Jarras a-t-il trouvé un fournisseur fiable ?

— Ça ne peut se faire que sur place.

— Froissy ? rappela Adamsberg, tâchez de savoir si Jarras s'est rendu aux États-Unis ou au Mexique. Cherchez sur les vingt dernières années.

— J'y vais, je reviens. Attendez-moi.

Adamsberg reprit son tour de piste dans la cour.

— Non, dit Froissy après un moment. Ni aux États-Unis, ni en aucun pays d'Amérique centrale ou latine. J'ai balayé les passeports des quatre autres, Quissol, Arjalas, Corbière et Escande. Même chose.

— Alors ? dit Veyrenc. Il va à la pêche ? Il téléphone au hasard à des gars là-bas pour leur proposer un trafic de venin ? C'est mauvais, cela.

— Très mauvais, mais c'est notre meilleure piste, Louis. Injecter plusieurs doses de venin est sacrément plus convaincant que fourrer soixante araignées dans un pantalon à la nuit.

— Et comment Jarras – ou un des autres – pique-t-il sa victime ? Ils ont été mordus à la jambe. Donc ? Il sort une seringue et prie l'homme de lui présenter sa cheville ?

— Aucune idée, dit Adamsberg en haussant les épaules. Un faux médecin peut-être ? Une vaccination obligatoire ?

— Et contre quoi ?

Adamsberg leva les yeux, regardant filer quelques lents nuages, puis revint au merle, en pleine activité.

— La grippe aviaire ? Elle réapparaît dans le Sud.

— Et les gars vont accepter ?

— Mais pourquoi pas ? On va lancer Retancourt. Surveillance de Richard Jarras et de René Quissol, à Alès. Il est quelle heure ?

— Deux heures et demie. Tu devrais réparer tes montres.

XXIII

Le lieutenant Retancourt finissait un sandwich au Cornet à Dés, le bistrot du coin de la rue, bon marché mais rebutant par l'humeur revêche du maigre petit patron, et qui concurrençait dans une âpre lutte sociale la bourgeoise Brasserie des Philosophes qui lui faisait face. Adamsberg s'assit à sa table.

— Le train de 16 h 07 pour Alès. Ça vous laisse le temps de passer chez vous prendre un bagage ?

— À peine. Quelle est l'urgence à Alès ?

— Deux hommes à surveiller. Vous partiriez avec Kernorkian et quatre brigadiers.

— Planque jour et nuit, donc. Voitures de location.

— C'est cela.

— Sur qui ?

Adamsberg attendit d'être hors du café pour poursuivre.

— René Quissol, mais surtout Richard Jarras. Deux des enfants mordus.

— Amputés ?

— Non, morsures blanches.

— Et pourquoi Jarras ?

— Il a travaillé vingt-huit ans comme acheteur à l'hôpital Sainte-Rosalie de Marseille, là même où est basé le Centre antipoison.

— Et ?

— Et ce centre commande les anti-venins de recluse à l'entreprise Meredial-Lab, qui centralise les venins, en Pennsylvanie ou au Mexique. Jarras avait accès au circuit.

— Vu. Et l'on sait si Jarras s'est rendu là-bas ?

— Jamais.

— Et comment trouve-t-il un complice par-delà l'Atlantique ?

— On n'a rien d'autre.

— Vu.

Quand Retancourt était en mission, et elle l'était déjà, elle économisait ses paroles et concentrait son énergie sur l'objectif. Pas le temps de bavarder.

— Secret sur l'opération, lieutenant.

— Pourquoi ?

— Richard Jarras est marié.

— Vu.

— À une femme qui s'appelle Ariane Danglard.

— Pardon ?

— Oui. C'est sa sœur.

Retancourt s'arrêta sur le trottoir, devant la haute porte voûtée de la Brigade, sourcils blonds abaissés.

— Alors on comprend, dit-elle. Ce n'est pas que Danglard est devenu con, c'est qu'il a peur.

— Et le résultat est le même, lieutenant. Il ne doit rien savoir.

— Ou il fait décamper notre Richard. Dites à Kernorkian de ne pas perdre de temps, je prendrai des fringues pour lui.

— Les autres vous rejoindront en fin de matinée. Attention à vous, Retancourt. Une seule injection et vous y passez en deux jours.

— Vu.

Adamsberg fit le tour de la Brigade et distribua les consignes. À Kernorkian et à quatre agents, départ vers Alès, planque sur Richard Jarras et René Quissol. À Voisenet, départ pour Fontaine-de-Vaucluse et Courthézon avec Lamarre, Justin et six agents, surveillance de Louis Arjalas, dit Petit Louis sans jambe, de Marcel Corbière sans joue et de Jean Escande, dit Jeannot sans pied. À Froissy, remonter les signaux des GPS et portables de Richard Jarras et René Quissol depuis le 10 mai, date de la première morsure mortelle. À Mercadet, même opération sur Arjalas, Corbière et Escande. Suivi de leurs déplacements en direction des trois derniers blaps vivants, Alain Lambertin à Senonches, Olivier Vessac à Saint-Porchaire, Roger Torrailles à Lédignan.

Adamsberg s'installa dans le bureau de Froissy pour observer les mouvements de Richard Jarras et René Quissol.

— Pour ce que j'en vois, vos deux types ne bougent pas beaucoup d'Alès, dit-elle. Ils n'ont pas de GPS. Mais d'après leurs cellulaires – un seul par foyer –, je ne repère que de petits trajets dans la ville. Et il s'agit peut-être de leurs femmes. On ne suspecte pas leurs femmes, si ?

— Non. Ce n'est pas une vengeance qui se transmet.

— Ils se servent plutôt de leur téléphone fixe, à l'ancienne. Ah si, le 27 mai, Richard Jarras a appelé son épouse depuis Salindres, à quelques kilomètres d'Alès, à

18 h 05. Ce n'est pas dans la direction de Nîmes. Revenu sur Alès à 21 heures. Rien qui pointe en direction des vieux de la Bande des recluses.

— À moins qu'ils n'aient laissé leur portable chez eux, ce qui serait judicieux.

— Indispensable, même.

Mercadet n'obtenait pas de meilleurs résultats à Fontaine-de-Vaucluse, où Louis Arjalas et Marcel Corbière habitaient à trois rues l'un de l'autre. Comme pour les deux autres « mordus » d'Alès, on ne notait que des courses locales, à l'exception d'un aller-retour à Carpentras. Depuis Courthézon, Jean Escande ne bougeait guère plus, sauf vers Orange.

— Pour des achats, suggéra Mercadet, des visites chez le médecin, des démarches administratives. Pas un qui ait fait mouvement vers Nîmes. À moins qu'ils n'abandonnent leur portable derrière eux.

— Ce qui serait judicieux, répéta Adamsberg.

— Ce qu'on fait tous.

— Vous laissez votre portable derrière vous ?

— Pour ne pas avoir sans cesse les flics sur le dos, bien sûr, commissaire.

— Nos cinq mordus aussi, il faut croire.

— Si ce sont eux.

— Côté viols, vous avez quoi ?

— Trop, soupira le lieutenant, et encore, on ne parle que des agressions déclarées. Pour les années cinquante, où les femmes n'osaient vraiment pas porter plainte, j'en compte tout de même deux.

— À Nîmes même ?

— Oui.

— Quand ?

— Un en 1952. À cette date, Claveyrolle et Barral ont vingt ans, Landrieu dix-neuf et Missoli dix-sept. Lambertin et Vessac ont dix-huit et seize ans. Les trois premiers, ce sont bien ceux qu'on a chopés dans le dortoir des filles ?

— Oui.

— Je cite ces noms car les autres gars de la bande me paraissent un peu jeunes pour être dans le coup : Haubert, Duval et Torrailles, quinze ans. Ménard, quatorze ans.

— Encore que ça s'est vu. Dynamique de groupe.

— La jeune fille a décrit des adolescents, pas des gosses. Le point commun avec le viol de 1988, c'est le traquenard de la camionnette. Et le fait que les gars étaient trois. Elle avait dix-sept ans C'était sa première sortie, elle avait un peu bu, elle rentrait à pied. Elle avait quoi ? Cinquante mètres à faire. Elle s'appelle Jocelyne Briac.

— Très possible que Landrieu ait emprunté la camionnette d'un copain.

— Jocelyne n'a osé en parler que quinze jours plus tard, il ne restait plus d'indice exploitable. Un seul petit détail : un de ces petits salauds a gaffé. Il a dit à son camarade : « À toi, César, la route est libre ! » Parce que vous voyez, commissaire, elle aussi était vierge. Sûr que des César, il y en avait pas mal dans la région. Mais tout de même, cela pourrait indiquer César Missoli.

— Claveyrolle est le chef, il passe d'abord, César Missoli le suit.

— Et le troisième ?

— Elle a dit qu'il avait plaqué son corps sur elle, et puis bougé. Mais qu'en réalité il n'a rien fait, et que les deux autres se sont foutus de lui.

— Haubert ou Duval, peut-être. Ils n'avaient que quinze ans. Ce sont eux, Mercadet, et on ne le prouvera pas. Et l'autre viol ?

— L'année suivante, à Nîmes aussi, Véronique Martinez, un mois avant que Missoli ne quitte l'orphelinat. Cette fois, ils ne sont que deux, et à pied. Ils ont tiré la fille dans un immeuble. Là non plus, pas moyen de remonter la piste. Et je vais vous dire, commissaire, en 1953, les flics s'en foutaient un peu, des viols. J'ai noté tout de même une petite chose. Les deux gars sentaient la graisse à vélo.

— Une de leurs bécanes peut-être, qui aurait déraillé en route.

— C'est tout ce qu'on a. Ces deux jeunes filles, Jocelyne et Véronique, contrairement à Justine Pauvel, ne connaissaient pas leurs agresseurs. Alors pourquoi les tuer plus de soixante ans après ?

— Supposez qu'un des gars soit suspecté d'un autre viol bien des années plus tard. Et que l'une ou l'autre le reconnaisse sur photo dans la presse.

— Possible.

— Mais on n'en sait rien. Avec tout le boulot que j'ai donné à Froissy, elle n'a pas eu le temps de parcourir les casiers judiciaires des blaps.

— Pourquoi vous n'avez pas partagé ?

— C'était avant la réunion de ce matin, lieutenant. Je ne savais pas si vous alliez suivre.

— La conspiration des recluses, dit Mercadet en souriant. Vous et Veyrenc, puis Voisenet. Je sais où elle s'achevait le soir. À La Garbure.

— Vous me surveilliez, lieutenant ?

— L'ambiance ne me plaisait pas ici. Je vous enviais.

— Quoi ? La garbure ou la conspiration ?
— Les deux.
— Vous aimez la garbure ?
— Jamais goûté.
— C'est une soupe de pauvres. Faut aimer le chou, c'est sûr.
Mercadet eut une légère grimace.
— Cela dit, reprit-il, même si j'ai trouvé brillant l'exposé de Voisenet sur les fluides venimeux, je ne peux pas croire qu'une femme violée songe à tuer avec du venin de recluse. Avec du venin de vipère, pourquoi pas ? L'image du serpent qui se dresse, la pénétration du fluide ennemi, on pourrait le comprendre, à la rigueur. Et avec un serpent, l'extraction est réalisable. Mais utiliser du venin de recluse, non, je ne vois vraiment pas.
— Moi non plus, reconnut Adamsberg. Mais contrôlez tout de même si, parmi les femmes que vous repérerez, vous trouvez une biologiste, ou une zoologue. Ou une femme employée à l'hôpital Sainte-Rosalie de Marseille. Un des mordus de l'orphelinat y a travaillé vingt-huit ans comme acheteur. C'est notre seule piste valable, et elle n'est pas fameuse.
— Lequel est-ce ?
— Richard Jarras. Pas un mot là-dessus, lieutenant. Retancourt est dessus. Voisenet est sur les trois autres, dans le Vaucluse. Surveillance en trois-huit jusqu'à ce que l'un d'eux bouge.
— Et si l'assassin n'attaque que dans un mois ?
— Eh bien ils resteront un mois.
— C'est usant, des planques pareilles, dit Mercadet en soufflant. Je ne parle pas pour Retancourt bien sûr.

Mercadet était de toute façon exempté de toute mission de surveillance. Placer en planque un gars qui s'endormait toutes les trois heures était impraticable.

— En quoi la piste Jarras est-elle valable, mais pas fameuse ?

— Le CAP de Marseille commande ses anti-venins à Meredial-Lab, à l'antenne de Pennsylvanie. Ou à celle de Mexico.

— Et c'est là que sont les venins.

— Mais Jarras n'a jamais mis les pieds en Amérique.

— Ce n'est pas bon.

— C'est même fluet, dirait Froissy.

— À propos de quoi ?

— Du merle mâle.

— Il a pu utiliser un faux passeport. Pas le merle. Jarras.

— Et comment le savoir ?

— Aux archives de stockage des faux, tout d'abord.

— Il y en a des milliers, lieutenant.

— Et par sa photo ? proposa Mercadet, que les amples recherches n'impressionnaient pas.

Comme Froissy, explorer les millions de chemins du net était une promenade qu'il effectuait à grande vitesse, employant tous les biais, chemins de traverse et raccourcis, tel un fugitif excellant à couper à travers champs sous les barbelés. Il aimait cela. Et plus la tâche était colossale, plus il l'aimait.

Adamsberg ferma la porte de son bureau pour passer ses appels. Avec le départ de cinq lieutenants et dix brigadiers, les locaux étaient silencieux. Même si Danglard restait confiné dans son antre, Adamsberg ne souhaitait pas qu'il l'entende chercher du venin aux quatre coins de Paris.

Après presque une heure d'efforts, le temps que les services administratifs finissent, de poste en poste, par lui passer une personne compétente, Adamsberg rejoignit Mercadet.

— Rien, dit-il en jetant son portable sur la table, comme si l'appareil n'avait pas été à la hauteur de l'enjeu.

— Vous allez péter la vitre du téléphone, à le traiter comme cela.

— Elle est déjà fêlée, c'est celui du chat. J'ai voulu vérifier ailleurs : pas de venin de recluse au Muséum, rien non plus à l'Institut Pasteur ni à Grenoble.

— De mon côté, j'ai opéré une petite enquête sur le territoire, sur les vingt dernières années : on n'a jamais eu vent d'un laboratoire clandestin de venin d'araignée, ni même de serpent. Qui s'amuserait à recueillir du venin de recluse ? ajouta-t-il en repoussant son clavier.

Adamsberg s'assit un peu pesamment, passant et repassant ses doigts entre ses cheveux. Un geste habituel chez lui, soit pour se coiffer, ce qui n'aboutissait à rien, soit pour chasser quelque fatigue. Et il y avait de quoi, pensa Mercadet : trois vieux assassinés, cinq suspects parmi les petits gars de l'orphelinat, outre les femmes violées dont la majorité resterait inconnue. Sans compter que le moyen employé pour tuer leur échappait toujours.

— Retancourt et Voisenet sont sur eux, répéta Adamsberg. Un jour ou l'autre, l'un d'eux fera mouvement. Ce soir, demain.

— Commissaire, si vous alliez vous reposer ? Sur les coussins ? Merde, dit-il en se levant, l'évocation des coussins ayant entraîné celle de la salle à boissons et, partant, celle de la gamelle à remplir.

— Une idée, lieutenant ?

— Le chat, c'est l'heure de sa bouffe. Imaginez Retancourt à son retour, découvrant que La Boule a maigri.

— Il a de la marge.

— Même, dit-il en allant chercher une boîte de pâtée dans le tiroir du lieutenant. Je ne peux pas manquer l'heure de sa gamelle du soir. J'ai déjà du retard.

Quelle que soit sa faim, et quel que soit son mécontentement de ne pas voir arriver son dîner à l'heure, pour rien au monde le chat ne se serait déplacé – sept mètres à parcourir – pour réclamer sa pitance. Il attendait posément qu'on vienne le chercher sur la photocopieuse.

Mercadet passa avec La Boule pliée en deux sur son bras et grimpa à l'étage jusqu'à la petite pièce réservée au distributeur à boissons, à la gamelle, et aux trois coussins bleus.

Froissy venait vers eux, un peu de rose aux joues, suivie de Veyrenc, quand Mercadet redescendit avec le chat nourri et ronronnant, qu'il reposa avec douceur sur la machine. Cette photocopieuse n'était plus en fonction, sauf urgence, puisqu'elle servait de lit pour l'animal. Mais on la laissait branchée afin que son capot restât tiède. L'espace d'un instant, Adamsberg trouva la vie de la Brigade très compliquée. Est-ce qu'il avait trop laissé filer les brides ? Laissé traîner les revues d'ichtyologie sur le bureau de Voisenet, laissé le chat organiser son territoire, laissé un lit pour Mercadet, laissé Froissy emplir une armoire de réserves alimentaires, disponibles en cas de guerre, laissé Mordent à sa passion des contes de fées, laissé Danglard à une érudition envahissante, laissé Noël couver son sexisme et son homophobie ? Laissé son propre esprit ouvert à tous les vents ?

Il repassa ses doigts dans ses cheveux, regardant Froissy s'approcher un dossier à la main, suivie de Veyrenc.

— Que se passe-t-il ? demanda-t-il d'une voix qu'il trouva lui-même un peu éteinte.

— Veyrenc se posait des questions.

— Tant mieux, Louis. Parce que moi, ce soir, le vent siffle entre mes oreilles. Il m'humidifie.

— Si bien que j'ai fouillé sur les agresseurs de l'orphelinat déjà décédés, poursuivit Froissy. Vous vous souvenez ? Ceux qui sont morts bien avant l'attaque des recluses ?

— Oui, dit Adamsberg. Les quatre autres.

— César Missoli, Denis Haubert, Colin Duval et Victor Ménard, énuméra Froissy. Veyrenc pensait qu'il n'était pas logique, si les hommes mordus avaient décidé de se venger de la bande, qu'ils aient laissé ces quatre-là mourir de leur belle mort.

— Une vengeance est complète ou n'est pas, dit Veyrenc.

— Et donc ? demanda Adamsberg en redressant la tête.

— César Missoli est mort d'une balle dans le dos, devant sa villa de Beaulieu-sur-Mer, Alpes-Maritimes. L'enquête n'a pas abouti. Comme il roulait dans les milieux mafieux d'Antibes, on a conclu à un règlement de comptes.

— Quand, lieutenant ?

— En 1996. Denis Haubert, deux ans plus tard, est tombé de son toit en réparation. Le cran de sûreté de l'échelle télescopique était mal fixé. Classé accident domestique.

Adamsberg commença à tourner en rond dans la salle, mains dans le dos. Il alluma une des dernières cigarettes de Zerk, à moitié vidée de son tabac. Il allait falloir qu'il en rachète bientôt à son fils afin de pouvoir lui en voler quelques autres. Il n'aimait pas cette marque, trop âpre, mais enfin, à cigarette volée on ne regarde pas les dents. Veyrenc souriait, appuyé à la table de Kernorkian, bras croisés.

— Puis passent trois ans, enchaîna Froissy. C'est le tour de Victor Ménard, en 2001. Un garagiste épris de grosses cylindrées. À l'époque, il avait une 630 cm^3, qu'il conduisait à vitesse maximale. Très lourd sur une route glissante.

— Glissante ?

— Couverte d'huile de moteur, précisa Froissy, sur une portion de quatre mètres de longueur en plein virage. Dérapage à 137 km/h. Fracture des cervicales, enfoncement du frein dans le foie, il décède. Accident bien sûr. Enfin, Colin Duval, un an plus tard, on arrive en 2002. Un cueilleur de champignons du dimanche, dans les Alpes-Maritimes aussi, il connaît les bons coins. C'est un expert qui coupe les pieds en fines lamelles et les met à sécher, suspendus sur une ficelle au-dehors, par temps sec. Il vit seul et cuisine seul. Par une semaine de novembre, bien après ses cueillettes, il ressent de violents malaises digestifs. Il ne s'alarme pas, il connaît ses bolets. Deux jours après, c'est la rémission, rassurante. Puis la rechute, et en trois jours, malgré une hospitalisation, il décède d'une atteinte hépatique et rénale. Les analyses ont révélé la présence des toxines alpha et bêta-amanitines, les tueuses de l'amanite phalloïde. Elles peuvent avoir le pied clair et le chapeau assez plat, comme certains bolets, il est assez simple de les mêler au panier de la cueillette. Mais beaucoup plus sûr d'ajouter des lamelles sur la ficelle de séchage. Il faut savoir, dit Froissy en consultant ses notes, qu'une moitié de chapeau d'amanite phalloïde est mortel.

— Trois morts qui pourraient être des accidents, et un règlement de comptes, résuma Veyrenc, si nous ne savions pas, nous, que ces gars avaient appartenu à la Bande des recluses. Donc ce ne sont pas des coïncidences, ce ne sont pas des accidents. Ce sont des meurtres.

— Tir à la cible et parfait, dit Adamsberg. Ce qui signifie que les victimes des recluses n'ont pas attendu soixante-dix ans pour tuer, comme on le croyait.

— Mais soudain, dit Mercadet, ils s'interrompent. Les meurtres cessent. Alors qu'ils ont déjà éliminé quatre blaps, que tout marche à merveille, que nul ne les soupçonne. Et qui le pourrait ? Mais non, ils s'arrêtent pendant quatorze années, avant de recommencer, le mois dernier, avec un système infiniment compliqué et qu'on ne connaît pas.

— Très longue période de latence, dit Adamsberg.

— Et pourquoi ? dit Froissy.

— Eh bien, lieutenant, pour mettre au point ce nouveau système infiniment compliqué et qu'on ne connaît pas.

Froissy secoua la tête.

— Si, Froissy, reprit Adamsberg. Quelque chose ne les a pas satisfaits, au bout du compte, dans leur manière de les tuer. Rappelez-vous : œil pour œil, dent pour dent. C'est essentiel, cette similitude, cette équation vieille comme le monde.

— Et l'équation boitait, dit Veyrenc. Certes les quatre premiers gars sont morts, mais quand l'ennemi vous arrache un œil, la vengeance est médiocre si vous lui tranchez les oreilles. Venin de recluse contre venin de recluse.

— Et pendant ces quatorze ans, ils cherchent un moyen d'en accumuler assez pour leur en injecter ?

— Ça doit être cela, dit Adamsberg. Ou bien rien ne tient debout.

— Et pour ce faire, Jarras mise au hasard sur un contact à Mexico ? demanda Froissy.

— N'enfoncez pas le couteau dans la plaie, lieutenant. D'une manière ou d'une autre, ils ont réussi.

— Et en quatorze ans, dit Veyrenc, ils ont amassé assez de venin pour tuer déjà trois hommes. Et sans doute encore pour en tuer trois autres.

— Le venin, ça se conserve ?

— J'ai regardé cela, dit Veyrenc. Parfois quatre-vingts ans pour certaines espèces, mais le mieux est la congélation. Je parle des serpents. Je ne sais pas pour la recluse.

— On ne sait jamais rien sur les recluses, dit Mercadet dans un soupir. C'est normal, elles n'emmerdent personne.

Le commissaire étendit les bras, satisfait. Le souffle du vent avait cessé de balayer ses pensées.

— Garbure ? proposa Veyrenc.

L'intérêt que Veyrenc portait à cette Estelle était plus net qu'il ne l'avait pensé, estima Adamsberg. Avec cette invitation lancée de manière légère, il était clair que le lieutenant ne souhaitait pas se présenter seul mais estomper sa présence. La veille, Estelle avait montré quelque réserve.

— J’en suis, dit-il, quand il aurait préféré, après ces jours difficiles, étendre ses jambes devant sa cheminée, et tenter de penser. Au moins de relire son carnet.

— De même, approuva Mercadet, qui éteignit sa machine.

— C’est bon, la garbure ? demanda Froissy, soucieuse de l’agrément des aliments.

— Excellent, dit Veyrenc.

— Enfin, modéra Adamsberg, il faut aimer le chou.

XXIV

Mercadet et Froissy avaient jeté un œil sur la soupière apportée pour Adamsberg et Veyrenc et, après cet examen, avaient opté pour la « poule au pot façon Henri IV ». Les nuées s'était allégées depuis la découverte de Veyrenc sur les quatre autres victimes de la Bande des mordus, qui menait son combat contre la Bande des recluses depuis vingt années. Les choses se mettaient enfin en place. Les éléments chronologiques, les composants psychologiques et les énigmes techniques prenaient position, en leurs lieux adéquats. Le malaise ressenti au simple son du mot « recluse » s'était évanoui. Il n'y avait plus qu'à attendre la fin des missions Retancourt et Voisenet, le terme était proche. Et pour une fois, c'est lui qui emplit avec plaisir les verres de madiran.

Veyrenc avait à nouveau changé de place et s'était assis dos au comptoir. Ce soir, il ne se lèverait pas pour aller chercher café ou sucre. Mercadet goûta la garbure, l'abandonna sans regret, et les conversations filèrent en désordre et longtemps sur l'enquête, le venin, l'araignée,

Mexico, l'indifférence du chat pour les merles, les blaps de La Miséricorde, sept morts déjà, la Bande des mordus.

— D'accord, disait Mercadet, ils en ont bavé à l'orphelinat, mais ces pauvres petits gosses ne sont pas devenus des enfants de chœur.

— Qui a trop souffert fera souffrir, dit Veyrenc.

— Je m'étais attaché. Et finalement, ce sont des tueurs.

— Et très calculateurs. Jamais rencontré une si longue obstination. L'âge aurait pu leur apporter un certain détachement, mais finalement non.

Estelle s'approcha, posant non pas la main mais un doigt sur l'épaule de Veyrenc, s'informant s'il était temps d'apporter la tomme. Oui, bien sûr que oui.

— Il est quelle heure ? demanda Adamsberg.

— 23 h 30, dit Veyrenc. Tu fatigues tout le monde avec ton heure.

— Retancourt est donc en place depuis plus de trois heures. Voisenet et ses hommes depuis deux heures.

— Souffle un peu, Jean-Baptiste, dit Veyrenc à voix basse.

— Oui.

Mercadet partageait la tomme quand le portable d'Adamsberg sonna.

— Retancourt, dit-il en attrapant vivement l'appareil.

Puis il fronça les sourcils en ne reconnaissant pas le numéro.

— Commissaire ? Vous ne dormez pas j'espère, excusez-moi, je sais qu'il est tard, pardon, vraiment. C'est Mme Royer-Ramier. Irène Royer. Irène, quoi.

— Je ne dors pas, Irène. Un problème ? On attaque vos fenêtres ?

— Oh non, commissaire. C'est plus grave que cela.

— Je vous écoute.

Adamsberg activa le haut-parleur et les bruits de couverts cessèrent.

— Il y en a eu un autre, commissaire. Ça s'affole sur la toile. Oh pardon, je ne veux pas vous embrouiller, je ne parle pas de la toile d'araignée, mais de celle d'internet.

— Quel autre ? demanda Adamsberg.

Il avait envie de la brusquer, cette femme, mais il avait compris que plus on la pressait, moins elle allait droit. C'était elle qui réglait le tempo et les digressions.

— Ben, un mordu, commissaire.

— Où cela ?

— C'est ce qui étonne, c'est pas par chez nous, c'est en Charente-Maritime. Et là-haut, c'est pas un coin à recluses. Mais faut savoir que les veuves noires, des fois, depuis leur Méditerranée, elles remontent vers la façade atlantique. Et pourquoi elles font cela ? Mystère. Et l'année dernière, une recluse a mordu quelqu'un dans l'Oise, alors voyez. Il y a des araignées qui doivent avoir le goût de l'aventure, quelque chose comme cela. D'aller voir ailleurs si l'herbe est plus verte. C'est juste une image.

— S'il vous plaît. Donnez les détails.

— C'est tombé sur les forums, il y a quoi ? Dix minutes. Et je vous ai appelé aussitôt. Ils l'ont emmené à l'hôpital de Rochefort.

— C'est une morsure de recluse, c'est certain ?

— Oh oui. Parce que le vieux – c'est encore un homme âgé, commissaire –, il a reconnu le gonflement et tout de suite, il y avait une vésicule dessus. Et après, il a eu du rouge. Alors, avec tout ce qui se passe en ce moment, il a filé à l'hôpital.

— Mais comment est-ce arrivé si vite sur les forums ?

— Ça doit venir de quelqu'un de cet hôpital, un brancardier, un infirmier, est-ce qu'on sait ? Avec tout ce qui se passe en ce moment.

— Vous n'avez pas le nom du malade ?

— Ah, commissaire, il y a le secret médical quand même, hein ? La seule chose qu'on lit, c'est qu'il a été mordu à la fin de son dîner, à Saint-Porchaire. Là-haut, quoi. Il a senti la piqûre.

— Il était dehors ou dedans ?

— C'est pas marqué. Ce qui me soucie, c'est de savoir si c'est un mordu normal ou un mordu spécial, comme ceux que vous dites, vous.

— Je comprends, Irène. Je vous dirai cela.

— Attendez, commissaire ! M'appelez pas sur mon portable, je l'ai oublié sur ma chaise.

— Mais vous êtes où ?

— Ben je suis à Bourges, moi.

— À Bourges ?

— C'est que dès que je peux, je cherche un point sur la carte de France, et j'y vais. C'est pour la position antalgique, vous comprenez.

— Pardon ?

— La position antalgique. Les bras accrochés au volant, les pieds sur les pédales, je ne sens presque plus mon arthrose. Je voudrais vivre au volant, moi.

— Le numéro de votre hôtel ? S'il vous plaît.

— C'est pas un hôtel, c'est une chambre d'hôte. Très propre, je dois dire. J'appelle depuis le portable du patron. Il est tout ce qu'il y a de serviable mais faut pas que j'abuse quand même.

Adamsberg raccrocha, et regarda ses collègues, le visage tendu.

— L'homme est de Saint-Porchaire. C'est bien là qu'habite un de nos blaps ?

— Olivier Vessac, quatre-vingt-deux ans, confirma Froissy.

— Je pars, dit le commissaire en se levant. Notre homme n'a plus que deux jours devant lui. Je veux lui arracher l'heure exacte de sa blessure, et qui la lui a faite.

— Je t'accompagne, dit Veyrenc sans bouger. On sera à Rochefort dans cinq heures. Qu'est-ce qu'on va foutre devant les portes de l'hôpital à quatre heures et demie du matin, tu peux me le dire ?

Adamsberg hocha la tête et appela Retancourt, haut-parleur toujours activé.

— Je vous réveille, lieutenant ?

— Depuis quand je dors en planque ?

— On vient d'avoir une autre victime, Olivier Vessac, à Saint-Porchaire, près de Rochefort. Mordu ce soir sans doute entre huit heures et onze heures moins le quart au plus tard. Est-ce qu'une de vos cibles est absente ?

— Négatif. Richard Jarras et sa femme sont entrés à 19 h 30 dans un petit restaurant du centre-ville, rentrés à 21 h 05. Côté Kerno, il a vu René Quissol et sa femme devant leur télé, pas de mouvement.

« Kerno » était le nom que les agents donnaient entre eux à Kernorkian. Ce qui, à une syllabe près, transformait cet authentique Arménien en véritable Breton.

— Alors quittez Alès, lieutenant. Fin de mission. C'est forcément un des gars du Vaucluse qui a bougé. Je vous rappelle.

Adamsberg eut aussitôt Voisenet en ligne.

— Non, commissaire, dit Voisenet. Le petit Louis est assis dehors, sur un banc de pierre devant son porche

– il fait encore chaud ici – et, ce qui me facilite le boulot, il tape le carton avec son ami Marcel.

— Ce sont bien eux, Voisenet ? demanda Adamsberg en haussant la voix. Vous en êtes certain ?

— Certain, commissaire. Louis Arjalas et Marcel Corbière. Ce n'est pas difficile hélas. Petit Louis a une prothèse à la jambe gauche, et Marcel n'a pas de joue. Il la couvre avec un gros tissu couleur chair.

— Et Lamarre ? Il a quoi sur Jeannot, à Courthézon ?

— Néant. Jean Escande est absent. D'après les voisins, il est parti à la mer, à Palavas.

— En voiture ?

— Oui. Il y va souvent, dès le beau temps.

— Un mouvement sur son portable ?

— Aucun. On n'a pas de signal.

— Très bien. Déplacez toute l'équipe sur Palavas, faites tous les hôtels, les campings, interrogez partout. Un vieil homme sans pied, ça se repère, surtout un habitué. Trouvez-le, ou plutôt, ne le trouvez pas, lieutenant.

— J'ai le descriptif de son véhicule, dit Froissy en consultant son téléphone, sur lequel elle stockait une grande partie de ses données en cours. Une Verseau bleue 630, cinq portes, automatique, 234 WJA 84.

— Noté, Voisenet ?

— On décolle, commissaire.

Puis Retancourt, de nouveau en ligne.

— On n'a qu'un seul absent, lieutenant : Jean Escande, soi-disant parti prendre les bains à Palavas, mais portable éteint. Voisenet est dessus. Vous, filez avec l'équipe à Saint-Porchaire, là où Vessac a été mordu. Jeannot Escande a tout de même soixante-dix-sept ans.

S'il a taillé la route depuis le Vaucluse jusqu'à Saint-Porchaire, sept heures de trajet au minimum, il n'a pas été en état de repartir tout de suite vers le sud, de nuit surtout. Faites tous les petits hôtels des environs et élargissez. Un vieil homme sans pied, ça se remarque.

— Il a pu dormir dans sa voiture.

— Je vous donne son descriptif. Une Verseau bleue 630 automatique cinq portes, 234 WJA 84.

— Vu, dit Retancourt.

Adamsberg se rassit, la main serrée sur son portable.

— Si ce n'est pas Jeannot, on est foutus. C'est qu'on se sera trompés sur toute la ligne. On aura bouffé le sable, comme l'a dit Danglard.

— Impossible, dit Veyrenc, tout s'adapte. On va dormir deux heures et on part pour Rochefort. On sera à l'hôpital à huit heures tapantes.

Adamsberg acquiesça en silence.

— C'est mort, Louis. Quelque chose nous a échappé.

— C'est toi qui es mort. On dort un peu, et on se retrouve à trois heures du matin à la Brigade.

Adamsberg hocha de nouveau la tête. Le mot « recluse » traversa son esprit et il frissonna. Veyrenc le secoua par l'épaule et le poussa dehors.

— Jeannot a disparu, lui dit-il, Jeannot a bougé.

— Oui.

— Il est normal qu'un seul des « mordus » se charge du boulot. Ils ne vont pas partir à cinq. Ils alternent, on le sait. On va le coincer.

— Je ne sais pas.

— Que se passe-t-il, Jean-Baptiste ?

— Je ne vois plus dans les brumes, Louis. Il n'y a plus rien.

XXV

Adamsberg prépara un sac en hâte et s'assit dans sa cuisine, les pieds calés sur le chenet de la cheminée. L'espace d'une seconde, il avait manqué sortir pour rejoindre Lucio sous le hêtre, oubliant qu'il était en Espagne. Rien n'aurait plus passionné Lucio que ces terribles démangeaisons de la recluse.

Et qu'aurait dit Lucio, entre deux gorgées de bière, sous l'arbre ?

— Creuse ta peur, *hombre*, la lâche pas, faut gratter jusqu'au bout, jusqu'au sang.

— Cela va passer, Lucio.

— Ça passera pas. Creuse, mon gars, parce que t'as pas le choix.

C'est cela qu'il aurait dit, à coup sûr. Il retrouva Veyrenc devant la Brigade à trois heures du matin.

— Tu n'as pas dormi, affirma Veyrenc.

— Non.

— Dans ces conditions, je prends le volant. Je te réveillerai dans deux heures. Si j'étais ta mère, je t'ordonnerais de fermer les yeux.

— Faut que je l'appelle, Louis, elle s'est cassé le bras.

— Elle est tombée ?

— Oui. Elle a heurté le manche du balai. Elle ne sait pas si c'est le balai qui s'est mis dans son chemin ou elle dans le sien.

— C'est une question importante, si tu y penses, dit Veyrenc en démarrant, et qui vaut pour quantité de choses.

— C'est un très grand balai, elle l'utilise pour chasser les araignées. Pas des recluses, il n'y en a pas chez nous.

Et Adamsberg, au froid ressenti dans sa nuque, regretta aussitôt d'avoir prononcé le mot. Et même de l'avoir associé à la maison familiale et, pire, à sa mère. Peut-être les prédictions de mauvais augure de Danglard finissaient-elles par ronger ses pensées.

Veyrenc se gara peu avant huit heures devant l'hôpital de Rochefort, et secoua le commissaire.

— Bon sang, dit Adamsberg, tu ne m'as pas réveillé ?

— Non, dit Veyrenc.

Le médecin en charge à Rochefort s'opposa dans un premier temps à toute visite à son patient, tout policiers qu'ils soient. La situation du malade avait empiré pendant la nuit.

— À quel point ? demanda Adamsberg.

— La plaie s'est étendue trop rapidement, la nécrose s'y est déjà mise. Nous avons là une réaction accélérée. La fièvre est déjà à 38,8°.

— Comme les trois patients de Nîmes ?

— C'est à craindre, et je ne comprends pas ce que la police a à voir avec cela. Qu'on nous envoie plutôt un venimologue, ce sera plus sensé, ajouta-t-il en forme de conclusion, tournant le dos.

— Où a-t-il été mordu ? insista Adamsberg.

— Au bras droit. Ce qui nous laisse bon espoir avec une amputation.

— Pas tant que cela, docteur. Cet homme n'a pas été mordu par une simple recluse, il a reçu vingt fois la dose de venin. C'est un meurtre.

— Un meurtre ? Avec vingt recluses ?

Le médecin leur faisait de nouveau face, bras croisés, jambes écartées, et souriait, en ferme posture de refus. Un type solide, efficace, autoritaire et fatigué.

— Depuis quand, dit-il, l'homme sait-il commander aux araignées ? Les siffler pour qu'elles viennent à lui, les organiser en cohortes et les jeter sur une victime quand cela lui chante ? Depuis quand ?

— Depuis le 10 mai, docteur. Trois hommes sont déjà décédés et deux autres vont mourir si vous ne nous laissez pas voir votre patient. Je peux obtenir une injonction, si vous l'exigez, mais je préférerais de beaucoup ne pas perdre de temps et lui parler avant que la fièvre ne passe les 40°.

Impossible, bien entendu, qu'Adamsberg obtienne une injonction, son divisionnaire n'étant pas même informé de l'enquête. Mais le terme entama l'assurance du médecin.

— Je vous donne vingt minutes, pas plus. Ne l'échauffez pas, ne faites pas monter la fièvre. Quant au membre atteint, il ne doit en aucun cas le bouger.

— Où et quand a-t-il été mordu ? Dedans ? Dehors ?

— Dehors, en rentrant chez lui avec sa dame de compagnie. Après le dîner, à la nuit tombante. Chambre 203. Vingt minutes.

Le vieil homme n'était pas seul. Assise sur un fauteuil où elle paraissait avoir passé la nuit, une femme de quelque soixante-dix ans, les yeux battus de pleurs, tordait un mouchoir entre ses doigts.

— Police, annonça doucement Adamsberg en s'approchant du lit. Lieutenant Veyrenc de Bilhc et commissaire Adamsberg.

Et l'homme cligna des yeux, semblant dire « Je comprends ».

— Nous sommes navrés de vous déranger, monsieur Vessac. Nous ne resterons pas longtemps. Madame ?

— Ma dame de compagnie, présenta Vessac. Élisabeth Bonpain. Et elle porte bien son nom.

— Madame, nous sommes désolés de vous demander de quitter la chambre. Nous devons nous entretenir seuls avec M. Vessac.

— Je ne bouge pas de là, dit Élisabeth Bonpain d'une voix faible.

— C'est la procédure, dit Veyrenc, ne nous en voulez pas.

— Ils ont raison, dit Vessac. Sois raisonnable, Élisabeth. Profites-en pour aller prendre un café et manger un peu, cela te fera du bien.

— Mais pourquoi des policiers viennent te voir ?

— C'est ce qu'ils vont m'apprendre. Va, s'il te plaît. Café, croissants, répéta Vessac, va prendre des forces. Lis donc un magazine, cela te changera les idées. Ne t'en fais pas, ce n'est pas une petite araignée qui va me démolir.

Élisabeth Bonpain sortit et Vessac leur indiqua deux chaises.

— Vous lui mentez, n'est-ce pas ? dit Adamsberg.

— Bien sûr. Que voulez-vous que je lui dise ?

— Vous lui mentez parce que vous savez. Que ce n'est pas seulement une petite araignée.

Adamsberg parlait avec bienveillance. Blaps ou pas blaps, on ne secoue pas un homme qui n'a plus que deux jours à vivre et qui le sait. Il évitait de regarder la plaie, dont l'aspect était déjà repoussant. Étendue sur dix centimètres de long et quatre de large, la nécrose noire faisait son œuvre, dévorant muscles et veines.

— Très moche, hein ? dit Vessac, suivant le regard d'Adamsberg. Mais vous en avez vu d'autres, vous, les flics.

— Nous n'avons que vingt minutes, monsieur Vessac. Vous savez ce qu'il vous arrive.

— Oui.

— Vous savez la mort foudroyante d'Albert Barral, de Fernand Claveyrolle et de Claude Landrieu, par morsure de recluse, le mois dernier à Nîmes.

— Vous en êtes déjà là ?

Vessac eut un sourire dur et du bras gauche, demanda de l'eau à Veyrenc. La solide structure de ses traits avait résisté à l'âge et même après tant de temps, Adamsberg le reconnaissait.

— Nous en sommes à l'orphelinat, où la Bande des recluses s'est attaquée à onze enfants, laissant des estropiés, un impuissant, une gueule cassée. Vous en faisiez partie, avec huit autres.

Vessac ne baissa pas la tête.

— Des sales types, dit-il.

— Qui ? Vous, ou vos victimes ?

— Nous, qui d'autre ? Des salauds, des ordures. Quand le petit Louis a perdu sa jambe, à quatre ans, qu'est-ce qu'on a fait ? On a rigolé. Pas moi, je n'avais que dix ans, mais je les ai rejoints sitôt après. Vous croyez que cela nous aurait arrêtés ? Au contraire. Quand le Jeannot a perdu son pied, et le Marcel sa joue – bon sang qu'il était laid –, qu'est-ce qu'on a fait ? On a rigolé. Ce qui nous a le plus fait marrer, c'est quand le testicule de Maurice est tombé comme une noix. Maurice-une-couille, on l'a appelé, et tout l'orphelinat l'a su.

— Vous savez qui vous a fait cela, dit Adamsberg en montrant la blessure.

— Bien sûr. Ils se vengent et c'est de bonne guerre. Et je vais vous dire une chose : j'ai pas envie de claquer mais je pige, j'ai mérité. Et eux, au moins, ils nous rattrapent quand on est vieux, ils nous ont laissé le temps de vivre, de connaître des femmes, de faire des gosses.

— Ils ont commencé plus tôt que cela, Vessac. De 1996 à 2002, ils en ont tué quatre : Missoli, Haubert, Ménard et Duval. Pas avec du venin, mais par accidents provoqués.

— Ah, dit Vessac. Mais je pige quand même. Ce qui m'échappe, c'est comment ils font. Il en faut, du venin, pour tuer un homme.

— Vingt doses au moins.

— Ça m'échappe et je m'en fous. Attention ! dit soudain Vessac en levant le bras gauche. Élisabeth n'est au courant de rien, elle ne sait pas que j'étais un petit salopard. Elle ne doit pas le savoir.

— Il y a enquête, dit Adamsberg. Et si elle aboutit, et s'il y a procès…

— Y aura les journaux. D'accord. Elle saura. Mais faites en sorte qu'elle n'apprenne rien avant ma mort. Qu'on se quitte sans une ombre. C'est possible ?

— Bien sûr.

— Parole d'homme ?

— Parole d'homme. Et les viols, Vessac ?

— Non, dit-il, ça, j'ai pas suivi.

— Parce qu'ils ont bien violé, aussi ?

— À Nîmes, oui.

— Collectifs ?

— Toujours. Et ça a continué après l'orphelinat.

— Mais pas vous ?

— Non. Ce n'est pas par bonté, commissaire, n'allez pas croire. C'était autre chose.

— Quoi ?

— Si je ne vous le dis pas, vous me foutrez aussi des viols sur le dos. Mais c'est pas simple à expliquer.

Vessac réfléchit quelques instants, réclama de nouveau de l'eau à Veyrenc. La fièvre montait.

— Flics ou pas flics, on est entre hommes, pas vrai ? dit-il.

— Oui.

— Si je vous le dis, ça reste dans cette chambre ?

— Oui.

— Parole d'homme ?

— Parole d'homme.

— C'était collectif, comme vous dites. Fallait montrer nos prouesses aux autres, fallait se foutre à poil. Et moi, je ne pouvais pas.

Nouveau silence, nouvelle gorgée d'eau.

— Je croyais, j'étais certain, reprit-il avec effort, que mon sexe était trop petit. Sûr que cet enfoiré de Claveyrolle m'aurait trouvé un surnom. Alors je me défilais. Vous me croyez ?

— Oui, dit Adamsberg.

— Ça ne fait pas de moi un ange, ne vous trompez pas. Parce que j'en étais. Je regardais, ou pire, j'aidais à tenir les bras de la fille. Complicité, ça s'appelle. Pas de quoi se vanter, hein ?

Le médecin ouvrit la porte.

— Plus que trois minutes, dit-il.

— Dépêchons-nous, Vessac, dit Adamsberg en se penchant vers lui. Qui vous a injecté le venin ? Qui ?

— Qui ? Mais personne, commissaire.

— Deux de vos anciens camarades sont encore dans le viseur du tueur. Alain Lambertin et Roger Torrailles. Dites-moi qui et je peux les sauver. Ça fait sept morts à présent.

— Huit avec moi bientôt. Mais je ne peux pas vous aider. On est revenus de notre bistrot, Élisabeth et moi. J'ai garé la voiture, je suis sorti, et c'est là, devant la porte, quand je mettais la clef dans la serrure, que j'ai senti une piqûre au bras. Pas grand-chose, hein. Vers neuf heures dix.

— Vous mentez, Vessac.

— Non, commissaire, parole d'homme.

— Mais vous l'auriez vu. Le piqueur.

— Il n'y avait personne. J'ai pensé à une ronce, il y en a qui sortent de la haie. Je voulais les couper, ben c'est trop tard maintenant. Personne, je vous dis. Demandez à Élisabeth, elle était là, elle vous le dira, elle ne sait même pas mentir. C'est plus tard que j'ai réfléchi, quand j'ai vu l'œdème. C'est pas qu'on a des recluses par ici, mais vous pensez bien que je m'étais renseigné, après la mort des trois autres. Alors je savais reconnaître. L'œdème, et la vésicule. Je me suis dit, cette fois, c'est ton tour, Olivier, ils t'ont eu. Mais comment ? J'en sais foutre rien, commissaire.

Alors que le médecin ouvrait de nouveau la porte, Adamsberg se leva et hocha la tête. Puis il posa sa main sur l'avant-bras de l'homme.

— Salut, Vessac.

— Salut, commissaire, et merci. C'est pas que vous êtes un curé, et de toute façon j'y crois pas, mais je me sens mieux d'avoir parlé. Eh ! Vous n'oubliez pas, tous les deux ? Parole d'homme, hein ?

Adamsberg observa sa main, venue se poser sur le bras de Vessac. Sur le bras d'un blaps, bien sûr, mais le bras d'un homme qui allait mourir.

— Parole d'homme, dit-il.

Ils sortirent en silence du bâtiment, marchant lentement dans le jardinet de l'hôpital.

— Nous sommes tout de même obligés de vérifier, dit Veyrenc.

— S'il n'a vraiment vu personne ? Oui. Il va nous falloir torturer Élisabeth Bonpain. On va filer à Saint-Porchaire. Je veux voir où cela s'est exactement passé, avant que toute trace disparaisse.

Depuis la voiture, Adamsberg appela Irène Royer à son hôtel de Bourges. Il était encore affecté par la plaie atroce de Vessac, par ses confidences – parole d'homme –, par la dignité du blaps agonisant.

— C'est vous, commissaire ? Juste à temps, je quitte ma chambre. C'est un mordu normal alors ?

— Non, Irène. C'est un blaps de l'orphelinat, Vessac. Ne lâchez rien sur le net, comme d'habitude.

— Promis.

— On tombe toujours sur le même os : il dit n'avoir vu personne quand il a senti la piqûre.

— Dedans ? Dehors ?

— Dehors. Juste devant sa porte. Je vais tâcher de vérifier cela par sa dame de compagnie.

— Mais où cela, mordu ?

— Au haut du bras.

— Mais c'est impossible, ça, commissaire. Ça ne vole pas, une recluse.

— Eh bien c'est comme ça, c'est au bras.

— Y aurait pas un gros tas de bûches, près de sa porte ? Des fois, par hasard ? Il aurait pu s'y frotter. La déranger quand elle partait en balade.

— Je n'en sais rien, j'y vais.

— Attendez, commissaire. Vous avez dit quoi, comme nom ?

— Vessac.

— Pas un Olivier Vessac tout de même ?

— Si.

— Sainte Mère de Dieu. Et sa dame de compagnie, c'est une Élisabeth Bonpain ?

— Oui.

— Qui est en fait sa dame de compagnie, et sa dame. *Vous me suivez ?*

— Oui. Je l'ai vue, j'avais saisi cela. Elle est dévastée de chagrin.

— Sainte Mère, Élisabeth.

— Vous la connaissez ?

— Mais c'est une amie, commissaire. La femme la plus gentille du monde, gentille à pleurer. Je l'ai rencontrée il y a quoi ? Onze ans. J'étais partie en posture antalgique à Rochefort. C'est là qu'on s'est connues. Je suis même restée une semaine entière tellement on s'entendait comme larrons en foire, pardon, excusez-moi, comme les deux doigts de la main.

— Et vous, Irène, vous seriez capable de savoir si elle ment ?

— Vous voulez dire, si elle raconte que y avait personne alors qu'il y avait quelqu'un ? Et pourquoi ils protégeraient un assassin ?

— Pour qu'on ne connaisse pas son passé ? Et pourtant, il me l'a avoué. Mais je n'étais pas en interrogatoire officiel. Cela ne valait rien, il le savait.

— Ah, peut-être que oui. Ce que je saurais, c'est faire dire la vérité à Élisabeth. On ne se cache rien.

— Alors venez.

— De Bourges ?

— Eh bien quoi ? Cinq heures de route antalgique, cela vous effraie ?

— C'est pas ça, commissaire, au contraire. C'est ma colocataire. Je vous ai dit, ça, que j'ai une colocataire ? Louise, elle s'appelle. Pour vous dire, elle est un peu, comment expliquer ça, un peu timbrée. Très timbrée, même. Et, avec les recluses, elles ne s'entendent plus du tout. Elle ne parle que de ça, les recluses, les recluses. Si bien qu'avec tout ce qui se passe, quand je ne suis pas là, elle s'affole, elle en voit partout.

— Élisabeth est votre amie, et hormis le fait de savoir si elle dit vrai ou non, son Olivier va mourir dans deux jours. Je vous l'ai dit, elle est désespérée. Elle va avoir besoin de vous.

— Là je comprends, commissaire. Que la Louise se débrouille avec les araignées. J'arrive.

— Merci. Où se retrouve-t-on ? Il y a un restaurant à Saint-Porchaire ?

— Le Rossignol. C'est pas cher et ils ont des chambres. Je pourrai dormir là. J'appelle Élisabeth.

— On se rejoint là-bas vers 14 h 30. Roulez, Irène.

Ils arrivaient en vue de Saint-Porchaire quand Mercadet appela.

— On a un autre mordu, dit aussitôt Adamsberg. Olivier Vessac.

— Un des salauds.

— Oui, lieutenant. Un salaud repenti, mais pas un violeur. Un complice.

— Pas un violeur ? Vous le croyez parce qu'il vous le dit ?

— C'est cela.

— Pourquoi ?

— Je ne peux pas l'expliquer, Mercadet. J'ai donné ma parole d'homme.

— Alors c'est autre chose, dit le lieutenant. J'en ai un autre aussi, moi.

— De quoi ?

— De violeur. En 1967. Et ce coup-ci, j'ai les noms. Claveyrolle, Barral, toujours notre tandem de choc, et Roger Torrailles. Une femme de trente-deux ans, à Orange.

— Bravo, lieutenant. Ils ont pris combien de taule ?

— Zéro, il y a eu vice de procédure. Et donc pas de procès. C'est pour cela que j'ai eu du mal à mettre la main dessus.

— Quel vice ?

— Ces crétins de flics ont forcé les aveux sans avocat. Ils avaient le témoignage de la femme, Jeannette Brazac, ils ont foncé bille en tête. Avec violences, en sus. Après, pour le procès, c'était foutu. Et Jeannette Brazac, elle s'est suicidée huit mois après.

— T'as entendu, Louis ? dit Adamsberg en raccrochant. C'était bien une foutue bande de violeurs. Et en 67, la femme en est morte.

— Blaps ou violeurs, il faut protéger les deux derniers.

Veyrenc freina sur la place de Saint-Porchaire, alors qu'Adamsberg tentait d'appeler Mordent.

— Roule encore, la maison est au 3, rue des Oies-folles.

— Ça existe, des oies folles ?

— Sûrement. Tu dis que tout le monde est névrosé.

— Mais je ne sais pas pour les oies.

— Mordent ? Adamsberg. Olivier Vessac est en train d'agoniser à l'hôpital de Rochefort.

— Merde. Vous y êtes ?

— J'en sors. Commandant, j'ai besoin d'une protection serrée sur les deux derniers. Appelez les gendarmeries de Senonches et de Lédignan, et demandez-leur d'y affecter des hommes. Dites simplement qu'on les croit menacés. Que les gars soient en tenue, on doit voir qu'ils sont flics.

— Et si Torrailles et Lambertin refusent ?

— Croyez-moi, Mordent, avec sept des leurs assassinés et Vessac qui va mourir, ils accepteront.

Veyrenc freina devant le 3, rue des Oies-folles. Les deux hommes repérèrent les lieux, le chemin de terre, la portion de forêt, la lourde porte en bois de la maison. Pas de tas de bûches à proximité. Veyrenc parcourut lentement la courte distance entre la porte et la voiture garée sur le bas-côté.

— Pas de doute, dit-il, on voit bien les pas de Vessac et d'Élisabeth écrasant l'herbe humide, mais pas de troisième homme derrière eux. Et aucune trace d'un gars s'approchant d'eux par l'autre côté.

— Ici non plus, dit Adamsberg en s'accroupissant devant la porte, passant sa main à travers le haut des herbes. Ils n'étaient que deux.

Il aimait l'herbe. C'est cela qu'il faudrait faire dans le petit jardin qu'il partageait avec Lucio. Creuser le terrain sur cinquante centimètres de fond, arracher la rocaille de Paris, emplir d'humus et faire pousser. Lucio serait content.

Lucio. *Gratte cette recluse, mon gars, gratte jusqu'au sang.*

Je ne veux plus, Lucio. Laisse-moi fuir.

T'as pas le choix, mon gars.

Adamsberg sentit sa nuque se tendre à nouveau, sa gorge se nouer, en même temps que, soudainement, il pensait à sa mère. Un fugace vertige l'obligea à poser sa main au sol.

— Merde, Jean-Baptiste, n'abîme pas les traces.

— Excuse-moi.

— Tu vas bien ? demanda Veyrenc en avisant le visage terni de son ami.

Pour un Béarnais à la peau tannée comme l'était Adamsberg, la pâleur était chose rare.

— Très bien.

Je ne veux plus, Lucio.

Adamsberg continuait de passer mécaniquement ses doigts dans le haut des herbes.

— Ça, Louis, dit-il en lui tendant une bricole invisible entre le pouce et l'index.

— Un petit morceau de fil de nylon, dit Veyrenc. Vingt centimètres. Les gars doivent pêcher, dans le coin.

— Les gars pêchent partout. Mais il était enchevêtré dans cette ortie.

— Ce n'est pas cela qui a mordu Vessac.

— Va tout de même prendre un sac plastique dans la voiture, j'ai peur de le laisser tomber.

Adamsberg et Veyrenc cherchèrent encore un quart d'heure parmi les herbes et sur le chemin, tout et n'importe quoi, sans trouver ni tout, ni n'importe quoi, hormis ce petit fragment de fil à pêche. Ils remontèrent en voiture, Adamsberg au volant cette fois, déçus. Vessac et sa « dame » avaient été seuls en effet, selon toute apparence.

— T'as envie de quoi ? demanda Veyrenc, surveillant toujours son ami du regard.

— On n'a rien avalé depuis hier. On va dans ce Rossignol, on se taille un petit-déjeuner à la Froissy et on attend Irène. Élisabeth Bonpain supportera bien mieux l'interrogatoire avec elle.

— J'approuve.

— Où as-tu rangé le sachet plastique ?

— Dans la mallette. Tu as si peur de le perdre ?

Adamsberg haussa les épaules.

— On n'a que ça, dit-il.

— C'est-à-dire rien.

— Voilà.

XXVI

— Zéro, dit Adamsberg en laissant tomber son portable sur la table du Rossignol. Retancourt n'a encore repéré aucun Jeannot Escande dans les environs, mais elle commence tout juste sa razzia.

— Razzia ?

— Quand Violette opère une recherche, ce n'est pas une prospection, c'est une razzia.

— Jeannot a sans doute dormi dans sa voiture.

— Ce serait le plus malin. Quant à l'équipe de Lamarre, ils ne trouvent pas de Jeannot à Palavas. Ce qui est une bonne nouvelle. Mais là encore, ils débutent.

— Le petit Jeannot sans pied. Qui l'eût cru ?

— Pas de preuve encore, Louis.

— Mais c'est le seul absent.

— Oui.

— Tu doutes ?

Adamsberg repoussa les restes de son petit-déjeuner, se servant seulement une tasse de café supplémentaire.

— Tu en reprends ? demanda-t-il à Veyrenc. Tu as à peine dormi.

— Je vais me reposer dans la voiture. On a trois bonnes heures devant nous.

— Va, Louis, je vais marcher, courir un peu peut-être. Appeler ma mère.

— Tu ne m'as pas répondu, dit Veyrenc en se levant. Tu doutes ?

— Je ne sais pas. J'attends de revoir, Louis.

— Tes brumes, n'est-ce pas ?

— Oui.

Adamsberg sortit du bourg de Saint-Porchaire et trouva un chemin de forêt. Son odorat, ou son désir, lui faisait trouver les arbres aussi sûrement que les éléphants repèrent un plan d'eau. Il s'assit sur un talus entre deux jeunes ormes et appela chez lui, là-bas, en Béarn. Sa mère éluda son affaire de bras et de balai, elle n'aimait pas s'attarder dans la plainte. Prendre des nouvelles de Jean-Baptiste était plus essentiel.

— Sur quoi tu travailles, fils ? Tu es fatigué, pas vrai ?

— Il y a des moments difficiles dans les enquêtes, rien de plus.

— Sur quoi tu travailles ? répéta la mère.

Adamsberg soupira, hésita.

— Sur la recluse, finit-il par dire.

Il se fit un bref silence, puis la mère reprit, la voix plus rapide.

— La recluse, fils ? La femme ou la bête ?

— Pourquoi demandes-tu cela ? Tu connais ?

— Connaître quoi ?

— Cela fait deux fois déjà qu'on me pose cette question, et je ne la comprends pas. Quelle femme ?

— Je n'ai pas parlé de femme, Jean-Baptiste. J'ai dit « La ferme ou la bête ? »

— Non, tu as dit « femme ».

— Tu es fatigué, j'ai dit « ferme ».

— Quelle ferme ?

— Vers Comminges, une ferme qu'on appelait comme ça, « La Recluse ». Parce que le type voulait voir personne chez lui, et à la fin, il s'est pendu. C'est souvent comme cela que ça se finit, quand on voit personne, après on se pend. Tu sais que Raphaël a déménagé ?

— Oui, à l'île de Ré.

— Il y a beaucoup à faire là-bas. Et sais-tu quoi ? Il a une belle maison sur la plage.

Sa mère avait coupé court. Pourquoi n'avait-elle pas répondu ? Quelle ferme ? Quelle recluse ? Et il le sut, le malaise allait revenir.

Ce n'est pas qu'il revint, c'est qu'il fondit sur lui. Il s'allongea sur le talus, poings sur les yeux, le dos glacé, la nuque engourdie. Sa mère. La recluse. Désorienté, il s'obligea à se redresser et se mit en marche vacillante, puis au trot, fuyant, courant dans d'étroits sentiers où les branches fines des noisetiers passaient sur son visage. Une clairière obturée arrêta sa cavalcade. Combien de temps avait-il couru ? Il consulta l'heure sur son portable. Ne restaient que quarante-cinq minutes avant l'arrivée d'Irène. Il n'avait d'autre choix que de reprendre le sentier, au galop cette fois.

C'est en sueur, la veste nouée aux hanches, les cheveux emmêlés, mais débarrassé de tout vertige, qu'il entra en coup de vent au Rossignol. Veyrenc était attablé avec Irène Royer et Élisabeth Bonpain, qui tenait son amie par la main. Ils avaient déjà déjeuné, sauf Élisabeth en quasi-deuil, qui n'avait pas touché à son assiette.

Irène se leva aussitôt pour aller saluer « son » commissaire, telle une privilégiée. Elle appréciait Veyrenc mais Adamsberg était celui qu'elle avait choisi, à l'heure du chocolat, à L'Étoile d'Austerlitz.

— Que vous est-il arrivé ? demanda-t-elle avec un brin d'inquiétude.

— J'ai couru.

— Mais vers quoi, Sainte Mère ? Et vous vous êtes blessé aux joues.

Adamsberg passa ses doigts sur son visage et vit un peu de sang sur ses mains. Les griffures des noisetiers, il ne les avait même pas senties. Veyrenc lui tendit silencieusement une serviette en papier et Adamsberg alla se laver visage et cou aux toilettes, si bien qu'il en ressortit plus humide encore.

— Pardon, dit-il en prenant place à leur table.

— On comprend, murmura Irène, toutes ces émotions.

— Comment va-t-il ? demanda le commissaire à Élisabeth Bonpain.

De nouvelles larmes, et Veyrenc offrit aussitôt ses serviettes en papier, dont il avait demandé tout un stock.

— Son état n'est pas très bon, répondit-il.

Sans qu'Elisabeth puisse le voir, la tête plongée dans ses mains, le lieutenant écrivit quelques mots sur une serviette qu'il poussa vers le commissaire : « Hémolyse et début de nécrose viscérale, déjà. Dose massive. » Adamsberg fit disparaître le message, repensant à ses derniers mots doucement dits au mourant : *Salut, Vessac.*

— Il n'y a plus d'espoir, hein ? demanda Élisabeth, redressant la tête.

— Non, répondit Adamsberg à voix basse. Je suis navré.

— Mais pourquoi ?

— Cette année, les insecticides semblent avoir accru la puissance du venin des recluses. Ou la chaleur.

Parole d'homme.

— Madame, vous devez m'aider, enchaîna-t-il. Il nous faut localiser ces araignées. C'est bien dehors, devant la porte, qu'Olivier a senti la morsure ?

— Oh oui. Il a dit « Merde », c'est ce qu'il a dit, et il s'est frotté l'épaule.

— Et personne n'a été témoin ? Homme, femme, enfant ?

— On était seuls, commissaire. Sur ce chemin, il n'y a pas âme qui passe après l'angélus.

— Une seule question encore. Olivier aimait-il la pêche ?

— Tous les dimanches, commissaire, il allait au lac.

Adamsberg fit signe à Irène qu'ils les laissaient seules. Il se leva, suivi de Veyrenc. Le Rossignol faisait tabac et il acheta un paquet de la marque de Zerk.

— Tu fumes cette merde ? lui demanda Veyrenc, une fois sur le trottoir, tout en acceptant d'en allumer une.

— C'est la marque de Zerk.

— Et pourquoi tu l'achètes ?

— Pour lui en voler, puisque je ne fume pas.

— Cela a quelque chose de logique, mais je ne sais pas où. Cette femme paraît sincère, non ?

— Irène nous le confirmera. Mais c'est mon sentiment.

Irène sortit les retrouver à cet instant.

— Elle dit la vérité pleine et entière, affirma-t-elle. Ils étaient seuls. Je n'aimerais pas être à votre place, commissaire. Tant difficile.

— Tant. Vous restez avec elle ?

— Un peu. Je ne peux pas laisser ma foldingue trop longtemps seule, j'ai l'impression qu'elle est en train de tout foutre en l'air dans la maison. Pardon, je veux dire, ma colocataire, Louise. Elle sait qu'un autre homme a été mordu. Elle prétend qu'elle a vu trois recluses dans la cuisine, et deux dans sa chambre. Qu'elles se « multiplient » ! Ce qui nous ferait cinq nouvelles araignées chez nous, se promenant tranquillement en plein jour !

— Cinq ? Elle en a vu cinq ?

— Elle les imagine, commissaire. Demain il y en aura dix, après-demain, trente. Il faut que je rentre avant de la retrouver perchée sur une chaise, avec trois cents recluses autour d'elle. Elle perd la tête, voilà tout. C'est le problème, avec les forums, on parle on parle, tout le monde discute et s'étripe, et certains tournent cinglés. Et j'ai pas de chance, c'est ma colocataire.

— Quel âge a-t-elle ?

— Soixante-treize ans.

— J'aimerais bien la connaître, dit Adamsberg d'une voix évasive.

— Ben pour quoi faire ? Dans votre métier, vous avez votre dose de cinglés, non ?

— J'aimerais voir comment la recluse, par ces temps, rend des gens cinglés. Oui, cela m'intéresserait.

— Ah, c'est autre chose. Si vous voulez l'observer dérailler, je vous la confie avec plaisir. On fera semblant d'écraser les araignées ensemble. Il en a pour combien, Olivier ?

— Deux jours au mieux.

Irène secoua la tête avec une moue, fataliste.

— Après les obsèques, je proposerai à Élisabeth de venir chez moi. J'ai une chambre, je pourrai m'occuper d'elle.

— Dites-lui au revoir pour nous, dit Adamsberg en lui posant la main sur l'épaule. Saluez-la bien.

— Dites, commissaire, sans vous choquer, ça vous ennuierait de me donner une cigarette ? Je ne fume pas. Mais avec tout ce qui se passe.

— Je vous en prie, dit Adamsberg en lui en tendant trois. Mon fils vous les offre.

Ils regardèrent Irène Royer rentrer au Rossignol. Adamsberg restait planté sur le trottoir, répartissant en deux moitiés les cigarettes de Zerk dans les poches de sa veste.

— Je n'aime pas les paquets, expliqua-t-il à Veyrenc.

— Fais comme tu veux.

— Louis, je ne rentre pas.

— Où vas-tu ? Rechercher la vue dans les brumes d'Islande ?

— Mon frère Raphaël habite à présent l'île de Ré, je ne l'ai pas vu depuis longtemps. Dépose-moi à Rochefort, de là, j'ai un car jusqu'à La Rochelle. Je rentrerai demain.

Veyrenc acquiesça. Son frère et la mer, à portée de main. Bien sûr. Mais il y avait autre chose. Veyrenc n'avait pas le talent de « voir dans les brumes » – et qui l'avait ? –, mais il lisait vite dans les yeux d'Adamsberg.

— Je te conduis à l'île de Ré. Et je m'en vais aussitôt.

— Sois prudent sur la route. Tu n'as pas beaucoup dormi, tiens-en compte. Nous ne sommes pas Retancourt.

— Évidemment non.

— Demande aux gendarmes de Courthézon de nous alerter dès que Jean Escande revient chez lui. Qu'ils ne nous appellent pas à la Brigade. Je veux dire : qu'ils n'appellent pas Danglard. Toi ou moi.

— Compris.

— Ce soir, tu devrais t'avaler une garbure et filer dormir.

Les deux Béarnais échangèrent un regard fugace avant de monter en voiture.

XXVII

Deux heures plus tard, Adamsberg avançait lentement sur une longue plage de sable sec, pieds nus, chaussures à la main, sac à l'épaule. De loin, il apercevait la silhouette de son frère, assis sur la terrasse d'une étroite bâtisse blanche. Leur mère préférait croire en une villa de bord de mer, et il ne la détromperait pas.

Il eût été impossible à quiconque d'identifier Adamsberg à une si grande distance. Mais Raphaël tourna les yeux, aperçut cet homme qui marchait et se leva aussitôt. Il avança vers lui, déterminé, et presque aussi lent que lui.

— Jean-Baptiste, dit-il seulement, après qu'ils se furent serrés dans les bras.

— Raphaël.

— Viens boire un verre. Tu dînes ou tu disparais ?

— Je dîne. Je dors.

Après ce seul échange, les deux frères, qui se ressemblaient singulièrement, remontèrent jusqu'à la maison sans un mot. Le silence ne les avait jamais gênés, comme tous ceux qui sont quasi jumeaux.

Adamsberg décida de n'aborder le sujet qui le tourmentait qu'à la fin du dîner, pris dehors, sous les cris des mouettes, avec deux bougies sur la table. Bien qu'il sût que Raphaël avait bien sûr perçu son inquiétude et attendait qu'il fût prêt. Ils se déchiffraient sans même devoir y réfléchir, et pour un peu, femmes exceptées, ils se seraient suffi à eux-mêmes. Ce pourquoi ils se voyaient peu.

Adamsberg alluma une cigarette dans la nuit et commença d'exposer à son frère la totalité des faits survenus depuis le début de l'enquête, ce qui n'était pas simple pour lui, n'étant doué ni pour la chronologie ni pour la synthèse. Il s'interrompit après vingt minutes.

— Je t'assomme sans doute, dit-il. Mais je dois tout te dire sans rien omettre. Ce n'est pas pour te raconter ma vie de flic.

— Un désarroi, Jean-Baptiste ? C'est cela que tu as ?

— Plus mauvais que cela. Avec cette foutue araignée. Et c'est pire quand je pense à notre mère. Une sorte d'effroi.

— Quel rapport ?

— Aucun. C'est ainsi, c'est tout. Laisse-moi poursuivre, je ne dois t'épargner aucun détail de cette semaine passée, aucun geste, aucune parole, pour le cas où l'effroi résiderait, suppose, coincé entre deux lames de parquet, ou bien au fond de l'armoire de Froissy, ou bien dans la gueule de la murène, ou dans une fleur de tilleul, ou dans un grain de poussière logé sous ma paupière, et que je n'aurais pas vu.

Raphaël n'avait pas la nonchalance de son frère, il était homme plus terrestre, plus instruit aussi, mieux réglé sur le monde concret, quelque rebutantes que fussent pour lui l'ordonnance de ce monde et sa progression. Raphaël n'était pas Jean-Baptiste. Mais il avait un don que ne possédait nul autre : il était capable de se mettre à la place de son frère, de se glisser dans sa peau jusqu'au bout de ses ongles, réalisant une presque incarnation, tout en conservant ses pleines capacités d'observation.

Adamsberg prit encore plus d'une heure pour achever le récit des grands et dérisoires événements qui avaient rythmé sa chasse au tueur. Puis il fit une pause, alluma une autre cigarette de Zerk.

— Tu fumes cela ? J'ai meilleur si tu veux.

— Non, c'est à Zerk. Il est resté en Islande.

— Je vois. Veux-tu un verre de madiran ? J'en fais venir. Ou crains-tu que cela ne te brouille les idées ?

— Je n'ai plus d'idées, Raphaël, et tout est déjà brouillé. Alors va pour un verre. Il nous reste donc un seul homme en vadrouille, ce Jean Escande. Tu as bien capté cela ?

— J'ai tout capté, l'assura Raphaël, du ton d'un homme qui prononce une phrase inutile.

— Toutes les flèches pointent dans sa direction. Tout l'indique, en logique ultime, pour être le meurtrier de Vessac. Les hommes de la Bande des mordus se sont sans doute relayés tour à tour dans leur œuvre d'extermination de leurs tortionnaires. Tout est parfait, tout est en place, la Bande des mordus a lancé son venin contre la Bande des recluses. Et pourtant, je rate quelque chose, je dois pousser ailleurs, ici ou là, je ne sais pas. Et je ne sais pas car je ne vois pas. Et je ne vois pas parce que je ne supporte plus cette recluse, je ne tolère plus son simple nom, je ne veux plus l'entendre. Elle me dévore sur place, elle m'a nécrosé.

— Si bien que te voilà immobile, pris dans sa toile. Et que l'enquête s'en ira sans toi, conclut Raphaël, en servant du madiran à son frère.

— Et me laissera seul, avec ce que je ne t'ai pas encore dit.

— L'effroi. Tu en as parlé.

Avec difficulté, butant sur les mots ou les évitant, Adamsberg décrivit à son frère le mal-être croissant dans lequel le plongeait la recluse, depuis l'instant où il avait lu son nom sur l'écran de Voisenet jusqu'à cet après-midi où, après avoir pris des nouvelles de leur mère, il s'était effondré sur le talus, ankylosé, puis avait dû courir, courir pour fuir.

— Donc, dit Raphaël quand son frère en eut terminé, tu ne te souviens de rien ?

— Ce n'est pas ce que je t'ai dit. J'ai dit : je ne vois plus rien, et j'ai les mains vides.

— Et moi je te demande : tu ne te souviens de rien ? Quand tu parles du « spectre » sans même savoir ce que tu veux bien vouloir dire, tu ne te souviens de rien ? D'aucune image ? Quel spectre, Jean-Baptiste ? Depuis quand aurais-tu vu un spectre ?

— Jamais.

— Oublier, pourquoi pas ? enchaîna Raphaël, de la même voix aux tonalités basses et douces que son frère, alors que sa propre voix était plus vive. Sauf lorsque quelque chose refuse à tout prix d'être oublié. Alors c'est la guerre. Et cela fait mal jusqu'à tomber sur un talus de forêt, jusqu'à cavaler sur les sentiers sans sentir les branches. Tu as les joues balafrées.

— Ce sont les noisetiers.

— Tu n'as pas perdu la vue, Jean-Baptiste.

Et cette fois, Raphaël était bel et bien entré dans les replis de l'esprit de son frère. Il frotta sa propre nuque, comme s'il y balayait quelque raideur.

— Je te dis, Raphaël, que je ne vois plus ! cria Adamsberg, choqué par l'incompréhension de son frère. Tu m'entends, ou bien es-tu devenu sourd pendant que je suis aveugle ?

Adamsberg criait rarement, et ses récents éclats, face à Voisenet d'abord, à cause de cette foutue murène, et face à Danglard ensuite, à cause de sa foutue lâcheté, étaient événements rares. En revanche, crier contre son frère lui était habituel, et Raphaël en faisait autant.

— Tu vois très bien, cria à son tour Raphaël, se levant et frappant de son poing sur la table. Tu vois aussi net que tu me vois, moi ou bien ces bougies. Mais des portes se sont refermées, qui te plongent dans la nuit. Peux-tu le comprendre, cela ? Et quels chemins peux-tu choisir quand tout s'est fermé ? Quand il fait noir ?

— Quoi, les chemins ? Fermés par quoi ?

— Mais par toi.

— Moi ? Moi je ferme les chemins ? Quand il s'agit de huit hommes assassinés ?

— Toi, en personne.

— Et moi, j'aurais fermé toutes tes foutues portes et pourquoi ? Pour être dans le noir ?

— Par noir, j'entends profondément noir. Comme l'intérieur de la terre, comme l'intérieur d'un trou. Là où se cachent les recluses.

— Je sais tout des recluses. Et elles ne m'ont jamais fait peur.

— Je te parle des autres, bon sang. Je te parle des femmes.

Adamsberg eut un frisson. Le vent se levait sur la plage. Raphaël ne dit pas : « Il fait froid, veux-tu qu'on rentre ? » Son frère avait un frisson ? Eh bien tant mieux. Il allait lui faire mal, il le savait. Il tendit juste un doigt vers le verre d'Adamsberg, intact.

— Bois une gorgée, dit-il. Donc quand je te dis « recluse » et « femme », rien ne te revient ? Toujours pas ? Absolument rien ?

Adamsberg secoua la tête, et but une gorgée.

— De quoi dois-je me souvenir ? Que dois-je casser pour sortir de ton noir ? Où dois-je aller ?

— Où tu choisiras d'aller, je ne suis pas flic, et ce n'est pas mon enquête.

— Alors pourquoi me fatigues-tu avec tes portes fermées ?

Raphaël tendit la main pour une cigarette, aussi âpre soit-elle.

— Pourquoi les mets-tu à même tes poches ?

— Je n'aime pas les boîtes. Surtout en ce moment.

— Je comprends.

Il y eut un court silence, pendant qu'Adamsberg cherchait son briquet puis donnait du feu à son frère.

— On est stupides, dit Raphaël, j'aurais pu l'allumer à la flamme de la bougie.

— Le temps qu'on trouve l'idée, tu sais ce que c'est. On en était où ?

— À ce que je n'ose pas te dire.

— Pourquoi ?

— Parce que je vais te faire mal.

— Toi ?

— Tu ne te souviens de rien, et pourtant tu avais douze ans. Et moi dix. Douze ans, et tu ne te rappelles pas ! C'est bien la preuve que, oui, ce fut l'effroi. Moi, je ne l'ai pas vue. Mais toi, oui.

— De quoi parles-tu ?

— Mais de la recluse, bon sang, hideuse et cachée dans l'ombre. Tu l'as vue. À l'écart du chemin de Lourdes.

Adamsberg haussa les épaules.

— Je me souviens très bien du chemin de Lourdes, Raphaël. Le chemin Henri IV.

— Bien sûr. Notre mère nous y emmenait marcher tous les ans, de gré ou de force.

— De force. Mais pas sur les trente-cinq kilomètres, tout de même.

— Notre père nous avançait en voiture, jusqu'à un bois.

— Le bois de Bénéjacq.

— C'est cela, j'avais oublié.

— Tu vois que je me souviens. De là, on marchait sur quelques kilomètres, puis notre père revenait nous chercher pour achever la route jusqu'à Lourdes. Chaque année la même chose.

— Sauf une fois, dit Raphaël. Ce jour-là, il nous a conduits droit jusqu'à Lourdes. Notre mère a fait tous ses trucs dans la grotte, elle a acheté ses fioles d'eau sacrée – tu te souviens qu'un soir, on les a bues ? On s'est pris une volée.

— De cela, oui, je me souviens.

— Mais de rien d'autre ?

— Rien. On allait à Lourdes, et on revenait. Que veux-tu que je te dise ?

Adamsberg se sentait bien. Il écoutait son frère, il n'y avait que cela à faire. Ce devait être cette sainte de

Lourdes qui avait placé Raphaël sur sa route, sur cette plage de l'île de Ré, à deux pas de Rochefort. Comment s'appelait-elle d'ailleurs, cette sainte ? Thérèse ? Roberte ?

— Comment s'appelle la sainte ? demanda-t-il. Celle de Lourdes ?

— Sainte Odette ? Attends une seconde. Sainte Bernadette.

— On n'a pas retenu grand-chose.

— Non. Bois une seconde gorgée.

Adamsberg s'exécuta, puis reposa son verre et regarda son frère.

— Notre mère, cet été-là, avait décidé de ne pas faire la halte à Bénéjacq mais de partir de Lourdes et de parcourir six ou sept kilomètres à pied au retour. Elle avait quelque chose à faire dans ce coin. À l'écart du chemin – elle nous l'a expliqué en route, tu ne t'en souviens pas non plus ?

— Non.

— À l'écart du chemin, reprit Raphaël, au haut d'un pré, il y avait un vieux pigeonnier en pierre, petit, de deux mètres de diamètre peut-être. La porte et les lucarnes étaient obturées par des briques, sauf une. Cela, je l'ai vu.

— Et ? Qu'en avait-elle à faire de ce pigeonnier ?

— Une femme y habitait. Depuis presque cinq ans, elle n'en était jamais sortie.

— Tu veux dire qu'elle restait là-dedans jour et nuit ?

— Oui.

— Mais comment vivait-elle ?

— De la charité de ceux qui voulaient bien monter jusque-là et lui offrir de l'eau et de la nourriture par la lucarne. De la paille aussi, pour recouvrir les excréments. C'est ce qu'était venue faire notre mère, la nourrir. Les gens du coin la tenaient pour une sainte protectrice, comme au temps jadis. Le préfet n'osait pas intervenir.

— Je ne peux pas te croire, Raphaël.

— Tu ne *veux* pas me croire, Jean-Baptiste.

— Mais que faisait-elle là ? Qui l'avait enfermée ?

— Je te parle d'une femme qui s'était volontairement cloîtrée, jusqu'à ce que mort s'ensuive. Comme au temps jadis.

— Parce que des femmes faisaient cela, avant ?

— Des quantités de femmes, au Moyen Âge et jusqu'au XVIe siècle. On les appelait les recluses.

Adamsberg resta le bras en l'air, le verre suspendu.

— Les recluses, répéta Raphaël. Certaines ont survécu dans ces cachots noirs durant cinquante années. Les cheveux poussaient comme des toisons sauvages où cavalaient les insectes, les ongles se recourbaient en griffes si longues qu'elles tournaient sur elles-mêmes en vrilles, la peau se couvrait d'un enduit de crasse, le corps d'une puanteur immonde, les excréments et les aliments décomposés formaient la litière. Et celle-là, la dernière recluse de notre temps, tu l'as vue : la recluse du Pré d'Albret.

— Jamais de la vie ! cria à nouveau Adamsberg. Notre mère ne m'aurait pas laissé voir cela.

— Tu as raison. Une fois à dix mètres du pigeonnier, elle nous a ordonné de l'attendre. Mais c'était si mystérieux, hein ? Tu t'es glissé par-derrière, et quand elle est revenue, tu as couru comme un lièvre, grimpé sur une pierre et collé tes yeux à la lucarne. Une ou deux minutes peut-être. C'était long. Et puis tu as hurlé. Hurlé de terreur, hurlé comme un dément. Et tu as perdu connaissance.

Adamsberg dévisageait son frère, les poings serrés.

— Pendant que notre mère essayait de te ranimer à coups de gifles et d'eau de Lourdes, j'ai cavalé jusqu'à la route chercher notre père. Il t'a porté dans ses bras. Tu n'as repris conscience qu'à l'arrière de la voiture. Ta tête reposait sur mes genoux, et rien que d'être resté le nez collé à la lucarne, ton visage puait la merde et la mort. Et notre mère t'a secoué et t'a dit : « Oublie, fils, oublie, par pitié. » Et tu n'en as plus jamais reparlé. Voilà l'effroi, voilà le noir, voilà la recluse hideuse qui t'attrape la nuque : la femme du Pré d'Albret.

Adamsberg se leva, corps contracté et lèvres blanches, passa une main rigide sur son visage, crut sentir sur lui cette odeur atroce de mort et de pourriture. Il voyait son frère, il voyait les bougies, le verre, il voyait aussi à présent des griffes, une chevelure d'un gris aussi terne que celui d'un blaps, une chevelure qui s'agitait seule sous la course des parasites, il voyait une bouche qui s'ouvrait lentement, toute grande, il voyait des dents pourries, les griffes s'approcher de lui, il entendait, enfin, le brusque et terrifiant rugissement. La recluse. Raphaël se leva d'un bond et contourna la table, juste à temps pour retenir dans ses bras son frère évanoui. Il le tira jusqu'à un lit, ôta ses chaussures et le couvrit.

— Je savais que j'allais te faire mal, dit-il à voix basse.

XXVIII

Adamsberg dormait peu et se levait à l'aube. À midi, Raphaël le réveilla. Il ouvrit les yeux, se redressa sur le lit. Il savait qu'il était tard, inutile de demander l'heure.

— Je prends ta salle de bains, dit-il. Pas lavé pas changé depuis plus de vingt-quatre heures.

— C'est juste une douche.

— Je prends ta douche. J'ai eu des appels ?

— Deux.

Adamsberg attrapa son portable et écouta les messages de Voisenet et de Retancourt. Voisenet était formel : Jean Escande était arrivé à Palavas deux jours avant l'attaque venimeuse contre Vessac. Le vieux Jeannot sans pied était bien connu dans quelques petits restaurants de la station balnéaire, il l'avait finalement trouvé chez une amie, d'où il s'apprêtait à partir.

— Je fais quoi maintenant, commissaire ?

— Vous rentrez avec l'équipe, lieutenant. Vous avez quand même eu le temps de tremper vos pieds dans l'eau ?

— Cinq minutes.

— Toujours ça de pris, Voisenet.

Il eut aussitôt Retancourt en ligne.

— Trente-huit hôtels déjà visités, commissaire.

— Et on ne va pas faire les dix-sept mille de France. Rentrez, Retancourt.

— Il a dormi dans sa voiture alors. C'est cela que vous pensez ?

— Il a dormi à Palavas.

— Mais s'il était…

— Je sais, coupa Adamsberg. Je sais.

— Vous êtes toujours à Rochefort ?

— À l'île de Ré, chez mon frère. Prévenez Mordent que je serai demain matin à la Brigade. Mordent, pas Danglard.

Adamsberg rejoignit Raphaël sur la terrasse, où le déjeuner était prêt. Pâtes, jambon. Les préoccupations culinaires de Raphaël n'étaient pas plus élevées que celles de son frère.

— C'est foutu, lui dit-il. Ce n'est pas Jean Escande qui a attaqué Vessac. On l'a localisé, au bord de l'eau, à des centaines de kilomètres du lieu de l'attaque.

— Ils ont pu envoyer un fils.

— Non, Raphaël, ce genre de vengeance ne s'exerce pas par procuration. Elle est directe ou elle n'est pas. Les garçons mordus n'ont pas assassiné leurs tortionnaires. Et pourtant, c'est bien du venin de recluse. Et pourtant, l'orphelinat de La Miséricorde demeure au centre du dispositif. J'en suis certain, ou bien rien n'a de sens. Il n'y a pas d'autre voie, et cette voie ne conduit nulle part. J'ai bouffé le sable, comme a dit Danglard.

Raphaël passa le pain à Adamsberg et les deux frères nettoyèrent leurs assiettes avec ces gestes larges des gosses de la campagne.

— Mais c'est différent, à présent, dit Raphaël en lançant les miettes de pain à quelques limicoles qui sautillaient sur la plage.

— Moi, j'ai un couple de merles à la Brigade. Je leur donne du cake. Le mâle est fluet.

— C'est bien aussi, les merles. La femelle couve ?

— Elle couve. Qu'est-ce qui est différent ?

— Es-tu toujours aveugle ?

— Non. Je distingue parfaitement la recluse du Pré d'Albret. Et je sais pourquoi j'ai hurlé.

— Elle s'est approchée de toi.

— Comment le sais-tu ?

— Je ne sais rien. J'ai toujours imaginé qu'elle l'avait fait.

— Oui. Les mains en avant, et elle a crié, non, elle a rugi. Mais je peux la regarder à présent. Je ne la crains plus, je ne crains plus le mot. La recluse, la recluse, je peux le répéter jusqu'à la nuit sans tomber.

— Et tu peux donc l'affronter encore. Tu es libre. Tu peux voir.

— S'il y a encore quelque chose à voir. Qui tuerait avec du venin de recluse, si ce ne sont ces garçons de l'orphelinat ? Et ce ne sont pas eux.

— Eh bien c'en sera d'autres, frère. Tu es libre, tu les trouveras. Tu y seras à vingt heures.

— Où ?

— À Paris. Je sais que tu vas sauter dans le prochain train.

Adamsberg sourit.

Raphaël laissa son frère à la gare, après une longue étreinte.

— Bon sang, Raphaël, j'ai laissé mon linge sale chez toi.
— C'était le but, non ?

Comme tant d'autres, Adamsberg aimait les voyages en train, qui vous faisaient l'offrande d'une parenthèse, voire d'une excursion fugitive hors du monde. Les pensées s'y mouvaient mollement, fuyant les écueils. Les yeux mi-clos, son esprit esquivait le naufrage douloureux de l'enquête et tournait autour de cette Louise aux cent recluses imaginaires. Revenait aux liens qu'avait décrits Voisenet entre les fluides animaux et le fluide séminal, les femmes violées. Retournait à cette femme « timbrée » qui partageait la maison d'Irène. Il sortit son portable pour adresser un message à Voisenet.

— *Pensée de train. Votre exposé : femme violée, contrôle d'un fluide venimeux, meurtre de l'agresseur en retournant le fluide contre lui. Est-il possible qu'une femme victime d'un viol puisse, pour les mêmes raisons, développer une terreur des bêtes à venin ?*

— *Pensée de voiture,* répondit Voisenet, *je remonte sur Paris, je dicte à Lamarre. Oui, bien sûr. Phobie des serpents, scorpions, araignées, toute bête susceptible d'injecter de force un liquide destructeur. C'est très intéressant mais cela ne nous mène à rien.*

— *Ce n'est pas grave.*

— C'est vraiment sa réponse ? demanda Voisenet à Lamarre. « Ce n'est pas grave » ?

— Telle quelle.

Voisenet, fatigué, se demanda comment le résultat désastreux de l'enquête laissait encore l'envie à Adamsberg d'aller s'égarer sur des sentiers si lointains. Sans savoir que Raphaël avait arraché son frère à la toile de la recluse du Pré d'Albret, lui rendant la liberté aérienne de ses mouvements et pensées.

Adamsberg passa à Irène, qu'il avait autorisation de joindre sur le portable d'Élisabeth, cherchant un prétexte approprié pour formuler sa question. Sans succès, il choisit de passer outre et d'écrire :

— *Irène, comment s'appelle votre colocataire ?*

— *Louise Chevrier. Pourquoi ?*

Un « pourquoi » largement justifié.

— *Je connais un spécialiste de la phobie des araignées. Il pourrait peut-être vous conseiller ?*

N'étant pas certain de l'existence du terme « arachnophobie », il avait évité l'obstacle, et son message ne lui paraissait pas aussi convaincant qu'il l'aurait souhaité.

— *Elle refusera de le voir. Elle ne supporte pas les hommes, ce qui ne facilite pas la vie non plus.*

— *C'était juste une idée.*

Mensonges, se dit Adamsberg avec une grimace. Irène était spontanée et lui la trompait au profit d'autres visées, au profit de « pensées de train » qui ne menaient à rien, avait dit Voisenet à juste titre. Cette fois, il contacta Mercadet :

— *Cherchez s'il y a eu viol sur une certaine Louise Chevrier, 73 ans.*

— *C'est urgent ?*

— *C'est pour comprendre un truc.*

Adamsberg reçut la réponse assez longtemps après, alors qu'il s'endormait de nouveau.

— *Violée en 1981 à l'âge de trente-huit ans à Nîmes, bon sang. Cette fois, violeur appréhendé : Nicolas Carnot, quinze ans de taule. Ai contrôlé : rien à voir avec l'orphelinat, ni l'un ni l'autre. Merde, je l'ai manquée. Parce que le jugement a eu lieu au tribunal de Troyes. Sais pas pourquoi.*

« Cette fois, violeur appréhendé. » Adamsberg entendait bien la phrase de son adjoint. Il connaissait les chiffres noirs, une femme violée toutes les sept minutes dans le pays et 1 à 2 % des violeurs condamnés. L'une d'entre elles pouvait-elle redouter les bêtes à venin jusqu'à la névrose ? Jusqu'à les imaginer la cernant de toutes parts de leurs pattes velues ? Ou bien au contraire pactiser avec ce venin, se l'approprier, et violer avec lui la vie de l'agresseur ?

Ces « pattes velues » auxquelles il venait de penser donnaient, dans l'hypothèse d'une vengeance pour viol, un avantage incontestable à l'araignée, en évocation des bras virils qui avaient enserré la victime. Certes, la recluse n'était pas velue, mais c'était un bon point pour les arachnides – arachnodes ? arachnes ? – par rapport à ses concurrents à fluide, serpents et scorpions, voire frelons, guêpes et autres attaquants. Un autre atout encore : la fréquente mise à mort du mâle araignée après l'accouplement, bien que ce ne fût pas une pratique usuelle de la recluse. Mais en sa faveur, la bête était peureuse, passant sa vie terrée loin des hommes, n'osant s'aventurer qu'en terrain désert. Oui, se dit-il, déportant son esprit dans celui d'une femme violée, oui, la recluse était une bonne compagne avec laquelle nouer sa vie. Et précisément, avec ses pattes dépourvues de poils, féminisées en quelque sorte, elle paraissait plus abordable. En même temps que dotée d'un fluide détruisant chair et sang.

Il abandonna collines et clochers détalant sous ses yeux et questionna une nouvelle fois Mercadet :

— *Louise Chevrier, pouvez-vous trouver sa profession ?*

— *Information par Froissy : garde d'enfants à domicile.*

— *Où ?*

— *Strasbourg.*

— *Quand ?*

— *Années 1986 et quelques.*

Strasbourg. Il se souvenait de son impérieuse cathédrale. Ce qui le ramena à un autre clocher, infiniment plus humble, celui de l'orphelinat de La Miséricorde. Et ce clocher persistait à dominer l'édifice de l'enquête. À son idée.

La lenteur des réponses de Mercadet l'avertit que le lieutenant abordait les rives de sa période de sommeil. Il rejeta son portable, estima que la question de savoir si l'on disait arachnode, arachnide ou arachne pouvait attendre et ferma les yeux. Douze heures de repos n'avaient pas suffi.

XXIX

Adamsberg marchait vers la Brigade au matin, surveillant les quelques mouettes qui l'avaient suivi depuis l'île de Ré. Il n'avait ni vacillé ni appuyé sa main sur sa nuque, ni plus ressenti l'ombre de quelque spectre que ce soit.

Il avançait pourtant sans se presser, retardant son arrivée, cherchant comment mener cette réunion où il allait devoir gérer, face à ses adjoints pour la plupart épuisés, la débâcle incontestable de l'enquête. Il rentrait d'un périple où il les avait tous embarqués – Danglard excepté –, en chef vaincu sur un vaisseau démâté, fracassé contre les arêtes des faits incontournables. Après des débuts incertains, ses adjoints y avaient cru, ils l'avaient suivi, et le retour au port se ferait en silence, dans la salle du concile, sur une mer plate. Pas de Jeannot en détention, pas de mise en accusation du Petit Louis, de Marcel et des autres victimes vieillies. Il ressentait pourtant quelque satisfaction à savoir que ces hommes, ces enfants mordus de La Miséricorde, qu'il voyait encore tout jeunes et blessés, n'avaient tué personne. Et malgré sa déception de flic, malgré cette quête qui s'achevait si abruptement, la victoire que lui avait offerte son frère l'imprégnait d'aisance et de légèreté. Des idées éparses et sans sens revenaient jouer dans sa tête, comme de minuscules bulles libérées, emplissant son esprit de gaz tumultueux qui bruissaient sans se préoccuper d'efficacité.

Avant de passer le porche de la Brigade, il s'adossa à un réverbère et, souriant, écrivit un message à l'adresse de Danglard : *Vous pouvez aller dîner en famille, commandant. La route est libre.*

À la Brigade en effet, les visages étaient mornes et las. Veyrenc, à qui Adamsberg avait délégué la veille des pans entiers de discours à mener, se concentrait sur quelques notes, Retancourt demeurait imperturbable. Ce n'était pas l'échec d'une enquête qui pouvait malmener sa résistance. Mais elle redoutait comme les autres qu'Adamsberg peine à soutenir cette faillite face à l'âpreté de Danglard. Le commandant disposait de toutes les armes du langage pour faire valoir sa victoire face à un commissaire ce matin démuni. Et Danglard ne s'était toujours pas montré. Adamsberg passa de table en table, distribuant, selon la personnalité de chacun, des signes ou des gestes de réconfort rapides. Pour Retancourt et Froissy, il avait cueilli à l'aube dans son jardinet deux poignées de fleurettes sauvages, bleues. Il en déposa une sur le bureau de Retancourt.

— Danglard est arrivé ? demanda-t-il.

— Il est dans son bureau, dit Noël. Caché telle une recluse. Ou peut-être satisfait qu'on ait bu la tasse.

Adamsberg haussa les épaules.

— Et Froissy ? Tombée d'épuisement ?

— Elle est dans la cour.

Adamsberg allait sortir pour lui porter les maigres fleurs qui commençaient à dépérir entre ses doigts quand elle revint dans la salle, si satisfaite qu'on espéra un miracle de dernière minute. Un faux Jeannot à Palavas, ou bien le vrai repéré à Saint-Porchaire.

— Ils sont nés, dit-elle.

— Les petits merles ? demanda Adamsberg.

— Ils sont cinq, et les parents s'affolent pour leur trouver de quoi manger.

— Cinq, c'est une grosse portée, dit Voisenet un peu gravement. La cour est pavée. Et la base des trois arbres est couverte par des grilles. Ils n'ont pas très bien choisi leur endroit, les parents. Ils vont les trouver comment, les vers de terre ?

— Froissy, dit Adamsberg en sortant un billet de sa poche, il y a des framboises à l'épicerie du coin, allez en chercher. Et ajoutez du cake. Voisenet, trouvez-leur une écuelle pour l'eau. Il n'a pas plu depuis dix jours. Retancourt, surveillez tout de même le chat. Noël, Mercadet, ôtez les grilles d'arbre, Justin, Lamarre, arrosez la terre, amollissez-la. Qui connaît un magasin de pêche dans le coin ?

— Moi, dit Kernorkian, à dix minutes en voiture.

— Alors filez acheter des vers de terre.

— Des gros ?

— Des petits, très minces.

— Mais la réunion ? Elle est à 9 heures.

— On vous attendra.

Mordent regardait la scène, stupéfait. Adamsberg distribuait ses ordres comme au plein cœur d'une enquête, et les agents obéissaient tout de suite, comme saisis par l'importance de leur mission. Semblant passer outre à l'échec qu'ils avaient subi et l'impasse inexplicable dans laquelle ils étaient acculés.

Adamsberg sortit dans la cour, aida Noël et Mercadet à déplacer les grilles d'arbre, puis observa le nid où cinq petits becs s'ouvraient sans relâche. Les parents tournoyaient en vol rapide.

— Personne ne s'approche de trop près du nid, ordonna-t-il en quittant les lieux, satisfait.

Il croisa Mordent sur son passage et lui secoua l'épaule.

— Tout ne va pas si mal, n'est-ce pas ?

Après que, dans un certain climat d'agitation, sept framboises eurent été distribuées, deux parts de cake émiettées et une dizaine de vers de terre lâchés dans la terre ameublie, Adamsberg envoya Estalère préparer les cafés, signal du début de la réunion au concile, avec une heure de retard. La chaise de Danglard restait vide.

Depuis son bureau, porte fermée, Danglard avait perçu l'animation qui avait parcouru la Brigade, sans en saisir le motif. En tendant l'oreille, il réalisa que ce vacarme n'était dû qu'à la naissance de cinq merles. Voisenet n'avait pas tort, les petits étaient sans doute condamnés à mourir dans cette cour infertile et Adamsberg avait pris les bonnes mesures pour les sauver. Et alors, que pouvait bien lui foutre, à lui, la mort de cinq bébés merles ? Rien. Le commandant considérait le message tout récent que lui avait adressé Adamsberg : *Vous pouvez aller dîner en famille, commandant. La route est libre.*

Comme il l'avait tant redouté, Adamsberg avait donc compris. Le commissaire avait cherché la raison de son obstination à bloquer l'enquête, et il l'avait trouvée : Richard Jarras. Et c'était exact. Dès qu'il avait eu vent de ces morts anormales par venin de recluse, il avait su d'où pouvait venir l'attaque. Et il avait tout fait pour enrayer les recherches et isoler Adamsberg de ses hommes. Il avait cru vaincre le commissaire aisément et il s'était trompé. Adamsberg avait remonté la piste jusqu'à l'orphelinat et finalement persuadé l'équipe de le suivre. À présent que l'enquête s'était envasée, que Richard Jarras était hors de cause, Danglard prenait conscience de la catastrophe où son émotivité, son impulsion, sa peur, l'avaient entraîné. Il avait semé de nouveau la discorde au sein de la Brigade, puis décidé de menacer l'avenir du commissaire, et cette fois-ci, à dessein, il avait tout fait pour protéger un possible assassin. Un délit passible d'une condamnation pour complicité. Il était mort.

Et comme parfois quand on se sait foutu, et cela par sa seule et propre faute, la réaction de défense de Danglard n'était pas la contrition mais l'agression. Tant qu'à tout perdre, autant détruire, et celui par qui venait son malheur, Adamsberg.

Installé dans la salle du concile, le commissaire attendait que le commandant Danglard veuille bien entrer en scène. Chacun l'observait, attentif à sa décision. Ils savaient tous que Danglard avait alimenté la rébellion et décidé d'en référer au divisionnaire. Mais Adamsberg n'avait révélé à personne – sauf à trois de ses adjoints – de quelle faute il s'était rendu coupable en choisissant de mettre à l'abri un tueur potentiel.

Le commissaire serra les lèvres, attrapa son portable, écouta le piaillement des nouveau-nés pour modérer son mécontentement. Au lieu de rédiger un message silencieux, il composa le numéro de Danglard.

— Tout va bien, commandant ? Vous avez dix minutes de retard, dit-il d'une voix calme.

Danglard garda le silence, ce qu'Adamsberg fit comprendre par gestes à son équipe.

— Selon les lois de l'éthique de bord, reprit Adamsberg, poursuivant, on ne sait pourquoi, sa métaphore maritime, un commandant ne quitte pas un navire en perdition.

Le commandant Mordent hocha la tête après cette noble phrase.

— Vous êtes donc attendu sur-le-champ, acheva Adamsberg. Vous venez, c'est oui ou c'est non, et je veux l'entendre.

Danglard énonça un « oui » indistinct avant de raccrocher. Adamsberg regarda l'ensemble de ses adjoints, muets d'appréhension.

— Il y a plus important que les humeurs de Danglard, dit-il en souriant. Les oisillons, par exemple, n'en ont rien à faire.

C'est cette phrase inepte que Danglard entendit en ouvrant la porte. Il gagna sa place sans jeter un œil à ses collègues.

— Bien, dit Adamsberg, nous voici au complet pour dire ce que nous savons tous : le fiasco est intégral. Nous nous sommes trompés. Je veux dire : je me suis trompé. La piste était lumineuse, mais elle était fausse. La Bande des mordus n'a pas touché aux blaps de l'orphelinat. On pourrait s'entêter, et on ferait erreur. Si aucun d'eux n'a touché Vessac, alors aucun n'a touché les autres. Mais je vais m'obstiner sur un point, sur un clocher : je maintiens qu'il existe un lien entre l'orphelinat de La Miséricorde et les trois assassinats de Claveyrolle, Barral et Landrieu. Ou rien ne permet d'expliquer le recours insensé au venin de la recluse.

Adamsberg s'interrompit pour ouvrir son portable qui sonnait.

— Les *quatre* assassinats, corrigea-t-il. Olivier Vessac vient de mourir à l'hôpital de Rochefort, il y a quinze minutes. Restent deux à sauver : Alain Lambertin et Roger Torrailles. À ma demande, ils sont déjà sous la protection des flics.

— Bien, dit Mordent.

— Mais l'assassin se prépare depuis quatorze ans, insista Adamsberg. Nous sommes très en retard, commandant. Et si la piste de la Bande des mordus était lumineuse, je pense que celle que nous devons trouver sera sombre et froide.

— Pourquoi ? demanda Lamare.

— Je ne sais pas. Nous nous sommes trompés de passage. Ce n'était pas le bon. Trop lumineux peut-être. Ce n'est pas la première fois qu'une enquête s'enfonce dans un, comment cela, diverticule. C'est bien cela, Danglard ? Diverticule ? Qui ne débouche sur rien. Il nous faut donc chercher l'autre passage, le détroit, le vrai, celui qui nous mènera à l'assassin.

— Comme c'est facile, dit Danglard sans aménité. Et à partir de quoi, à présent, trouverez-vous ce « détroit », comme vous dites, ce détroit « sombre et froid » ? Il ne vous reste plus un élément qui tienne. À moins que vous n'espériez que votre foi, votre passion, votre certitude ne vous guident ? Tel Magellan se perdant de fausse piste en fausse piste ?

— Magellan ? dit Adamsberg.

Et chacun comprit que Danglard amorçait à présent sa revanche, sur le terrain trop commode de la guerre des mots et des connaissances. Magellan. Aucun d'eux – Veyrenc excepté – n'aurait été capable de dire qui était ce type et ce qu'il avait fait.

— Et pourquoi pas comme Magellan, commandant ? dit Adamsberg en pivotant vers Danglard. Moi, je n'oserais pas comparer notre petite expédition à son prodigieux voyage. Mais puisque vous en parlez, allons-y. J'ai l'esprit très maritime depuis que j'ai vu le port de Rochefort.

Adamsberg se leva et se dirigea à pas tranquilles vers une grande carte du monde que Veyrenc avait un jour punaisée au mur. Pour donner de l'air à la Brigade, avait-il dit. Le commissaire savait comme les autres ce que cherchait Danglard, avec son Magellan. À l'humilier devant l'équipe, à mettre en évidence son ignorance et démontrer l'inconsistance de ses pensées. Au bout du compte à lui faire perdre à nouveau le soutien de ses adjoints. Mais si Danglard savait à coup certain quantité de choses sur ce Magellan, il ignorait l'existence du cantonnier du village d'Adamsberg. L'homme n'avait jamais bougé de son rocher pyrénéen. Il avait voyagé en suivant pas à pas les exploits des vaisseaux anciens, dont il construisait des maquettes qui fascinaient à vingt kilomètres à la ronde, reproduisant dans leurs détails éclatants les ornements des poupes. Des grappes d'enfants regardaient en silence les gros doigts de l'homme fixer les fins haubans aux mâts, tout en écoutant ses histoires cent fois répétées. Si bien que pour Adamsberg, l'exploit de Magellan était une aventure plus que familière. Une fois devant la carte, il posa son doigt sur un point de la côte espagnole. Il se tourna et croisa le regard de Veyrenc. Veyrenc, lui, savait, et d'un net mouvement de paupières, il donna son aval à son ami.

— Ici, indiqua Adamsberg, voici le port de Séville. Le 10 août 1519, Magellan – de son véritable nom, Fernão de Magalhães – largue les amarres avec cinq vieux vaisseaux retapés, le *San Antonio*, la *Trinidad*, la *Concepción*, la *Victoria* et le *Santiago*. Il mène le vaisseau amiral, la *Trinidad.*

De son doigt, Adamsberg contourna l'Afrique, traversa l'Atlantique, descendit le long des côtes du Brésil et de l'Argentine, et s'arrêta sur un point de la rive est de l'Amérique du Sud.

— Ici, nous sommes au 40e degré de latitude. Une carte indiquait que le passage tant recherché vers un hypothétique océan, le futur Pacifique, celui qui allait prouver au monde et à l'Église que la terre était ronde, se situait à ce 40e degré. Et la piste était fausse.

Tous les officiers s'étaient tournés vers Adamsberg, autant soulagés que séduits, et suivaient le trajet de son doigt. Veyrenc observait les altérations du visage de Danglard, et particulièrement quand Adamsberg avait prononcé les noms des cinq vaisseaux en partance et celui du Portugais Fernand de Magellan.

— Et Magellan descend toujours, poursuivit Adamsberg, toujours plus au sud, toujours plus au froid. Il entre dans chaque golfe, chaque baie, espérant y trouver le débouché vers l'autre océan. Mais les golfes sont fermés, mais les baies sont closes. Il se fracasse, il poursuit, dans la tempête, ils crèvent de froid et de faim, lui et son équipage, dans le golfe de San Julián. Il descend encore, et c'est en passant le 52e degré qu'il découvre enfin le détroit qui portera son nom. Lui, et son équipage.

L'équipage, l'équipe, on comprit. De son doigt toujours, Adamsberg suivit le long passage au sud de la Patagonie, déboucha sur l'océan Pacifique et y plaqua sa main.

— Nous devons repartir, dit-il en laissant retomber son bras, chercher le détroit, c'est ce que je disais de manière bien plus simple avant que Danglard ne m'interrompe sur Magellan.

— Que vous paraissez très bien connaître, commissaire, dit Danglard qui, au bord de son gouffre intérieur, cherchait encore à mordre.

— Cela vous ennuie ?

— Non, cela m'étonne.

À cette réplique offensante, Noël se leva d'un bond, laissant tomber sa chaise, et s'avança vers le commandant dans une posture de claire agression.

— Selon l'éthique de bord, dit-il avec colère, reprenant l'expression d'Adamsberg, un commandant n'insulte pas l'amiral. Ravalez vos mots.

— Selon l'éthique de bord, répondit Danglard en se levant à son tour, un lieutenant ne donne pas d'ordre à un commandant.

Adamsberg ferma un instant les yeux. Danglard s'était transfiguré, Danglard était devenu un véritable con. Et s'il était un homme qui ne pouvait faire le poids face à un Noël ulcéré – qui reprenait ses allures de fier et dangereux garçon des rues qu'il avait été –, c'était bien

Danglard. Adamsberg attrapa le bras de Noël avant qu'il n'atteigne la mâchoire du commandant.

— Pas d'erreur, Noël, dit Adamsberg. Merci, et rasseyez-vous.

Ce que fit Noël en grondant, ce que fit Danglard, blême, ses minces cheveux gris et bruns trempés de sueur.

— L'incident est clos, dit Adamsberg avec calme. Il y eut des bagarres aussi, à bord de la *Trinidad*. Pause, ordonna-t-il. Ne sortez pas tous ensemble dans la cour pour voir les oisillons. Vous feriez fuir les parents qui risqueraient de ne plus revenir. Et à cela, nous ne pourrions rien.

XXX

Pendant que l'équipe se dispersait, que Retancourt félicitait Noël pour son attaque, ayant beaucoup apprécié, en technicienne rompue au combat, la trajectoire interrompue de son crochet du droit, et que Danglard se réfugiait dans son antre, Adamsberg s'esquiva dans son bureau, prit la petite boîte en plastique, fit tourner la recluse morte sous ses yeux, puis décrocha son téléphone.

— Irène ? Adamsberg. Vous êtes au courant ?

— Pour la mort de Vessac, bien sûr. Je chuchote, je suis avec Élisabeth dans le couloir de l'hôpital. Je vais tâcher de la sortir de là.

— Je voulais savoir : comment réagit votre Louise ? Elle sait aussi ?

— Bien sûr qu'elle sait ! Ça ne cause que de ça dans toute la région. Attention, personne ne se doute que ce sont des assassinats, j'ai tenu parole, commissaire. Mais la « malédiction » de la recluse envahit la toile. Tous convaincus que le venin a muté.

— Mais Louise ? Elle en voit toujours ?

— De pire en pire. Elle s'est enfermée dans sa chambre qu'elle a déjà aspirée de fond en comble je ne sais combien de fois. Bientôt, elle va aspirer les murs, je vous le garantis. Il va falloir que je rentre. Et je vous jure, avec Élisabeth sur les bras, ce n'est carrément pas le moment. C'est bien ma veine d'être tombée sur une Louise. C'est pas tout de suite que je me suis aperçue qu'elle était cinglée. Ça a commencé avec le savon.

— Le savon ?

— Mais si, vous savez, le savon liquide avec un truc qu'on pousse et ça sort en jet. C'est quand même plus hygiénique, je trouve. Eh bien ça l'a fait hurler, elle me l'a foutu à la poubelle. Moi je l'ai récupéré, j'ai pas des sous à jeter par les fenêtres.

— Ce qui l'a fait crier, c'est le savon ou le jet ?

— Le jet. Faut quand même avoir une sacrée araignée au plafond, excusez-moi pour la blague, je m'excuse.

— Je l'aime bien, votre blague.

— Ah tant mieux alors. J'en trouve comme ça, des blagues, je vous ai dit. Ça égaie, non ?

— C'est fait pour cela, Irène. Et quoi d'autre la fait crier ?

— Tous ces produits avec un poussoir, les crèmes hydratantes, par exemple. Ah oui aussi, l'huile. Elle ne supporte pas l'huile quand on appuie sur la bouteille pour la faire sortir. Et comment on la fait la salade, alors ?

— Et le vinaigre, pareil ?

— Ah non, elle s'en fout du vinaigre. Timbrée, je vous dis. Je vous assure que pour mes livraisons de nourriture, que c'est toujours des hommes qui apportent les cartons, c'est pas facile tous les jours. Je dois la prévenir avant pour qu'elle s'enferme dans sa chambre.

— Vous savez quelque chose de sa vie, avant ?

— Rien du tout. Elle n'en parle jamais. J'aimerais bien la virer, mais j'ose pas. Parce que qui va vouloir d'elle, hein ? Et moi, je suis pas la méchante fille, alors j'ose pas.

— Elle sort, parfois ?

— Seule ? Vous rigolez, commissaire. En revanche, quand je pars en balade posture antalgique, elle monte dans ma voiture. Et moi, j'aimerais bien être tranquille des fois. Mais comme je ne suis pas la mauvaise fille, je n'ose pas refuser. Après, je la laisse à l'hôtel, qu'elle se démerde, pardon, je m'excuse, vraiment, qu'elle se débrouille, et je vais me promener avec mon appareil photo. Et puis j'achète des boules.

— Des boules, Irène ?

— Ces boules qui font de la neige quand on les secoue. C'est joli, non ? J'en ai plus de cinquante chez moi. Tenez, si vous aimez la cathédrale de Bourges, je vous l'offrirai.

— Merci beaucoup, dit Adamsberg qui préférait mille fois sa recluse morte. Je voudrais tout de même bien la connaître.

— Pour comprendre l'arachnophobie ?

— Ah, c'est cela le mot ? « Arachnophobie » ? Attendez, je note.

— Mais pour la voir, laissez tomber, commissaire, vous êtes un homme.

— J'oubliais.

— Que vous êtes un homme ? Ce n'est pas normal, commissaire. Ça se voit, tout de même.

— Non, j'oubliais qu'elle ne me supporterait pas. On y réfléchit, je dois retourner en réunion.

— À mon avis, dit Irène avec sa finesse bien réelle sous ses allures directes et bavardes, vous avez une autre idée en tête que l'arachnophobie. Vous êtes flic quand même.

— Et quelle idée ?

— Voir de vos yeux vu si c'est vrai ou pas que les recluses se sont multipliées.

Adamsberg sourit.

— Ce n'est pas faux.

Il reposa le téléphone, perplexe. Cette Louise Chevrier, dont on ne savait rien, n'était pas seulement « timbrée », « cinglée », elle était tout à fait névrosée. Jusqu'à redouter les jets de savon blanc, substance projetée et liquoreuse, image récurrente du viol qu'elle avait subi. Il avait traité beaucoup d'affaires impliquant des femmes violées, il en avait connu qui ne pouvaient plus supporter la présence d'un homme, mais il n'avait jamais entendu parler d'une terreur allant jusqu'à la détestation d'un quelconque jet de matière un peu crémeuse. Les phobies de Louise touchaient à la démence. S'il pouvait comprendre cette hantise avec le savon, il ne voyait en revanche aucun lien entre l'huile et le liquide spermatique.

Il ferma les yeux quelques instants, puis appuya le front à sa fenêtre, face au tilleul. L'huile. Quand avait-il entendu ce mot ? Quand il avait émietté le cake ? « Il va être foutu, ce pantalon » ? Non. Une moto passant au loin couvrit le piaillement des oisillons.

L'huile, bon sang, l'huile de moteur déversée sur le trajet de la moto du blaps Victor Ménard, la troisième victime.

Adamsberg passa les mains sur ses joues. Pas de coïncidence, Mercadet aurait repéré le viol de Louise tôt ou tard. Mais qu'était venue faire cette femme, terrifiée par les recluses, chez Irène Royer ? Car Irène ne s'en cachait pas : on savait qu'elle ne tuait pas les bestioles. Cela n'avait pas de sens. À moins que Louise ne mente sur toute la ligne. Qu'elle ne soit dans cette maison que pour la compagnie des recluses, là où elle les savait accueillies, protégées, tout comme elle. Puis, brouillant les pistes dans la crainte d'une enquête, elle jouait un personnage opposé : celui d'une arachnophobe. Alors qu'elle était arachnophile et même reclusophile. Ce dernier terme, il en était certain, n'existait pas.

Et comment aurait-elle eu vent d'une enquête ? Irène avait tenu parole, rien n'avait filtré sur le net. Mais ils s'étaient parlé et elle l'appelait « commissaire ».

Il étira les bras, soudain inquiet. Puis se rassura : Irène n'était pas un homme, encore moins un gars de la Bande des recluses. Elle ne risquait rien. À moins que. À moins que Louise ne s'inquiète de la progression de l'enquête et qu'Irène conçoive des doutes, un jour ou l'autre, et ne s'en ouvre à son foutu « commissaire ».

Il passa un nouvel appel à son arachnophile.

— Irène, c'est assez urgent. Êtes-vous seule ?

— Élisabeth dort. Que se passe-t-il ?

— Écoutez-moi bien. Ne m'appelez pas devant votre colocataire. *Vous me suivez* ?

— Pas du tout.

— Aucune importance. Je vous le demande. Promettez.

— Peut-être, mais quoi ?

— Vous a-t-elle jamais interrogée sur moi ? Sur cet homme avec qui vous correspondez ?

— Mais jamais. Pourquoi elle ferait ça ? Avec son araignée au plafond, si vous croyez qu'elle a le temps de s'intéresser aux autres, pas du tout.

— Ça pourrait venir. Si elle vous demande qui est ce commissaire avec lequel vous bavardez, répondez ceci, strictement : je suis un vieil ami de Nîmes que vous avez retrouvé par hasard. Je m'intéresse comme vous, en marge de mon métier, aux araignées. Je suis un zoologue qui a raté sa vocation. Cela expliquera nos échanges sur les derniers méfaits de la recluse. Vous m'entendez bien ?

— Oui, dit Irène, assez perdue cette fois pour manquer de mots.

— Et en outre, je suis un collectionneur de boules, les boules à neige.

— Vous ?

— C'est un mensonge, Irène, *vous me suivez* ?

— Non. Si vous m'expliquiez un peu ? Je ne suis pas une mauvaise fille, je vous l'ai dit, mais je ne suis pas non plus une marionnette, commissaire.

— Je ne crois pas que votre Louise soit une « cinglée ». Je la crois démente. Et, mentit Adamsberg, capable de lâcher toute information sur l'enquête qu'elle obtiendrait de vous.

— Ah je vois mieux, cette fois.

— Elle ne doit donc à aucun moment soupçonner que je pense à des assassinats. Le moindre écho dans les médias serait catastrophique.

— Je vous suis.

— C'est bien entendu, Irène ? Je ne suis qu'un vieil ami zoologue frustré, passionné d'araignées et de boules à neige.

— Ce que je pourrais faire alors, dit Irène en retrouvant sa vivacité, c'est acheter deux boules à Rochefort. Et en rentrant chez moi, lui dire qu'il y en a une pour moi, et une pour vous. Que c'est comme cela qu'on s'est retrouvés dans une boutique de souvenirs. À Pau, par exemple, j'ai une boule de Pau. Et ainsi, c'est moi qui lance le mensonge.

— Parfait. Et si vous avez vraiment un message un peu trop explicite à me transmettre, envoyez-le-moi, puis écrasez-le aussitôt.

— *Je vous suis.* Vous pensez qu'elle regarde dans mon portable ?

— Dans votre ordinateur aussi.

— Ben si c'est ça, faut en profiter. Je peux vous adresser des faux messages : sur des boules, avec photo, en vous écrivant : « Et celle-là, vous l'avez ? » Comme si on faisait la concurrence avec nos collections. Et pour les araignées, je peux vous parler de tégénaires, d'épeires, de veuves noires. Puisque vous êtes un arachnologue frustré, il n'y a aucune raison que vous ne vous intéressiez qu'à la recluse.

— Excellent, faites cela, Irène.

— Il y a un os. Si nous sommes de vieux amis qui se sont retrouvés – et ça me fait bien plaisir –, pourquoi je vous appellerais « commissaire » ?

Adamsberg prit un instant pour réfléchir, avec la nette impression qu'Irène pensait plus vite que lui.

— Dites que c'est un jeu entre nous. Qu'avant, vous m'appeliez Jean-Baptiste, mais que lorsque nous nous sommes retrouvés, vous avez appris que j'étais devenu commissaire. Alors on a commencé à jouer, et l'habitude s'est prise.

— Ce n'est pas formidable, commissaire.

— Non.

— Aussi, j'alternerai. Des fois je dis « commissaire », des fois je dis « Jean-Baptiste ». Ou même « Jean-Bapt », c'est plus familier, ça fait plus vrai.

— Vous auriez dû être flic, Irène.

— Et vous arachnologue, *Jean-Bapt*. Excusez-moi, je m'entraîne.

XXXI

— Je disais, commença Adamsberg quand chacun fut à nouveau en place en salle du concile, avant notre voyage vers le Pacifique, qu'il nous fallait trouver un autre passage.

— À la latitude 52°, précisa Mercadet avec sérieux, et pour lui-même.

— Le commandant Danglard affirme que nous n'avons rien à nous mettre sous la dent. Ce n'est pas tout à fait exact. Autre chose passe sous nos yeux depuis les débuts, sur quoi nous ne nous arrêtons pas.

— Quoi ? demanda Estalère.

— Pas quoi, Estalère, qui ?

— Sur le tueur ?

— Je pense que c'est une femme.

— Une femme ? dit Mordent. Une femme ? Qui aurait déjà tué huit hommes en vingt ans ? Qu'est-ce qui vous tire vers cette idée, commissaire, vers ce… détroit ?

— La Bande des recluses s'est muée en Bande des violeurs, on le sait. Mercadet travaille à traquer ces viols, depuis la majorité de ces gars jusqu'à, disons, leurs soixante-cinq ans. Sur une cinquantaine d'années donc. C'est une tâche lourde et rien ne nous dit qu'ils n'ont sévi que dans le Gard. Froissy l'épaulera.

Adamsberg s'efforçait de parler de manière neutre, apaisante pour toute la Brigade, mais l'attaque de Danglard avait frappé fort. Il était très conscient que le commandant frôlait son propre abîme, que son agressivité suicidaire poussait telles des ronces sur un terrain en démolition. C'était tout de même la première fois que le commandant l'avait insulté et sciemment méprisé devant tous. Sa souplesse naturelle l'incitait à oublier l'écueil. Mais celui-ci avait été coupant. À l'instinct, il souhaitait quitter cette réunion pour aller marcher. Ne plus avoir Danglard dans son champ de vision, ne pas peiner à organiser et justifier des arguments de recherche vers une nouvelle et si maigre piste. Il était temps de passer le relais à Veyrenc, très à l'aise dans ces travaux de logique.

— Une idée sur cette femme ? demanda Froissy qui, choquée par l'attitude de Danglard autant qu'intimidée par celle de Noël, s'appliquait à reposer ses mains bien à plat sur son clavier. Posture antalgique, pensa Adamsberg.

— Quelques-unes, dont des banalités. Mais mieux vaut repartir des bases quand on a manqué le passage.

— Le détroit, rectifia Justin en levant l'index.

Décidément, le voyage de Magellan avait marqué les esprits, leur insufflant quelque esprit héroïque qui paraissait les inspirer. En dépit du contexte calamiteux de cette enquête fourvoyée, Adamsberg notait que les dos étaient plus droits qu'à l'ouverture de la réunion, les postures plus décidées, et que des regards revenaient se poser sur la carte du monde. Certains, peut-être, s'imaginaient hors de cette salle aux sièges en plastique, affalant les voiles dans la tempête, s'accrochant aux mâts, colmatant les brèches, avalant des biscuits avariés. Sait-on ? Certains rêvaient.

— Cela fait vingt ans qu'elle tue, poursuivit Adamsberg, à huit reprises déjà. Ces crimes élaborés sur la durée, ce programme de destruction conçu névrotiquement comme un objectif vital, s'édifie dans l'enfance. Pas de pulsion brusque, pas de hasard. De cette tueuse inconnue, on peut donc assurer qu'elle a grandement souffert. C'est la première banalité que j'évoquais. Là, dans sa jeunesse, s'est jouée sa transformation en une criminelle inébranlable.

— Une enfance difficile, dit Justin, voilà un critère qui ne va pas nous aider à réduire notre échantillon.

— Certes pas. Nous savons aussi qu'elle a été violée, ce qui, de même, nous aidera peu. Si plainte il y a eu, et qu'elle ait abouti ou non, cette femme continue d'exercer sa justice seule. Un unique élément peut nous aider à la repérer, et c'est ce choix aberrant du venin de recluse. À ses débuts, elle ne pense pas à l'araignée. Elle a utilisé des moyens divers et opportunistes, l'arme à feu, le sabotage, l'accident de moto et enfin l'amanite phalloïde. C'est là sans doute que les choses basculent, que l'idée prend forme. Pour ce quatrième meurtre, elle a choisi une substance vénéneuse, de l'amanite phalloïde. « Phalloïde », le mot compte. Par ce mot, le lien se fait alors entre la toxicité végétale et la toxicité animale.

— Oui, approuva Voisenet. Passer de l'élément vénéneux à l'élément venimeux.

— Mais extraire du venin est bien autre chose qu'aller ramasser une amanite en forêt. Au point qu'elle y passe quatorze années, obnubilée par le désir d'obtenir ce nouveau poison. Vous vous rappelez l'exposé de Voisenet sur les liens entre les fluides des bêtes à venin et la toute-puissance. Cette femme parvient à dominer l'araignée et s'approprie son pouvoir. Ayant reçu de force en elle un fluide animal dévastateur, elle le retourne mortellement contre son agresseur.

— « Son » agresseur, releva Mordent. Pourquoi ne pas s'être limitée à cet homme ? Pourquoi détruire la Bande des recluses tout entière ?

— On ne sait rien de ce qu'elle a subi. Le, ou les viols.

— Par les dix blaps ? demanda Lamarre.

— Les blaps – qui furent les anciens maîtres de la recluse – restent notre meilleure boussole. Si cette femme fut violée par l'un d'eux – et plutôt par deux ou trois, vu leur stratégie d'attaque collective –, elle a étendu sa vengeance à l'ensemble de la meute.

— *L'amour est une ortie qu'il faut moissonner chaque instant si l'on veut faire la sieste étendu à son ombre*, murmura Danglard. Pablo Picasso. L'amour, ou la passion.

Tous les regards se tournèrent vers le commandant, dont on n'espérait plus une parole. Était-ce un retour, un début d'adhésion ? Nullement. La cuirasse de son visage blanc était plus épaisse que jamais. Danglard ne se parlait plus qu'à lui-même.

— Encore faut-il, dit Kernorkian, ignorant l'interruption, qu'elle ait su qu'ils formaient une bande.

— Nécessairement.

— Et encore faut-il, insista Kernorkian, qu'elle ait aussi su leur lien avec les recluses.

— Aussi, approuva Veyrenc. L'un d'eux a parlé.

Ici, le commissaire se leva, déjà fatigué de sa position assise, et commença à tourner dans la salle à son habitude.

— Un cas m'intéresse, dit-il, pourtant loin du clocher de La Miséricorde.

— Je croyais qu'il ne fallait pas lâcher ce clocher, dit Noël.

— Je ne le lâche pas. Il s'agit de Louise Chevrier. Elle a été violée à Nîmes en 1981, à l'âge de trente-huit ans, et son agresseur a été coincé. Il s'appelle Nicolas Carnot et il n'a jamais mis un pied à l'orphelinat. Il a pris quinze ans, il est sorti en 1996. A-t-il un lien quelconque avec la Bande des blaps ? Mercadet est déjà dessus. Froissy, mettez-vous sur Louise Chevrier. Il nous faut tout connaître d'elle. On se retrouve à 16 h.

— Commissaire, dit Justin, on n'aura rien de plus à 16 heures.

— Il ne s'agit pas de cela. À 16 h, le commandant Danglard nous fera un rapide cours d'histoire sur les recluses médiévales. Les femmes, s'entend.

— Les recluses médiévales femmes ? répéta Lamarre, stupéfait.

— Celles-là, brigadier. Commandant ? Cela vous convient ?

Danglard se contenta de hocher la tête. 16 heures. Cela lui laissait le temps de boucler ses cartons.

Adamsberg croisa Froissy dans la cour.

— Je vais marcher, lieutenant.

— Je comprends, commissaire.

— Les secousses de la marche, de la déambulation, mettent en mouvement les micro-bulles gazeuses qui se promènent dans le cerveau. Elles bougent, se croisent, se cognent. Et quand on cherche des pensées, c'est une des choses à faire.

Froissy hésita.

— Il n'y a pas de bulles gazeuses dans le cerveau, commissaire.

— Mais puisque ce ne sont pas des pensées, comment appelez-vous ça ?

Froissy demeura sans réponse.

— Vous voyez bien, lieutenant. Ce sont des bulles gazeuses.

XXXII

Adamsberg marcha jusqu'à la Seine, comme à son habitude. Dans cette ville, l'eau claire du Gave de Pau lui faisait durement défaut. Il descendit jusqu'à la berge et s'assit parmi des promeneurs, étudiants, intermittents de l'errance, tout comme lui. Et tout comme lui, tous regardaient avec consternation une centaine de poissons morts, ventre en l'air, que charriait mollement le fleuve vert et gris.

Contrarié, Adamsberg remonta les escaliers et longea les quais jusqu'à Saint-Germain. Il appela en route le psychiatre Martin-Pécherat – une chance qu'il se rappelle un nom pareil –, qu'il avait connu il y a peu lors d'une expertise de responsabilité mentale. Il était de ceux qu'on nomme à la va-vite « un gros type jovial », barbu et chevelu, en réalité un homme des profondeurs, un savant placide ou disert, rieur ou chagrin, selon les circonstances, ou selon que la révolution naturelle de son âme montrât sa face ardente ou bien ombreuse.

— Docteur Martin-Pécherat ? Commissaire Adamsberg. Vous vous souvenez de moi ? L'expertise de Franck Malloni ?

— Évidemment. Ravi de vous entendre.

— J'aimerais vous voir.

— Une nouvelle expertise ?

— Non, j'ai besoin de votre opinion sur les recluses, les femmes qui se coupent du monde.

— Au Moyen Âge ? Ce n'est pas ma spécialité, Adamsberg.

— Pour le Moyen Âge, j'ai ce qu'il me faut sous la main. Mais pas pour les temps contemporains.

— Il n'y a plus de recluses, commissaire.

— J'en ai connu une, quand j'avais douze ans. J'en connais peut-être une autre.

— Commissaire, je me bats seul avec une blanquette de veau trop grasse et je m'ennuie, ce que je tolère assez mal. Je suis place Saint-André-des-Arts, à gauche près du tabac.

— J'y serai dans dix minutes.

— Je vous commande à déjeuner ? Je commence tout juste.

— Merci, docteur, choisissez pour moi.

Adamsberg remonta au trot les quais de la Tournelle et de Montebello, enfila la rue de la Huchette et rejoignit le gros docteur qui se leva pour le saluer, bras ouverts. Adamsberg se souvenait de son accueil, toujours engageant, qu'il fût en phase sombre ou claire.

— Darne de cabillaud sauce normande, cela vous ira ?

Adamsberg n'osa pas dire au médecin qu'après le spectacle offert par la Seine, manger du poisson mort le tentait peu. Il sourit et s'assit, tandis que le médecin l'observait, un rien soucieux.

— Sale temps, non ? dit-il. Pour vous ?

— C'est une enquête qui plonge dans les entrailles, du passé comme de l'esprit. Très difficile, je viens de manger le sable.

— Je parle de vous, commissaire. Vous avez traversé un sale truc, et très récent, ou je me trompe ?

— C'est vrai, c'était hier et peu importe.

— Cela m'importe. Je comprendrai mieux votre arrivée en urgence et vos questions. Que vous est-il arrivé, hier ?

— Mon frère a procédé à une extraction dentaire dans ma mémoire, sur l'île de Ré. Il se trouve que la dent était profondément enfouie. Elle ne m'avait jamais fait mal, jusqu'à la semaine dernière. Mais c'est passé. Tout va bien.

— Quel était ce souvenir ? La recluse que vous avez vue à douze ans ?

Le docteur Martin-Pécherat allait vite, sautant les étapes intermédiaires. On ne pouvait pas feinter avec lui.

— C'est cela. Je ne me rappelais pas l'avoir vue, je ne me rappelais rien. Mais à mesure que j'entendais le mot « recluse », je me sentais de plus en plus mal.

— Malaises ? Vertiges ?

— Oui. Et quand mon frère l'a extraite…

— Parce que votre frère était là ?

— Avec ma mère.

— Votre mère vous a laissés la voir ?

— Surtout pas. Elle ne m'a pas vu faire, voilà tout. Après, c'était trop tard.

— Enfant fureteur et réfractaire aux règles, dit le médecin en souriant.

— Après l'extraction, quand j'ai enfin revu son visage atroce, ses dents pourries, quand j'ai à nouveau respiré sa terrible odeur, entendu son cri, j'ai perdu connaissance. Il paraît qu'à douze ans, je me suis évanoui aussi. Avant de tout oublier.

— D'enfermer.

— Je ne veux pas vous faire perdre de temps avec cela.

— Ne vous en faites pas pour mon temps, mon premier patient m'a décommandé.

— Je me soucie de mon temps aussi, dit Adamsberg, et mon assassin ne m'a pas décommandé. Quatre morts déjà, et deux à venir. Dix en réalité.

Le médecin s'accorda quelques instants, le temps d'écarter sa viande sur le côté de son assiette et de s'attaquer au riz, qu'il recouvrit de sauce à la crème.

— Il s'agit des décès dus aux morsures de recluses ? On parle d'un venin mutant, imputable aux insecticides. Personnellement, je n'y crois pas. J'entends : pas en ces proportions, pas en une seule année. Encore qu'aujourd'hui, que peut-on assurer ?

— Je viens de voir filer une centaine de poissons morts sur la Seine.

— Et nous en verrons d'autres. Comme nous verrons la mer intérieure rassasiée de plastique. Ce sera pratique, on passera directement à pied de Marseille à Tunis. Je suppose donc que votre cabillaud ne vous convient pas trop.

— Cela va passer, dit Adamsberg en souriant.

— Mais pas votre extraction dentaire. Je veux dire : pas aussi vite que vous le souhaiteriez. Vous aurez besoin de sommeil, acceptez-le. Dormez. Vous voyez que la prescription n'est pas très douloureuse.

— Je n'ai pas le temps, docteur.

— Racontez-moi cette enquête, cette recluse, puis posez votre question.

À présent rompu à l'exercice, Adamsberg pouvait résumer assez vite la trajectoire de ses recherches, depuis l'orphelinat de La Miséricorde jusqu'au fiasco de la veille et aux nouvelles hypothèses évoquées le matin même.

— Je pense à une femme violée.

Adamsberg s'interrompit.

— Quand je dis « je pense », c'est un grand mot, corrigea-t-il. Non, j'erre autour de cette femme, je vagabonde, je traîne les mains vides.

— J'imagine vos manières de faire, Adamsberg. Et toute manière est une pensée.

— Oui ?

— Oui.

— Je pense à une femme violée qui se serait approprié la puissance de la recluse et, venin pour venin, fluide pour fluide, l'injecte à ses anciens agresseurs.

— C'est assez malin.

— L'idée n'est pas de moi mais d'un de mes lieutenants, un zoologue contrarié. Ce que j'aimerais savoir, docteur, c'est quelles raisons pousseraient, aujourd'hui, une femme à se reclure. À s'enfermer et disparaître au monde.

— Du vin, commissaire ? Accompagnez-moi, il est discourtois de laisser boire un homme seul.

Le docteur les servit, puis observa le liquide par transparence.

— Pourquoi disparaître au monde ? On compte les déclencheurs usuels, dépression ou deuil. Les traumatiques aussi, parmi lesquels le viol, souvent suivi d'une période de repli plus ou moins longue. Mais en règle générale, ces claustrations connaissent une fin. Au-delà, dans les espaces névrotiques, vous trouvez l'agoraphobie.

— Qui est ?

— La peur panique d'évoluer en extérieur. Cette terreur peut conduire au confinement, hormis des sorties calculées en compagnie d'un individu qui rassure.

— Cela peut-il déclencher des comportements agressifs ?

— Plutôt l'inverse.

Adamsberg songea à Louise, enfermée dans sa chambre, accrochée au bras d'Irène pour quelques escapades et talonnée par sa terreur des hommes.

— Cet isolement s'apprivoise aussi, même si demeure une tendance sécurisante à rester chez soi. En revanche, c'est bien différent avec des séquestrées. J'en ai traité trois cas. Vous prendrez un dessert ?

— Un café serré.

— Et moi les deux, dit le médecin en frappant sur son ventre et éclatant de rire. Et dire que je conseille les autres ! Que je les guide vers l'équilibre !

— Un de mes lieutenants affirme que nous sommes tous névrosés.

— Vous ne le saviez pas ?

Le médecin commanda une tarte consistante et deux cafés, se permit une remarque argumentée sur la blanquette de veau et revint vers son convive.

— Ces séquestrées que vous avez soignées, reprit Adamsberg, elles s'en sont sorties ?

— Dans la mesure du possible. Trois jeunes filles, retenues prisonnières par le père dès l'enfance. L'une dans une cave, l'autre un grenier, la troisième dans un abri de jardin. Avec chaque fois une auxiliaire, la mère, élément additionnel dramatique.

— Que fait la mère ?

— Généralement, rien. Ces petites séquestrées, plus nombreuses que vous ne l'imaginez, sont la propriété pleine et entière du père et constamment violées. À cela, pas d'exception.

Adamsberg leva la main pour demander un second café. Martin-Pécherat n'avait pas tort : il ressentait par à-coups les assauts de vagues de sommeil.

— Brusque envie de dormir ? demanda le médecin.

— Oui.

— Voyez, c'est l'extraction. Et mieux vaudrait vous allonger qu'avaler du café.

— J'en tiendrai compte, après l'enquête.

— Pendant l'enquête. Ce qui vous est arrivé n'est pas neutre.

— J'entends, docteur.

— C'est au moins ça. Ayez à l'esprit qu'en cas de séquestration, arrive toujours un temps où ces tragédies sortent au grand jour. L'élément libérateur survient : l'évasion d'un frère, l'intervention d'un voisin, la mort du père. Et ces petites quittent enfin leur cage, parfois âgées, les yeux blessés par la lumière, effarées par le spectacle du monde, d'une route, d'un chat. Elles sont souvent incapables de s'insérer dans la vie, vous le comprenez bien. Elles passent de longues années en institut psychiatrique avant de pouvoir entrer, avec précaution, dans le flux de l'existence. Mais parfois, et j'en arrive à votre question, cette « vie nouvelle » prend la forme d'une seconde séquestration. L'existence se resserre à nouveau, craintive, claquemurée. Le schéma de l'enfermement a structuré la psyché, et ce schéma se reproduit.

— Je vous l'ai dit, docteur, j'ai vu de mes yeux d'enfant une véritable recluse. Qui s'était fait cloîtrer volontairement dans un vieux pigeonnier, à l'ancienne. Les gens lui donnaient eau et nourriture, selon leur bon vouloir, par une lucarne qui n'avait pas été murée. Celle où j'ai collé mes yeux, droit vers l'épouvante. Elle y est restée cinq années. Quel motif a poussé cette femme vers un reclusoir ? Et non vers un hôpital ?

Le médecin planta sa cuillère au centre de son épais dessert, et avala son café d'une seule gorgée.

— Il n'y a pas mille réponses, Adamsberg, je le répète : une très longue séquestration par le père dans l'enfance, avec viols répétés. Quand la femme – disons plutôt, l'enfant grandie – en sort, le risque est grand de reproduire la maltraitance, l'obscurité, le manque d'hygiène, la nourriture prise à terre, les seules choses qu'elle ait connues, les seules choses qu'elle sache vivre, le passé qui n'est jamais passé. Retour à la structure de l'enfance, exil hors du monde, désir de punition, et de mort.

Adamsberg prenait des notes et appela pour un troisième café. La grosse main du médecin s'abattit sur son bras.

— Non, dit-il sur le ton du commandement. Dormir. C'est pendant le sommeil que l'inconscient fera le boulot.

— Il a du boulot ?

— C'est un gars qui ne ferme jamais l'œil, surtout la nuit, dit le médecin en riant encore. Avec vous, pour le coup, il ne va pas chômer.

— Et que va-t-il trafiquer ?

— Dissoudre les derniers dégâts laissés par l'extraction dentaire, domestiquer le souvenir, amadouer la recluse et surtout, la dissocier d'avec la mère. Et si vous ne le laissez pas faire, ces dégâts reviendront en cauchemars, de nuit d'abord, de jour ensuite.

— J'ai une enquête, docteur.

— L'enquête n'aboutira pas si vous tombez dans une fosse intérieure.

Adamsberg acquiesça, troublé.

— D'accord, dit-il.

— Je préfère. À présent, à moi de poser une question : pourquoi pensez-vous que votre tueuse s'est un temps recluse ? Réellement recluse ?

— À cause du venin choisi, le plus improbable qui soit. Je vous ai exposé les liens entre les bêtes à venin, le fluide séminal, le retournement du pouvoir contre les agresseurs, mais je ne suis pas satisfait.

— Et vous pensez…

— À la manière dont je pense, rectifia Adamsberg une seconde fois.

— Très bien, je modifie. Et vous vous aventurez à imaginer que si la tueuse tue avec la recluse, c'est qu'elle fut une recluse elle-même.

— Pas vraiment. Je n'en sais rien.

— Parce que vous avez vu une recluse enfant ? Pourquoi ne pas vous en tenir à la simple vengeance ? Ces types de l'orphelinat ont martyrisé des gosses avec du venin de recluse. Quelqu'un leur fait expier leur abjection.

— Mais les onze gosses mordus n'y sont pour rien.

— Et un autre gosse ? De l'orphelinat ? Il n'y a pas un homme dans ces parages ?

Adamsberg hésita.

— Lequel est-ce ? demanda le médecin.

— Le fils de l'ancien directeur. Un pédopsychiatre obnubilé par les huit cent soixante-seize orphelins dont s'est occupé son père au point qu'il devint invisible. C'est un type bondissant, survolté, très seul, mangeur de sucreries passionné et qui hait la Bande des recluses.

— Que son père haïssait de même ?

— Oui. Le père a tenté de s'en défaire sans succès.

— De « s'en défaire » ? Alors pourquoi pas au fils de finir le travail ?

— Je ne sais pas, dit Adamsberg en haussant les épaules. Je n'ai parlé de cette piste à personne. Jusqu'à hier, nous suivions celle des garçons mordus. Et à présent, je vois une femme.

— Recluse. De cela, vous en avez parlé ?

— Non plus. D'une femme violée, oui, mais pas d'une recluse.

— Pourquoi ?

— Parce qu'elle est dans les brumes. Ce n'est qu'une bulle gazeuse, ce n'est pas une pensée. Et j'ai déjà emmené mon équipe dans le mur.

— Si bien que vous voilà soudain prudent.

— Oui. Arrêter là ? Suivre le vent, tendre les voiles ?

— Pour quoi penchez-vous ?

— Éliminer la recluse qui m'attire dans les brumes.

— Effort inutile.

Le médecin consulta son portable et éclata de rire à nouveau. Adamsberg aimait ceux qui savaient éclater de rire. Il en était incapable.

— Les dieux sont avec nous. Mon second patient s'est décommandé. Laissez-moi vous dire une chose. J'ai de l'inclination pour les esprits où les proto-pensées divaguent.

— Proto-pensées ?

— Des pensées avant les pensées, vos « bulles gazeuses ». Des embryons qui se promènent et prennent leur temps, apparaissent et disparaissent, qui vivront ou mourront. J'aime bien ceux qui leur laissent leurs chances. Quant à votre recluse, elle se fanera, si elle le doit.

— Oui ?

— Oui. J'ai bien précisé : « si elle le doit ». Alors escortez-la, fouillez donc, puisque le cœur vous en dit. Suivez vos voiles, si vacillantes soient-elles.

— Car elles le sont ?

— Plutôt, dit le médecin en éclatant de rire pour la quatrième fois.

Sur le chemin du retour, Adamsberg bifurqua à nouveau vers la Seine et retrouva sans peine le banc de pierre tout proche de la statue d'Henri IV, où il avait conversé, fut un temps, avec Maximilien Robespierre. Il s'y allongea, envoya un message collectif reportant la réunion à 18 heures, et ferma les yeux. Obéir, dormir.

« Quant à votre recluse, fouillez donc, puisque le cœur vous en dit. »

XXXIII

Adamsberg n'osa pas refuser son café à Estalère, à l'ouverture de cette seconde réunion de la journée. Il l'aurait beaucoup chagriné.

— Du nouveau, commissaire ? demanda Mordent avec intérêt. Pour que vous repoussiez la réunion ?

— J'ai simplement dormi, commandant, sur prescription médicale. Mercadet, avez-vous déjà pu glaner quelque chose sur ce Nicolas Carnot ?

— Oui, commissaire.

Le report de la réunion avait permis à Mercadet d'accomplir son cycle de repos, et il souriait comme un homme qui a couvé un œuf.

— Hormis le parcours chaotique de ce Carnot, vols à la tire, vols de voitures – des camionnettes, je le précise –, petits trafics de dope, j'ai été me promener côté études, famille, amis. Et je trouve quoi ?

Pas de doute, pensa Adamsberg, Mercadet avait bel et bien couvé un œuf, et un gros.

— Il était au collège Louis-Pasteur, à Nîmes, et devinez avec qui ? Dans la même classe que qui ?

— Claude Landrieu, proposa Adamsberg.

— Et donc, poursuivit Mercadet, la Bande des violeurs de l'orphelinat a fait jonction à Nîmes avec une seconde bande de violeurs en formation : un duo, plutôt. Landrieu-Carnot.

— Excellent, Mercadet.

— J'ai mieux. J'ai repris le cas Landrieu, cet élément exogène qui s'est incorporé à la Bande des recluses. Et comment ? On ne l'a jamais compris.

Deux œufs. Le lieutenant avait couvé deux œufs. Et il n'était pas peu fier de sa paternité.

— Allez-y, dit Adamsberg en souriant.

— Cette fois, vous ne devinez pas, commissaire ?

— Non.

— Le père de Landrieu, qu'est-ce qu'il faisait comme boulot, à votre avis ?

— Allez-y, répéta Adamsberg.

— Il était gardien, à l'orphelinat de La Miséricorde.

Le silence qui suivit permit à Mercadet de goûter la pleine qualité de ses trouvailles. Le commandant Mordent hissa son cou, satisfait, puis plissa son front. C'était un pointilleux.

— Ce qui ne le rend pas forcément responsable des dérives de son fils, dit-il.

— Vous parlez, commandant. C'était un blaps adulte abject. Pendant la Seconde Guerre, Landrieu père a aligné et exécuté quatorze tirailleurs sénégalais de son bataillon, et violé des femmes lors de l'avancée des Alliés en Allemagne.

— Alors c'était lui, murmura Adamsberg. Lui qui ouvrait les portes à la nuit pour les opérations araignées recluses, puis pour les opérations viols. Très bon,

Mercadet, on comprend à présent comment ces ordures se faufilaient dans tous les bâtiments, libres comme l'air. Et comment la Bande des recluses a rejoint le fils Landrieu et Nicolas Carnot.

— Voilà, conclut avec modestie Mercadet, qui en réalité se rengorgeait tel le merle plastronnant dans la cour. On approfondit ?

— Sur un seul point, lieutenant. On se concentre sur les jeunes filles violées ayant fait un séjour en hôpital psychiatrique après l'agression. Un long séjour.

— Mais pourquoi ?

Adamsberg n'avait pas l'intention de livrer pour l'instant la bulle gazeuse – la « proto-pensée » que même le Dr Martin-Pécherat avait estimée « vacillante » – qui lui faisait supposer que, pour avoir choisi l'infinie difficulté du venin de recluse, il fallait avoir été recluse soi-même. Et que pour être devenue recluse, il fallait avoir été séquestrée. Et sans doute assistée par la suite en hôpital psychiatrique. Pas après l'échec qu'ils venaient d'essuyer, pas dans l'atmosphère que Danglard avait rendue si délétère et qui restait fragile.

— Plus tard, lieutenant, dit Adamsberg. Nous devons entendre l'exposé de Danglard. Froissy, quelque chose sur Louise Chevrier ?

— C'est ce qui est curieux : non. On la repère à Strasbourg, onze ans après son viol, comme garde d'enfants à domicile. Mais après quatre ans, elle disparaît. Avant de resurgir à Nîmes. Elle a alors cinquante-trois ans, et reprend son travail de garde. Mais à l'année 1943, je ne trouve pas son acte de naissance.

— C'est son nom de jeune fille ?

— Sûrement. À Strasbourg, elle est déclarée comme célibataire.

— Vous pensez à un faux nom, lieutenant ?

— Non. Elle a pu naître à l'étranger.

— Poursuivez la fouille, Froissy, et cherchez dans les hôpitaux psychiatriques.

Adamsberg fit une courte pause, et sourit.

— Quant à l'histoire des femmes recluses au Moyen Âge, reprit-il, je comprends qu'on n'en voie pas l'intérêt. Disons que c'est une question de mot : recluse. Il m'intrigue. Vous êtes tous libres de partir ou rester, il est déjà tard.

Mais seuls deux officiers quittèrent la salle, Lamarre et Justin, l'un réclamé par son fils, l'autre par sa mère.

Danglard ne leva pas la tête, les yeux fixés sur ses notes. Depuis quand Danglard avait-il besoin de notes ? Ces feuilles de papier n'étaient là, conclut Adamsberg, que pour lui éviter de croiser son regard.

— Bien que je ne saisisse pas, commença Danglard, pourquoi le commissaire souhaite s'informer sur le sujet des femmes recluses au Moyen Âge, puisqu'il ne présente pas le moindre rapport avec l'affaire qui l'occupe, je vous résume leur histoire, ainsi qu'il m'en a donné l'ordre. Le phénomène a débuté dans le haut Moyen Âge, fixons-le vers les VIIIe-IXe siècles, a connu une pleine croissance à partir du XIIIe siècle pour s'éteindre durant le Grand Siècle.

— C'est-à-dire, Danglard ?

— Le XVIIe. Des femmes, souvent jeunes, choisissaient d'être emmurées vivantes pour le restant de leur vie. Le reclusoir où elles se faisaient enfermer, dit aussi logette, ou celette, était un édifice si minuscule que la recluse n'avait pas toujours la place de s'y allonger. Les plus grands faisaient quelque deux mètres de côté. Pas de table, pas d'écritoire, pas de paillasse pour s'y reposer, pas de fosse pour recueillir les excréments et les déchets. Après l'entrée de l'ensevelie vivante dans ce reclusoir, on scellait tous les accès, à l'exception d'une petite fenêtre, dite fenestrelle, placée parfois assez haut pour que la recluse ne puisse ni voir ni être vue. C'est par cette fenestrelle que la femme recevait les aumônes de la population, bouillie, fruits, fèves, noix, gourdes d'eau, qui assuraient, ou non, sa survie alimentaire. Parce que cette lucarne était souvent munie d'une grille, on ne pouvait pas y passer de la paille pour recouvrir au mieux les déjections. On a vu des recluses envasées jusqu'aux mollets dans une boue excrémentielle mêlée des restes d'aliments putréfiés. Cela pour les conditions de cette « vie ». Vie le plus souvent courte, la plupart d'entre elles tombant malades ou perdant l'esprit au cours des premières années, en dépit de l'aide de Jésus qui les accompagnait dans leur martyre, les conduisant sûrement vers la vie éternelle. Mais certaines résistaient plus longtemps, parfois trente ou même cinquante ans. En la pleine expansion du phénomène, chaque ville avait ses reclusoirs, une dizaine, maçonnés contre les piles des ponts, contre les murailles de la ville, entre les contreforts des églises, ou édifiés dans les cimetières, comme le furent à Paris les reclusoirs célèbres du cimetière des Saints-Innocents. Cimetière qui fut, comme chacun sait, fermé et évacué en 1780 pour cause d'air méphitique envahissant. Les ossements, transportés aux catacombes de Montrouge…

Danglard s'exprimait avec un pédantisme sec et Adamsberg s'astreignait au calme. La revanche du commandant n'était pas achevée.

— Revenez au propos, commandant, dit-il.

— Très bien. Ces femmes étaient respectées, voire révérées, ce qui ne veut pas dire bien nourries, et le calvaire qu'elles subissaient au nom du Seigneur était considéré comme une forme de garantie, de protection divine pour la population de la ville. Elles étaient en quelque sorte les saintes de la cité, quelque épouvantables aient été leur aspect et leur dégradation.

— Merci Danglard, interrompit Adamsberg. Ce que je voudrais savoir à présent, ce sont les motifs qui ont poussé ces femmes dans ces cellules mortifères. Bien sûr, il y eut le désir fervent de se couper du monde pour se vouer à Dieu, mais les monastères étaient là pour cela. Donc ? Pouvez-vous nous parler des motifs ?

— La fin de toute vie possible sur cette terre, répondit Danglard sans redresser la tête et tournant inutilement un feuillet. En vérité, les monastères fermaient leurs portes à ces femmes. Il s'agissait d'êtres indignes que la société avait bannis. Des femmes à qui mariage, enfantement, travail, relations, respect et même paroles étaient refusés, parce qu'elles étaient impures. Soit qu'elles se soient « égarées » avant le mariage, soit que leur famille les ait rejetées parce qu'immariables, disgraciées, handicapées, bâtardes. Soit le plus souvent parce qu'elles avaient été violées. Dès lors, coupables d'avoir été souillées et d'avoir perdu leur virginité, montrées du doigt, femmes perdues, ne leur restait que l'errance des rues et la prostitution, ou le reclusoir. Où, elles-mêmes convaincues de leur faute, elles allaient expier leur péché dans la torture de l'isolement. Je ne souhaite pas prolonger plus avant. Au-delà de leur intérêt purement historique, ces recluses n'ont, hormis leur nom, pas le moindre lien avec l'affaire en cours.

— Hormis leur nom, en effet, dit Adamsberg. Je vous remercie.

Danglard aligna ses notes en une petite pile régulière et quitta la salle. Adamsberg regarda ses adjoints.

— Hormis leur nom, répéta-t-il, avant de lever la séance.

XXXIV

Adamsberg fit signe à Mercadet et monta à l'étage, dans la pièce du distributeur.

— Un point que je n'ai pas évoqué en réunion, lieutenant. Dans cette recherche sur les femmes violées ayant séjourné en HP, serrez sur les cas de séquestration. Par le père. Commencez par cela.

— Et je n'en parle à personne ?

— Sauf à Froissy. Veyrenc et Voisenet si vous le souhaitez. Que cela reste entre nous.

Mercadet regarda sortir Adamsberg, pensif. Séquestration ? En quoi cela pousserait-il une femme à tuer avec des araignées ? Quand bien même elle en aurait côtoyé dans son grenier, dans sa cave ? On en côtoyait tous. Mais le fiable Mercadet n'était pas homme à contester les orientations du commissaire. Il aurait eu horreur d'être aux commandes dans cette infernale affaire des recluses.

Adamsberg trouva Froissy assise sur la marche de pierre, observant le repas du soir des oisillons. Sans avoir négligé d'emporter son ordinateur, dont elle ne s'éloignait pas de plus de deux mètres. Le commissaire s'installa à ses côtés.

— Ils en sont où ? dit-il.

— À la dernière framboise.

— Il nous en reste ?

— Bien sûr. Que va-t-il se passer avec Danglard ?

— Quelque chose.

— C'est triste.

— Pas forcément. Y a-t-il moyen de connaître le jour et l'heure de l'enterrement d'Olivier Vessac ?

— Par les services funéraires de la localité. Mais rien ne nous dit que la cérémonie aura lieu à Saint-Porchaire. Cela peut être à Nîmes ou ailleurs.

— Il faudrait savoir où sont inhumés ses parents.

— Il était orphelin, commissaire. Le père et la mère sont morts en déportation.

— Alors les grand-parents.

Froissy ouvrit sa machine tandis que la femelle emportait la dernière framboise et qu'Adamsberg surveillait Danglard du coin de l'œil. À l'extrémité de la cour, le commandant chargeait un carton dans le coffre d'une voiture.

— Au cimetière Pont-de-Justice, à Nîmes, annonça Froissy.

— C'est donc là que cela aura lieu.

— Je vérifie.

— Mais qu'est-ce qu'il fout, ce con ?

— Qui ?

— Danglard. Il fourre des cartons dans une voiture.

— Il s'en va ? Je l'ai, commissaire : Olivier Vessac, inhumation vendredi 10 juin, à 11 heures.

— Demain ? Si tôt ? Vingt-quatre heures après ?

— C'est que le samedi, les places sont chères, si l'on peut dire. Ce qui reporterait au lundi.

— Je suppose qu'Irène a poussé Élisabeth à accélérer les choses. Mais qu'est-ce qu'il fout, ce con ? répéta Adamsberg. Donnez-moi le numéro de la gendarmerie de Lédignan, lieutenant. Pas si vite, je n'ai pas le temps de taper. Le nom du commandant ?

— Fabien Fasselac. Il est capitaine.

— Autre chose : Mercadet vous informera, et cela reste entre nous.

Adamsberg se leva, attendant qu'un gars de Lédignan prenne son appel. Il traversa la cour en diagonale, écarta Danglard, toujours penché sur le coffre de la voiture de fonction, et déchiffra les étiquettes soigneusement collées sur les cartons : « Dictionnaires et anthologies », « Objets personnels, bibelots XIXe, scarabée égyptien », « Travaux personnels / *Essai sur la criminologie au XVe siècle dans le Saint-Empire romain germanique* ».

Compris. Danglard avait fait ses valises.

— Gendarmerie de Lédignan ? Ici le commissaire Adamsberg. Passez-moi le capitaine Fasselac s'il vous plaît, c'est urgent.

Des déclics, quelques jurons, et il eut le capitaine en ligne.

— Encore au travail, capitaine ?

— On vient d'avoir deux foutus carambolages sur la départementale. Faites vite, commissaire, c'est pour quoi ?

— Vous avez bien deux hommes en charge de la sécurité de Roger Torrailles ?

— Vous le savez bien, c'est vous qui l'avez demandé. Ce qui fait que j'ai deux gars en moins et je ne vois pas comment m'en sortir.

— Vous ne pouvez pas avoir des renforts de Nîmes ?

— Ils traînent la patte. Faut dire aussi qu'ils ont eu une explosion au gaz dans un immeuble insalubre. Un vrai carnage. Attentat peut-être.

— Je comprends, Fasselac. Je vous envoie deux hommes dès demain matin, qui relèveront les vôtres.

— J'apprécie, Adamsberg.

— À quelle heure arrive le premier train ?

— 9 h 05 à Nîmes. Chiffre presque rond, c'est rare.

— Départ à ?

— 6 h 07. Vous pigez, vous, pourquoi les trains partent et arrivent toujours à telle heure zéro quatre, à telle heure zéro sept, dix-huit, trente-deux ? Et pas tout simplement à 10 heures, 10 h 15, 10 h 30 ? Je dois dire que ces affaires de minutes m'échappent. Et le pire, c'est que les trains arrivent vraiment à zéro sept, dix-huit, trente-deux.

— Jamais compris non plus.

— Vous me rassurez. Merci pour le coup de main.

— Je vous envoie une femme aussi. C'est plus discret.

— Vous comptez faire quoi ?

— Demain auront lieu les obsèques du quatrième mort par venin de recluse. À 11 heures au cimetière Pont-de-Justice.

— Vous croyez à un meurtre ?

— N'en dites rien.

— Compris. J'aimerais pas être à votre place, Adamsberg.

— Il est donc possible que ses deux derniers amis, Alain Lambertin et Roger Torrailles, soient à l'enterrement. Mes hommes y seront en surveillance rapprochée et la femme, pseudo-journaliste, prendra des clichés de l'assistance.

— Pour le cas où l'assassin assiste à l'enterrement.

— On ne peut pas le négliger, capitaine.

— Non.

— Ils se présenteront à vous dès leur arrivée. Vous pouvez me donner le nom d'un journal local de Nîmes ?

— *Les Arènes*, c'est le plus actif, question photos.

— J'insiste, Fasselac : laissez courir le bruit d'une araignée mutante. Personne ne doit savoir qu'on suspecte des meurtres. Ou la tueuse s'affolera et dézinguera les deux derniers avant qu'on ait le temps de lui mettre la main dessus. Elle *doit* finir sa mission. Et elle a déjà vingt années d'avance sur nous.

— *Elle* ?

— Je le crois, oui.

— Foutu truc, commissaire. Tordu, vicié. Bonne chance, et merci pour la relève.

Adamsberg posa la main sur l'épaule de Danglard, figé près de sa voiture.

— Vous, commandant, ne bougez pas. On ne s'en va pas comme ça sans un petit mot d'adieu, après tant et tant d'années. Je reviens. Quelle heure est-il ?

— Huit heures moins cinq.

Il traversa la salle jusqu'au bureau de Retancourt, qui repliait ses affaires.

— Attendez-moi, lieutenant. Qui est encore ici ? demanda-t-il en parcourant la longue pièce du regard.

— Kerno, Voisenet, Mercadet, Noël. Kerno et Voisenet sont de garde, et Mercadet dort.

— J'ai besoin de deux hommes pour demain. Et de vous, Retancourt. Départ pour Nîmes à 6 h 07. Pas 6 h 05, lieutenant, 6 h 07. Ça ira ?

— Avec qui ? Lamarre est avec son gosse.

— On ne dérange pas.

— Justin est avec père et mère.

— On dérange. Ils sont collés jour et nuit.

— Y a pas de mal à ça.

— Aucun, mais appelez-le, il part avec vous. S'il veut emmener père et mère, libre à lui. Mission : obsèques de Vessac demain à 11 heures au cimetière Pont-de-Justice.

— Et Torrailles et Lambertin y seront peut-être. Protection rapprochée, donc.

C'était un autre atout de Retancourt, il n'était pas nécessaire de lui expliquer les choses par le menu.

— Et vous, lieutenant, vous serez photographe pour le journal local *Les Arènes.*

— Clicher toute la foule. Je fais surtout les femmes ?

— Vous les faites tous. Elle peut très bien se grimer en homme. C'est encore plus facile quand on est âgé.

— Vous la croyez vieille ?

— Oui. D'une certaine manière, elle date du Moyen Âge.

— Vu.

Adamsberg monta prévenir Noël, qui s'envoyait une bière dans la salle du distributeur à boissons, aux côtés de Mercadet qui dormait.

— Vous le veillez, lieutenant ?

— Les réunions me donnent soif. Pourquoi m'avez-vous empêché de lui casser la gueule ce matin ? Il s'est conduit comme un porc. Lui, Danglard.

— Exact, Noël. Comme un porc, mais comme un porc au désespoir. On ne frappe pas un porc au désespoir.

— Pas faux, reconnut Noël après un moment. Plus jeune, j'aurais dû y penser parfois. Et comment va-t-il revenir ? Je veux dire : comment le vrai Danglard va-t-il revenir si un bon coup de poing ne le réveille pas ? J'ai vraiment pensé qu'un sérieux coup ferait sauter en éclats sa putain de face de con. Enfin, je l'ai pensé après.

— Je m'en occupe, Noël. Vous partez demain matin pour Nîmes par le train de 6 h 07, avec Justin et Retancourt. Elle vous expliquera. Avant le cimetière, présentez-vous tous les trois au capitaine Fasselac, à Lédignan.

— Compris, commissaire, dit Noël en vidant sa bière dans l'évier. J'aime bien ce que raconte Voisenet sur l'homme et les bêtes à venin.

Le lieutenant remonta la manche de son tee-shirt, laissant voir un serpent cobra noir et bleu dressé, langue rouge sortie.

— À dix-neuf ans, je me suis fait tatouer ça, dit-il en souriant. Maintenant, je comprends mieux ce que j'avais dans la tête.

— Hier, j'ai aussi compris un truc que j'avais dans la tête, mais à douze ans.

— Un serpent ?

— Pire, un spectre couvert de toiles d'araignée.

— Et finalement ?

— On a fini par communiquer.

— Et lui ? demanda Noël en regardant son serpent.

— Lui, c'est autre chose, vous l'avez apprivoisé.

— Pas vous ? Votre spectre ?

— Non, Noël. Pas encore.

XXXV

Danglard avait refermé le coffre de la voiture et s'était assis dessus, en posture recourbée, les bras serrés contre sa poitrine. « On ne s'en va pas comme ça sans un petit mot d'adieu. » C'est à quoi il aurait voulu échapper ce soir, le temps de prendre ses dispositions. À cette explication avec le commissaire, au discours, à la lettre de démission.

Et à la suite, le procès pour « non-dénonciation de crime ». Danglard connaissait la loi, et la sanction. *Consiste en le fait pour une personne ayant connaissance d'un crime dont il est encore possible de prévenir ou de limiter les effets, ou dont les auteurs sont susceptibles de commettre de nouveaux crimes qui pourraient être empêchés, de ne pas en informer les autorités judiciaires ou administratives.* Citation dont, pour une fois, il aurait aimé ne pas se souvenir. Circonstances aggravantes du fait de sa fonction : cinq années de taule. Il avait déraillé, comme un train qui file hors voies et sans frein à travers la campagne. Et il avait basculé. Le commissaire n'avait pas d'autre choix que de le démettre. Sauf à plonger avec lui. Ç'avait été malheureux qu'Adamsberg ait eu le génie de s'intéresser à ces saletés de recluses. Qui d'autre que lui y aurait jamais pensé ?

Le temps de prendre ses dispositions, avait-il espéré. Mais lesquelles ? Voir les enfants avant toute chose. Et ensuite ? Fuir ? Entrer en reclusoir ? Voir le monde par la fenestrelle ? Bouffer son flingue ? À quoi donc lui avait servi tout son foutu savoir, philosophique compris ? À quoi ? Sinon à mortifier Adamsberg ce matin même, se faisant plus arrogant et blessant qu'un maître Carvin ?

Traversant la cour à nouveau, alors que le jour commençait à faiblir, Adamsberg prit un appel d'Irène, passé depuis le portable d'Élisabeth.

— Je voulais vous prévenir, commissaire, les obsèques auront lieu demain matin à Nîmes. C'est vrai ce que disent les films à la télé ? Que les tueurs reviennent souvent voir l'enterrement ?

— C'est assez vrai, c'est une dernière jouissance, le final de l'œuvre.

— C'est dégoûtant, non ? C'est pour cela que je voulais vous appeler. Au cas où vous voudriez mettre des policiers là-bas, vous voyez ?

— C'est déjà prêt, Irène, je vous remercie.

— Pardon, vraiment je m'excuse. Évidemment c'est déjà prêt, vous êtes flic quand même. Mais comment vous avez su si vite ?

— On se débrouille, Irène.

— Oh pardon, c'est vrai. J'aurais dû le savoir, mais je ne pouvais pas être sûre, vous comprenez. L'enterrement a lieu si vite après le décès. Mais tout était pris samedi. Et moi, je me disais que plus tôt ce serait fait, plus tôt je pourrais emmener Élisabeth loin d'ici.

— À ce propos, Irène, elle est avec vous ? Pendant que vous me parlez d'un tueur ?

— Je ne suis pas si bête, *Jean-Bapt*. Je pars la chercher à Saint-Porchaire, elle a préparé la tenue mortuaire, vous voyez. On va faire la route de nuit.

— Elle peut vous relayer ? Elle conduit ?

— Non. Vous êtes gentil de vous inquiéter mais je ferai des pauses. Je pensais à un truc. Puisqu'on doit paraître amis devant Louise, quand je vous appelle « Jean-Bapt », faudrait peut-être que je vous tutoie, non ? Ça ferait plus plausible ? Attention, faut s'entraîner. *Ne t'en fais pas pour moi, Jean-Bapt*, je ferai des pauses sur la route. Ça fait naturel ?

— C'est parfait. Mais avec les portables, la voix de l'interlocuteur s'entend très bien aussi. *Salut, Irène, et bonne route.* Pas d'offense, je m'entraînais.

Adamsberg empocha son téléphone tout en considérant Danglard assis sur le coffre poussiéreux de la voiture, dans son costume anglais. Très mauvais signe. Pour rien au monde le commandant, qui avait toujours cherché à compenser son déficit de beauté par des vêtements de la meilleure coupe, n'aurait accepté d'abîmer le tissu en s'asseyant sur un banc sali ou une marche en pierre. Et ce soir, l'élégant Danglard n'avait plus une pensée pour la netteté de sa tenue. C'était fini, l'homme se foutait de tout.

Adamsberg l'attrapa par le bras et le poussa jusqu'à son bureau dont, pour une fois, il ferma la porte.

— Eh bien, commandant, on se barre en douce ? attaqua le commissaire, une fois son adjoint assis à peu près droit face à lui.

Adamsberg était resté debout, adossé au mur opposé, bras croisés. Danglard leva les yeux. Oui, ce qu'il redoutait était là : le feu se propageant sous les joues et qui gagnait les yeux, y déposant une menaçante parcelle de lumière nette. Comme un éclat sur la bogue d'une algue brune, avait dit un jour un marin breton. Il se raidit.

— Vous ne pensez tout de même pas que vous alliez y couper, commandant ?

— Non, dit Danglard en se redressant.

— Un, poursuivit Adamsberg, obstruction volontaire à une enquête en cours. Vrai ou faux ?

— Vrai.

— Deux, incitation à la sédition, au point que je me retrouve isolé de l'équipe et contraint de travailler dans la clandestinité, dans une cour, dans un restaurant, dans des rues à la nuit. Vrai ou faux ?

— Vrai.

— Trois, protection d'un criminel potentiel, ou ayant déjà commis des crimes, votre beau-frère Richard Jarras. Et avec lui, de quatre de ses amis : René Quissol, Louis Arjalas, Marcel Corbière et Jean Escande. Vous savez de quel article de loi relève ce délit.

Danglard hocha la tête.

— Quatre, enchaîna Adamsberg, ce matin même, comportement indigne envers l'équipe tout entière. Vous avez eu de la chance que je vous évite de recevoir le poing de Noël en pleine gueule. Reconnaissez-vous l'offense ? Oui ou merde ?

— Oui. Et puisque je souscris, après ce récapitulatif obligatoire et officiel – à l'exception du terme « merde » –, à tous les chefs d'accusation énumérés, il n'est pas nécessaire de poursuivre plus avant. Merci de me soumettre le document à signer.

Danglard sortit son stylo à encre de sa poche intérieure. Il n'était pas question, pour ce paraphe décisif, qu'il use d'un feutre ordinaire ramassé sur une table au passage. Le commandant se sidérait lui-même. Si lucide fût-il sur la gravité de ses actes, il conservait pourtant cette morgue hautaine qui ne lui ressemblait en rien et collait à sa peau telle une visiteuse incrustée.

— Vous souvenez-vous, Danglard, dit Adamsberg en se rapprochant d'un pas, que je vous ai demandé à deux reprises si vous m'aviez à ce point oublié ?

— Très bien, commissaire.

— J'attends toujours votre réponse.

Danglard posa son stylo noir, sans dire un mot. D'un brusque geste du bras, Adamsberg balaya la table, emportant stylo et dossiers qui tombèrent au sol. Il saisit son adjoint des deux mains au col de sa chemise anglaise, le soulevant peu à peu jusqu'à ce que Danglard se retrouve face à lui. D'un pied, il frappa dans la chaise, ne laissant au commandant d'autre choix que de rester debout, serré entre ses mains.

— M'avez-vous oublié au point que vous me sortiez votre foutu stylo et votre foutu discours ? Que vous fassiez vos valises ? Au point d'avoir pensé une seule seconde que j'allais vous virer et vous balancer à la justice ? Mais qu'êtes-vous devenu ? Un véritable con ?

Adamsberg lâcha le commandant qui alla buter contre le mur.

— L'avez-vous pensé, oui ou non ? demanda Adamsberg en élevant la voix. Oui ou non ? Oui ou merde ?

— Oui, dit Danglard.

— Réellement ?

— Oui.

Et cette fois, le poing d'Adamsberg partit, atteignant le commandant sous le menton. De l'autre main, le commissaire retint Danglard dans sa chute et le laissa s'affaler au sol avec mollesse, comme on abandonne un vêtement. Puis il revint à la fenêtre qu'il ouvrit en grand, s'accouda au garde-fou et respira l'odeur du tilleul dans le soir. Derrière lui, le commandant se redressait avec peine, le souffle court, puis resta assis, dos appuyé au mur. « Il va être foutu, ce pantalon », pensa Adamsberg. Ce n'était pas la première fois qu'il cognait dans sa vie, mais jamais il n'aurait imaginé que ce poing devrait atteindre un jour Adrien Danglard.

— Noël a pensé, vraiment pensé, dit-il d'une voix basse et calme sans se retourner, qu'un sérieux coup ferait sauter en éclats votre « face de con ». Ce sont ses mots. Face, façade. Alors je vous le demande, Danglard, avez-vous enfin cessé d'être un con ?

— Je dois signer ce papier, articula le commandant avec difficulté, se tenant la mâchoire dans une main. Ou vous tomberez avec moi pour complicité de non-dénonciation.

— Et par quel miracle ?

— Si vous ne le faites pas, les autres s'en chargeront.

— Ces autres que vous avez humiliés avec moi comme un foutu cuistre, en vous « étonnant » qu'on puisse savoir quoi que ce soit sur Magellan. Comprenez-vous, au moins, ce que vous leur avez fait ?

— Oui, dit Danglard en tentant de se relever, sans succès.

— Alors, Noël avait raison : vous devenez moins con, vous commencez à revenir. De loin, de très loin.

— Oui, répéta Danglard. Mais c'est fait, délit et offense.

— Et qu'est-ce qui vous fait croire que ces autres savent quoi que ce soit de votre soutien à Richard Jarras ? Hormis Froissy, Retancourt et Veyrenc, sur lesquels je m'appuie comme sur de la pierre ?

En état de stupeur – et de douleur, le commissaire n'avait pas retenu son coup –, Danglard regarda Adamsberg, toujours accoudé à la fenêtre, toujours lui tournant le dos. Réalisant que le commissaire n'avait dit mot à personne de sa trahison. Tout happé par sa course hors rails, il avait en effet oublié qui était Adamsberg.

Le commissaire ferma la fenêtre et se retourna vers son adjoint.

— Revenu, Danglard ?

— Revenu.

Adamsberg redressa la chaise et tendit un bras pour aider le commandant à se relever et s'asseoir. Il examina rapidement le bleu qui grandissait sur le maxillaire inférieur.

— Attendez-moi une seconde.

Il revint cinq minutes plus tard avec une poche de glace et un verre.

— Appliquez ça et avalez ça, dit-il en lui tendant un comprimé. Attention, c'est de l'eau. Vous dînez ?

Alors qu'ils sortaient de la Brigade, ils croisèrent Noël qui s'en allait, blouson sur l'épaule.

— Je peux vous dire un mot, commissaire ?

Adamsberg s'éloigna de Danglard, qui tentait de couvrir son hématome de sa main.

— Dépêchez-vous, Noël, vous vous levez à l'aube.

— Vous l'avez salement amoché.

— Oui.

— Il a cessé d'être con ?

— Oui. Méthode à utiliser avec parcimonie, lieutenant. Avec ses grands amis seulement.

— Bien, commissaire.

XXXVI

À onze heures du matin au cimetière de Nîmes, les lieutenants Noël, Justin et Retancourt regardaient se former le cortège qui allait suivre le cercueil d'Olivier Vessac.

— Beaucoup de monde, observa Noël.

— Qui ne connaissent pas tous Vessac, dit Retancourt. C'est la rumeur des recluses qui les attire, l'événement. Ce sera dans la presse.

— Cela nous arrange, dit Noël. On peut s'y faufiler sans précaution.

— Là, dit Justin, cette femme qui passe avec deux autres. On la connaît. Froissy nous a transféré sa photo hier.

— Louise quelque chose, dit Noël. La femme violée à Nîmes à l'âge de trente-huit ans.

— Louise Chevrier, compléta Justin.

— Merde, dit Retancourt. Qu'est-ce qu'elle fout là ? Je photographie. Justin, préviens le commissaire, Noël, cherche si Torrailles et Lambertin sont présents.

Noël sortit de sa poche les photos que leur avait données le capitaine de Lédignan. Ça n'allait pas être facile. À l'enterrement d'un homme âgé viennent beaucoup d'hommes âgés. Et pour le lieutenant, les vieux se ressemblaient tous un peu.

Adamsberg venait de rappeler Lamarre à ses devoirs – répandre la ration de vers de terre au pied des arbres – quand il reçut deux messages successifs de Nîmes. Le premier d'Irène :

— *SMS discret parce que c'est vraiment pas poli de faire ça pendant un enterrement. Y a des gens, ils ont même pas coupé le son de leur portable, on se croirait dans un orchestre ou quoi. Suis sur place avec Élisabeth au bras, la pauvre. Mais ce que je voulais vous dire, c'est que Louise a insisté pour venir, elle le connaît même pas, ni d'Ève ni d'Adam. Je dis juste : c'est bizarre pour une arachnophobe de vouloir voir le cercueil d'un gars qu'est mort par recluse. Je dis des bêtises ?*

— *Aucune*, répondit Adamsberg. *Surveillez-la, ses paroles, ses réactions. Vous me direz. Tu me diras.*

— *Vous finissez par me faire peur. Je coupe, on approche du trou.*

Le second de Justin :

— *Message discret, c'est incorrect de taper des textos pendant un enterrement. Louise Chevrier sur place. Qu'est-ce qu'elle fout là ?*

— *Elle accompagne sa colocataire, Irène, qui accompagne son amie, Élisabeth, maîtresse de Vessac.*

— *Louise connaissait Vessac ?*

— *Non. À moins que ?*

— *Qu'elle n'ait appris qu'il était ami de Landrieu, qui était ami de Carnot et de la Bande des R. ? Je coupe, on approche de la fosse.*

Adamsberg se replongea dans l'examen des cartes topographiques du chemin Henri IV, scrutant la zone située entre quatre à huit kilomètres de Lourdes, sur la droite en venant de la ville. Sur le net, il n'avait pas trouvé une ligne concernant la recluse du Pré d'Albret. Hormis le fait que, par arrêté préfectoral, une femme avait été « extraite sans violence du pigeonnier d'Albret » pour motif de « non-assistance à personne en danger ». Rien d'autre que cette sèche note administrative dans les archives policières de Lourdes. Le secret de la sainte recluse avait été respecté par ceux qui l'avaient connue. Il repéra un petit trapèze vert où il lui semblait voir écrit en lettres minuscules et italiques *Pré de J...* Il prit la loupe de Froissy et déchiffra le reste. Il y était. *Pré de Jeanne d'Albret.* Il entoura le trapèze d'un cercle et l'observa, fasciné.

Il se leva, marcha d'un mur à l'autre. Mercadet apparut sur le seuil de la porte, très agité.

— Commissaire, j'en ai une ! Une séquestrée ! Deux !

Adamsberg mit un doigt sur ses lèvres pour rappeler au lieutenant la consigne de silence et lui fit signe d'apporter sa bécane dans son bureau. Il y traînait encore des dossiers éparpillés au sol, témoins de son combat de la veille avec Danglard. Il avait donné ordre au commandant de se reposer deux jours, le temps de se remettre de ses erreurs et terreurs, et de laisser se réduire l'hématome, qui avait tourné au violet en fin de soirée.

Mercadet revint avec sa machine et la posa sous les yeux d'Adamsberg, animé comme s'il avait pondu un nouvel œuf, mais cette fois de nature tragique, alors qu'il ne comprenait même pas pourquoi le commissaire cherchait des séquestrées.

— C'est une des meilleures photos, dit-il. C'est quand elles sortent de la maison. Vous voyez la grosse femme ? C'est la mère. Vous voyez les deux petites, cachées des photographes, un chiffon sur la tête ? Ce sont les deux séquestrées. C'est la première fois qu'elles voient le monde extérieur. L'aînée a vingt et un ans à l'époque, la cadette dix-neuf. C'est une histoire atroce, commissaire.

— Allez-y, Mercadet. Où est-ce, d'abord ?

— À six cents mètres de Nîmes, dit le lieutenant d'un ton victorieux. Sur la route sud, la route des Espagnols. Une baraque isolée.

— Et de quand date cette libération ?

— De 1967.

— Donc, murmura Adamsberg, l'aînée est née en 1946, elle a soixante-dix ans aujourd'hui. La seconde soixante-huit.

— Le père les a gardées toute leur vie dans le grenier. Il les a violées pendant seize et quatorze ans. Toutes les deux à partir de leurs cinq ans. Il y a eu six bébés, tous enterrés derrière cette putain de baraque.

— Calmez-vous, lieutenant, dit Adamsberg qui sentait le même frémissement l'atteindre.

— Me calmer ? Mais vous vous rendez compte ? Élevées dans le grenier, avec une seule lucarne vers le ciel ? Et collées dans deux espaces différents, en plus ! Les petites ne pouvaient même pas se voir, juste communiquer à travers une cloison de bois ! La mère montait la soupe le midi et le soir, sans intervenir ! Mais c'est quoi, ces monstres ?

— Des blaps géants, Mercadet, dit Adamsberg, la voix assourdie.

— Moi je dis « bravo, mec ! » Ah oui, bravo, mec ! Et ils lui ont collé vingt ans de taule ! Mais c'est quoi cette justice de merde ?

— Bravo à qui, lieutenant ?

— Mais au fiston !

— Parce qu'il y avait un fils ?

— Enzo. Quand il a eu vingt-trois ans, il a massacré le père. Crac, trois coups de hache, il l'a décapité. Et son sexe avec. Je ne sais pas comment on dit « décapiter » pour la verge.

— Enzo, c'était donc l'aîné. Séquestré lui aussi ?

— Ah non. Lui vivait « normalement », il avait le droit d'aller à l'école et guère plus. Il était la caution de normalité pour le voisinage. Mais il savait, bien sûr. Tout. Il entendait les ruts du père le soir, les pas lourds dans l'escalier du grenier, les cris et les pleurs des petites. Il se faufilait jusqu'à la soupente et leur parlait. Il leur lisait des histoires, des pages de livres d'école, il leur glissait des images sous les portes, des dessins, des photos qui montraient à quoi ça ressemblait, dehors. Il a fait tout ce qu'il pouvait, le pauvre môme. Il avait même trouvé le moyen d'escalader le toit et d'entrer par les vasistas. C'est malin, les gosses, c'est malin bon sang. Et s'il parlait, c'était la mort, pour lui, la mère et les filles. Alors il l'a bouclée, toutes ces années. Et il a grandi. Et il a pris des forces. Et il l'a décapité. Puis il est sorti dans la rue, la hache à la main, ensanglanté, et il a attendu. Quand les flics sont arrivés, ils ont découvert la mère prostrée près du cadavre, et Enzo, devenu muet, a montré l'escalier du doigt. C'est là-haut qu'ils ont trouvé les deux sœurs. Dans des gourbis immondes, jamais nettoyés. Des matelas souillés à même le sol, sur lesquels cavalaient des souris et toutes les bestioles imaginables, un seau pour les besoins, que la mère vidait une fois la semaine, le jour du bain. Les cheveux blonds à peine coupés, les ongles taillés tous les trente-six du mois. Sales, maigres, nauséabondes. Des robes rose et bleu, grises de crasse. Quand les sœurs sont sorties de la maison, là, sur le trottoir, et si puantes fussent-elles, Enzo les a serrées dans ses bras, fort, longtemps, contre sa chemise trempée de sang. Il y a des photos, vous verrez. Et les flics n'ont pas osé intervenir, quand même. Ce n'est que plus tard qu'ils ont menotté et emmené Enzo. C'est la dernière fois qu'il les a vues avant la taule.

Adamsberg se leva, appuya sa main sur l'épaule du lieutenant. Ce poids parut calmer Mercadet. On disait qu'Adamsberg pouvait endormir un petit en entourant sa tête de sa paume, et c'était vrai. On disait qu'il pouvait endormir les prévenus, et jusqu'à lui-même, en position assise.

Quand Mercadet eut un peu repris son souffle, Adamsberg ôta sa main.

— Vous avez tout en mémoire ? lui demanda-t-il.

Mercadet hocha la tête.

— Alors lieutenant, allez ranger votre machine. On sort déjeuner. Ni au Cornet à Dés, ni à la Brasserie des Philosophes. On file ailleurs.

— Je veux aller à La Garbure, dit le lieutenant sur le ton d'une supplique entêtée, infantile.

— Va pour La Garbure.

XXXVII

Le restaurant pyrénéen était plus bruyant à midi qu'au soir, quand y rôdait une clientèle réduite d'habitués du pays. Tant mieux, se dit Adamsberg en guidant son lieutenant encore secoué, mais plus apaisé, vers une table isolée où nul ne pourrait les entendre. La voix de Mercadet, en de tels moments, montait haut et fort. Le commissaire nota quelque déception sur le visage d'Estelle, mais il n'avait pas la tête, ce jour, à se préoccuper d'Estelle et Veyrenc.

Il obligea Mercadet à avaler une part de son assiette avant de reprendre.

— Vous n'avez que ça, là-bas ? demanda Mercadet. Du porc et du chou, du chou et du porc ?

— On a de tout, dit Adamsberg en souriant. Des poules, des moutons, des chevreaux et des truites. Du miel et des châtaignes, que voulez-vous de plus ?

— Rien. Très bon quand même, dit Mercadet.

— Leurs noms, lieutenant ?

— Les Seguin. Le père : Eugène. La mère : Laetitia. L'aînée des petites : Bernadette.

— Comme la sainte.
— Quelle sainte ?
— Celle de Lourdes.
— Ça a un rapport ?
— Mystique, peut-être. Et sa sœur ?
— Annette.
— Qu'est-ce qu'il faisait, le père ?
— Métallier. Mais il y a un point trouble là-dessus. Le patron de l'atelier a témoigné, mais il n'y avait que quelques feuilles de paie. Il était au noir sans doute. Seguin avait du fric. Il s'est engraissé pendant la guerre.
— Et la mère ?
— Au foyer. Si on peut appeler cela un foyer.
— Vous avez eu accès au procès ?
— Pas encore tout lu, c'est énorme. Mais assez pour savoir le pire. C'est Enzo qui a témoigné. La mère se contentait d'acquiescer, au mieux. Les psychiatres l'ont décrite comme amorphe, dépersonnalisée. Enzo, lui, vif comme l'éclair. C'est là qu'il a raconté, pour la plus petite, Annette.

Adamsberg écrasa ses pommes de terre qu'il mélangea au chou, à la rurale, et attendit.

— Au début, le gros Seguin l'a violée tout comme l'autre, à ses cinq ans. Puis il s'en est lassé. La « sienne », sa propriété, c'était Bernadette. Et l'autre… L'autre, il l'a louée, commissaire.
— Quoi ?
— Louée. À d'autres gars. De ses sept ans à ses dix-neuf ans. Des jeunes mecs qu'il dégottait on ne sait où. On a demandé à Enzo s'il pourrait les décrire, mais non, il ne les rencontrait pas. Les soirs de « visite » à Annette,

il était consigné, le père bouclait la porte de la salle. Il les entendait parler, puis monter l'escalier.

— « Les » ?

— Oui. Ils venaient à plusieurs. On a demandé à Enzo combien de jeunes gens, à son avis, étaient passés chez lui. Si c'était les mêmes ou si cela changeait. Les mêmes, a affirmé le frère, qui ont utilisé sa petite sœur pendant douze ans. Douze ans. Ils lui ont demandé combien il y en avait. D'après les voix, a dit Enzo, ils étaient neuf ou dix.

Adamsberg attrapa la main de son adjoint.

— Combien ? Combien il y en avait ?

— Selon Enzo, neuf ou dix.

— Neuf ou dix, Mercadet ? Et toujours les mêmes ? Vous vous rendez compte de ce que vous dites ?

— Quoi ?

— Les neuf blaps de La Miséricorde, bon sang, lieutenant. Même période, mêmes âges, même lieu. Les blaps que le gardien Landrieu laissait sortir à la nuit.

— Pardon, commissaire, mais comment Landrieu aurait-il pu savoir que Seguin avait une fille à louer ?

— Ils se connaissaient, Mercadet, ils se connaissaient forcément. J'ai dit qu'on ne pouvait ni ne devait oublier le clocher de La Miséricorde. Une des deux sœurs élimine les blaps depuis vingt ans les uns après les autres.

— Ou les deux ensemble.

— Oui. Non. Pas l'aînée. L'aînée n'a pas été violée par ces types. Et l'aînée a été vengée par la mort du père. C'est la cadette, oui c'est cela. C'est la cadette qui les tue, Annette. Ou Bernadette, ajouta-t-il après un instant.

— Que ce soit l'une ou l'autre, comment aurait-elle su qui ils étaient ? Puisque même Enzo ne les a jamais vus ?

Les deux hommes se concentrèrent en silence, à tel point que, face aux assiettes inachevées, Estelle s'approcha, soucieuse.

— Quelque chose n'allait pas ?

— Si, Estelle, tout était parfait.

Et, à leurs visages à tous deux, fronts baissés, elle s'éloigna sans bruit.

— Annette, soixante-huit ans, reprit Adamsberg. Ça ne colle pas avec Louise Chevrier. Elle en a cinq de plus.

— Un acte de naissance, ça se bidouille comme on veut.

— Enzo, il est où ?

— Il a pris vingt ans. La mère onze pour complicité passive et maltraitance. Elle est morte en prison. Enzo est sorti après dix-sept ans, en 1984.

— Il est où ?

— Pas eu le temps, commissaire.

— Et les filles ?

— Pas eu le temps, commissaire.

— Le salaud, dit Adamsberg entre ses dents.

— Le père ?

— Le fils du directeur de l'orphelinat. Le Dr Cauvert. Il savait, il savait forcément.

— Quoi ? Que Landrieu laissait sortir les blaps ?

— Qu'Eugène Seguin travaillait à l'orphelinat. Mais avec le procès, le scandale à venir, le père Cauvert l'a caché. Et a tout fait disparaître. La Miséricorde ? Avec dans ses murs un séquestreur, un violeur, un loueur de fille ? Pas question. C'est pour cela qu'il y a ce point trouble sur la profession de Seguin. Il n'était pas métallier. Il travaillait à l'orphelinat. Gardien, sûrement, avec

Landrieu. Et il se faisait payer par les blaps de la Bande des recluses pour le droit de violer sa propre fille.

— Avec quel fric ? Des orphelins ?

Adamsberg haussa les épaules.

— Vols à la tire dans les rues de Nîmes, ce n'était rien pour eux. Le père Seguin n'offrait pas sa fille pour se faire de l'argent. Mais pour le plaisir abject de la prostituer. Et de tout entendre, ou de tout voir. Après leur sortie de l'orphelinat, le trafic a continué. C'est cela, Mercadet, parce que ce ne peut pas être autre chose.

— Vous allez trop vite, commissaire. On n'a pas une preuve.

— On tient le faisceau, les liens, les dates, le nombre de gars.

— Vous voulez dire qu'on arrive au 52e ?

— Peut-être.

XXXVIII

— Lieutenant, dit Adamsberg, s'arrêtant devant le porche de la Brigade, il m'en faut plus sur ces deux femmes, Bernadette et Annette. Où elles sont, qui elles sont, tout. Et sur Louise Chevrier.

— Commissaire, si je le pouvais, commença Mercadet d'un ton embarrassé.

Adamsberg examina le visage de son adjoint. Les joues avaient blanchi, les paupières se plissaient, les épaules se courbaient. Le cycle terrassant du sommeil avait commencé.

— Allez dormir, je vois ça avec Froissy. Vous ferez jonction plus tard.

Froissy écouta avec intensité le récit que lui fit Adamsberg sur les filles du couple Seguin.

— On peut à présent alerter la Brigade, lieutenant. Rédigez un rapport minutieux sur l'affaire des séquestrées de Nîmes et envoyez-le à tous les agents. Puis voyez tout ce que vous pourrez trouver sur les sœurs Seguin, sur le frère, et sur Louise. Des photos aussi, les plus récentes possible, mais des photos où elles sourient.

— Commissaire, à l'Identité, les photos souriantes ne sont plus admises. Qu'est-ce que vous voulez voir ?

— Leurs dents.

— Leurs dents ?

— Une idée comme cela. Une proto-pensée.

Froissy se tut. Après une phrase de ce type, il était vain de tenter d'approfondir.

— Une bulle gazeuse, dit-elle en hochant la tête. Pour Louise, comme elle a fait de la garde d'enfants, je peux peut-être chercher sur des sites du type « Bambins d'avant », « Nos crèches d'hier », à Strasbourg et Nîmes. Mais franchement, je ne sais pas si cela existe. Quant aux deux malheureuses fillettes, Mercadet dit qu'il ne les trouve pas ?

— Il n'a pas eu le temps. Il a déjà abattu un sacré boulot.

— Et là, dit Froissy en consultant sa montre, il dort.

— Oui.

— Il a de l'avance.

— C'est l'émotion.

Froissy avait déjà repris son clavier et ne l'écoutait plus.

— Lieutenant, dit-il en lui tapant sur le bras. Le prochain train pour Nîmes ?

— 15 h 15, arrivée 18 h 05.

Adamsberg rejoignit le bureau de Veyrenc.

— On y retourne, Louis, au Mas-de-Pessac. Ce salaud n'a pas tout craché.

— Cauvert ? Il m'avait paru cinglé et sympathique.

— Mais il a protégé son père. Il nous a fait perdre des jours. Train à 15 h 15, ça te va ? On rentre ce soir.

Pendant le voyage, Adamsberg exposa à Veyrenc les faits nouveaux, les séquestrées de Nîmes et sa certitude que Seguin père avait travaillé à l'orphelinat. Et à lui, et à lui seul, l'extraction opérée à l'île de Ré. Veyrenc sifflota, une manière pour lui d'exprimer ses sentiments. Selon les mélodies, Adamsberg savait desquels il s'agissait. Ici, un mélange : choc, stupéfaction, réflexion. Trois mélodies.

— Donc nous partons secouer le brave Dr Cauvert sans la moindre preuve que Seguin ait travaillé à l'orphelinat ? C'est bien cela ?

— Oui.

— On s'y prend comment ?

— On l'affirme. Ton oncle y a travaillé un an, comme professeur.

— Ah bon ? Et quel est son nom ?

— Froissy m'a trouvé un enseignant qui y fut suppléant. Ton oncle s'appelait Robert Quentin.

— Admettons. Quelle matière ?

— Catéchisme. Ça te gêne ?

— Au point où nous en sommes. Et donc, j'affirme savoir par mon oncle qu'Eugène Seguin était à La Miséricorde. Et pourquoi mon oncle m'aurait-il parlé de cela ?

— Il t'en a parlé, c'est tout. Ne chicane pas sur les détails, Louis.

— Et si Seguin n'y a jamais travaillé ?

— Il y a travaillé, Louis.

— Comme tu veux. Tu dors ?

— Sur prescription médicale. Sans blague, Louis, c'est pour cicatriser, à cause de l'extraction. Sinon, il paraît que je peux tomber dans une fosse. Et le gars semblait on ne peut plus sérieux.

Avant de se conformer aux ordres médicaux, Adamsberg consulta ses messages. Le psychiatre semblait oublier qu'avec les portables, il n'était plus possible de dormir. Ni de déambuler, de surveiller les mouettes au-dessus des poissons morts, de laisser se croiser les bulles gazeuses.

De Retancourt :

— *Lambertin et Torrailles étaient sur les lieux. Sont au bistrot. Garde rapprochée. Je laisse Justin et Noël, suis trop visible. Écho de conversations : Lambertin passe la nuit chez Torrailles.*

— *Reçu. Ne les lâchez pas.*

D'Irène :

— *Pendant l'inhumation, Louise a eu ses petits sourires secs de satisfaction, surtout quand les pelletées de terre sont tombées sur le cercueil. Je dirais qu'elle aime les enterrements, il y a des gens comme ça. Mais ces petits sourires, faut dire qu'elle en fait tout le temps. Avec des gloussements des fois, et sans qu'on sache jamais pourquoi. Sainte Mère, par chance elle n'a pas gloussé au cimetière. Je crois que je ne peux plus la voir par moments, et c'est pas bien gentil de ma part. Devant Louise, je prépare le colis où je vous envoie la boule à neige de Rochefort. Elle y croit. Elle dit même qu'elle trouve mal pour un flic de collectionner des boules à neige, qu'ils ont pas de temps à perdre avec ça, qu'après on s'étonne qu'on ne soit pas mieux protégés. Moi je lui dis, si les flics ils ne collectionnent pas des boules à neige ou autres, ils deviennent timbrés. Salut, Jean-Bapt.*

— *Salut, Irène*, répondit Adamsberg, *et merci.*

De Froissy :

— *Toujours rien sur les deux sœurs Seguin, évaporées. Rien dans les HP. Le frère, idem. Pas de photo de Louise Chevrier souriant sur des sites « Bambins d'avant ». Je vais m'attaquer aux cabinets dentaires, Strasbourg, Nîmes. Les fichiers ne sont pas protégés. Mais il y a des tonnes de cabinets dentaires.*

— *N'oubliez pas le dîner, ce soir.*

— *Des merles ?*

— *Oui.*

— *Comment je l'oublierais ?*

— *Avant les cabinets dentaires, cherchez si un membre de la famille de Cauvert père a été soupçonné de collaboration. Lui-même ? Père ? Oncle ?*

— *Histoire de famille encore ?*

— *Bien sûr.*

Les deux hommes sonnèrent à six heures et demie passées à la porte du Dr Cauvert. Volontairement, Adamsberg n'avait pas prévenu, et ils le dérangeaient en plein travail.

— Maintenant ? dit Cauvert d'assez mauvaise humeur. Vous ne m'avez même pas téléphoné ?

— On était dans le coin, dit Veyrenc, on a tenté notre chance.

— C'est un détail qui nous manque, appuya Adamsberg.

— Bien, bien, admit le docteur en les laissant entrer et filant dans sa cuisine, d'où il revint cinq minutes plus tard plus guilleret, avec un plateau chargé. Thé de Ceylan, proposa-t-il, thé vert, café, décaféiné, tisane, jus de fraise, gâteau de Savoie. Allez-y.

Refuser aurait navré le docteur qui disposait déjà les assiettes à gâteau, les tasses, les verres. Dès son café servi, Adamsberg attaqua au cœur du sujet.

— Vous avez sûrement, jeune, entendu parler des séquestrées de Nîmes ?

— Cette abomination ? Mais bien sûr, moi et toute la ville, tout le pays ! On suivait le procès pas à pas !

— Vous avez donc su que le père, Eugène Seguin, louait sa fille cadette à de jeunes violeurs ?

Le docteur secoua la tête avec l'air consterné d'un pédopsychiatre qui ne donne pas cher de l'avenir de la petite. Tandis qu'Adamsberg ressentit une vague tension en prononçant ce nom : Seguin.

— Oui. Le témoignage du frère fut épouvantable. Comment s'appelait-il au fait ?

— Enzo.

— Enzo, c'est cela. Un jeune homme courageux.

— Au contraire de votre père, qui fit tout pour cacher le fait que Seguin travaillait à La Miséricorde. Qu'il envoyait les gars de la Bande des recluses violer sa fille. Avec l'aide du gardien Landrieu.

— Quoi ? dit Cauvert en se redressant. Mais de quoi parlez-vous ?

— Je viens de vous le dire. De la présence de Seguin à La Miséricorde.

— Vous insultez mon père ? Dans cette pièce ? Nom d'un chien, s'il avait su qu'un Seguin trafiquait avec la Bande des recluses, il n'aurait rien eu de plus urgent que de témoigner !

— Mais il ne l'a pas fait.

— Parce qu'on n'a jamais eu de Seguin !

— Si, dit Veyrenc.

— Bon sang, mon père haïssait cette bande de petits salauds et vous le savez. C'était un homme bien, vous comprenez ? Un homme bien !

— Justement. Reconnaître la présence de Seguin dans les murs et c'était la chute, le déshonneur d'un « homme bien », pour défaut de vigilance et faute professionnelle. Mais il y avait sans doute autre chose, et il n'a pu s'y résoudre. Pour finir, il s'est tu, et il a effacé Seguin des archives. Et derrière lui, vous avez celé la vérité.

Le docteur, suant d'indignation, débarrassa la table avant même la fin du gâteau de Savoie, entassa le tout en désordre sur le plateau, brisa une soucoupe. Leur congé était signifié.

— Sortez, dit-il, sortez !

— Seguin était là, affirma Veyrenc. Il était gardien. Le professeur de catéchisme suppléant, Robert Quentin, était mon oncle. Il me l'a dit.

— Ah oui ? Ah oui ? Alors pourquoi n'aurait-il rien raconté au procès ?

— Parti en poste au Canada, il n'a rien su des fillettes séquestrées.

— Et les autres professeurs ? Pour quelle raison se seraient-ils tus ? Eux ?

— Les professeurs ne venaient qu'aux heures de cours, dit Adamsberg, ils ne participaient pas à la vie quotidienne de l'orphelinat. Aucun d'eux n'a enseigné ici plus de trois ans. Après la guerre, à mesure qu'on reconstruisait les écoles, ils filaient vers de nouvelles affectations moins rudes. Des gardiens, ils n'ont dû connaître que le visage, et beaucoup n'ont sans doute pas même retenu leurs noms.

Le docteur se leva, passa sa main d'une joue à l'autre, marchant cette fois à pas lents.

— Cela peut-il rester entre nous ? demanda-t-il.

— Oui, dit Adamsberg. Parole d'homme.

— Seguin travaillait là, confirma-t-il en se rasseyant lourdement. Et, oui, il était complaisant avec la bande de Claveyrolle. Cela, même nous les gosses, on le savait. Inutile d'aller le chercher en cas d'embrouille. Mais quant à envoyer les gars de la Bande violer sa fille ? Mon père n'a jamais abordé le sujet avec moi.

— C'était eux. Et votre père l'a compris.

— Non. Il a pu y songer peut-être, mais rien de plus. C'eût été immoral d'aller dénoncer des jeunes gens sans preuve.

— Allons, docteur Cauvert. Votre père était intelligent, il connaissait ces garçons sur le bout des doigts. Il savait que Claveyrolle et sa bande faisaient le mur. Parce qu'ils ne sont pas sortis qu'une seule fois, n'est-ce pas ? Comme il savait qu'ils agressaient les filles au sein même de l'établissement. Et quand arrive le procès, quand on apprend que la propre fille de Seguin est violée par « neuf à dix garçons », pas plus pas moins, « toujours les mêmes » et pendant des années, votre père ne pense pas aux neuf membres de la Bande des recluses ? Pour lesquels le gardien a toujours eu des indulgences ? Il n'y a pas seulement « songé », docteur Cauvert, il l'a su.

— Mon père a respecté la présomption d'innocence, mon père a protégé l'établissement, dit Cauvert en tordant une fine cuillère entre ses doigts.

— Non, rectifia Adamsberg. Il a protégé sa personne. Sa faute professionnelle, son incurie passée. Mais pas seulement.

— Vous l'avez déjà dit. Quoi d'autre, bon sang ?

— Pourquoi n'a-t-il jamais viré Seguin, si conciliant avec cette bande qu'il haïssait ?

— Que voulez-vous que j'en sache ? cria Cauvert.

— Parce que le gardien le faisait très sûrement chanter. Seguin avait trempé dans le marché noir et la collaboration, et votre grand-père en était. Si votre père posait un doigt sur lui, Seguin n'avait que trois mots à dire : « Fils de collabo. » Trois mots à fuir comme la peste, un mal qu'il fallait ensevelir à tout prix. Votre père l'a fait, et la Bande des recluses est demeurée libre.

— Non, dit Cauvert.

Adamsberg lui montra en silence le message de Froissy confirmant la collaboration du grand-père Cauvert. Le docteur détourna les yeux, ses traits s'affaissèrent, puis il se courba, avec la lenteur passive d'une herbe sous le vent. Son regard errant rencontra sa main, où la cuillère tout à fait tordue parut soudain le surprendre.

— Je ne savais pas, dit-il d'une voix vide. Pour la collaboration. Et donc je ne comprenais pas.

— Je vous crois. Désolé de vous avoir infligé cela, dit Adamsberg en se levant sans bruit, mais vous en pressentiez depuis longtemps les ombres. Je vous remercie de votre sincérité.

— Cette sincérité estompe-t-elle la faute de mon père ?

— En partie, docteur, mentit-il.

Comme la fois précédente, Adamsberg et Veyrenc remontèrent la longue rue étroite qui les menait à la gare routière.

— C'était bien, le coup du poste au Canada, nota Adamsberg. Je n'avais pas songé à cette question.

— Moi si. J'étais le neveu, tout de même.

— La statuette, le chien, saint Roch, marmonna Adamsberg en passant devant la niche ancienne sculptée dans le mur.

— Tu as vu juste. C'est depuis La Miséricorde que Seguin a organisé son trafic de viols.

— Ce qui nous fournit le lien direct entre la tueuse et la mort des blaps. Mais la question de Mercadet reste valable. Comment a-t-elle pu savoir que ses violeurs venaient de l'orphelinat ?

— Elle savait tout de même que son père y travaillait.

— Vrai. Mais comment, parmi quelque deux cents orphelins, aurait-elle su leurs noms ? Comment aurait-elle appris l'existence de la Bande des recluses ? Et de l'usage du venin ? Nouvel étoc, Louis.

— Par le frère.

— Le père le bouclait les soirs de « visite ».

Adamsberg se retourna et jeta un dernier coup d'œil en contrebas à la petite statue rongée de saint Roch. Il ne restait du chien qu'une boule d'où dépassaient deux oreilles et un fragment de queue.

— Et pourtant, dit-il, ce ne peut être que lui. Il savait leurs noms, Louis, et il a menti au procès. Il recueillait et apportait des informations à ses sœurs, qu'il s'agisse des images qu'il leur glissait sous les portes enfant ou de l'identité des agresseurs. Comme le chien de saint Roch qui lui apportait sa pitance. L'être nécessaire qui faisait le lien entre la forêt close et le monde extérieur. Enzo est le sauveteur, le messager. Il savait leurs noms.

— Et il les a tués, les uns après les autres.

— Je n'y crois pas. Enzo est l'intermédiaire. Je ne vois pas un homme s'embarrasser de venin de recluse.

— Tu le voyais bien avec Petit Louis et les autres gars.

— Parce qu'ils avaient été mordus. Œil pour œil, dent pour dent, bataille virile. Mais ce n'est pas le cas d'Enzo. Non, je ne vois pas le pont.

Veyrenc resta silencieux pendant quelques pas, à croire qu'il n'écoutait pas. Puis il s'arrêta devant un mur poussiéreux.

— Tu visualises le plan de la maison Seguin ? C'est dans le dossier envoyé par Froissy, je l'ai lu dans le train. Regarde, commença Veyrenc en dessinant de son doigt sur le mur. Ici, l'entrée. À droite, la petite chambre d'Enzo, et les toilettes.

— Oui.

— À gauche, la porte qui donne sur la maison proprement dite. La porte qui ouvre sur la salle, l'étage avec les chambres, la salle d'eau et le grenier. Les soirs de « visite », on sait qu'Enzo était bouclé.

— Dans sa chambre, oui.

— Pas dans sa chambre. C'est la salle qui était fermée.

— C'est-à-dire la maison entière.

— Non, Enzo avait accès à une autre pièce.

— Mais non.

— Mais si. Celle à laquelle on ne pense jamais car on ne l'appelle pas « pièce » : l'entrée. Et pourquoi on ne l'appelle pas « pièce » ? Parce que ce n'en est pas une. C'est l'espace de jonction entre le monde extérieur et intérieur, c'est le sas. Il n'appartient pas vraiment à la maison. C'est l'espace d'Enzo.

— Qu'essaies-tu de dire, Louis ? Qu'Enzo va s'asseoir dans l'entrée, dans ce lieu à cheval entre les deux mondes ?

— Non, il y récupère les éléments du monde extérieur. C'est son travail, sa mission. Tu l'as dit.

Veyrenc considéra son doigt noir de crasse et l'essuya dans la paume de sa main. Adamsberg fixait le dessin sur le mur.

— Les éléments du monde extérieur, répéta-t-il.

— Ceux dont on se défait dans une entrée.

— Un portemanteau, des chapeaux, des bottes, des parapluies...

— Vise le portemanteau.

— Je vise. Pardessus, casquettes, blousons, vestes...

— Tu y es.

— Les « visiteurs » y suspendent leurs manteaux. D'accord, Louis. Et tu t'imagines qu'ils trimballent leurs papiers d'identité dans leurs poches pendant leurs expéditions ? Faudrait être des sacrés crétins.

— Ce sont les manteaux d'un orphelinat, Jean-Baptiste. Non seulement le nom de l'établissement y est imprimé, à l'intérieur, mais aussi le nom de l'élève. Cousu main sur une étiquette. Tout est marqué au nom des pensionnaires, de la casquette aux chaussettes. Ou bien comment redistribuer les fringues après les lessives ?

Adamsberg repassa son doigt sur les contours de la maison, hochant la tête, impressionné.

— Bon sang, dit-il, le doigt toujours collé au mur. L'entrée. On n'y pense jamais.

— Non.

— Et pourtant tout s'y trouvait. Enzo avait les noms des gars, et celui de leur orphelinat. Il avait tout. Pourquoi n'a-t-il rien dit ?

— Parce que sa sœur a dû le lui demander. L'une ou l'autre.

— Oui. Ce serait son affaire, son œuvre.

— Et depuis tant de temps, le trio se serre les coudes. Rien n'a filtré, nul n'a parlé. Où sont-ils à présent, les enfants Seguin ?

Adamsberg ôta son doigt, comme à regret, et les deux hommes reprirent leur marche.

— Selon Froissy, dit Veyrenc, impossible de les localiser.

— Si même elle ne les trouve pas, c'est qu'ils ont changé de nom, pas de doute là-dessus.

— Comme tout le monde, Enzo a dû apprendre en taule comment se procurer de faux papiers. Quant aux filles, il est très probable que la justice leur a accordé le droit de changer de nom.

— Et comment va-t-on retrouver deux jeunes filles placées en HP il y a quarante-neuf ans, sans savoir leur nom ni connaître leur visage ?

— Impossible.

— Alors on va bouffer. Notre train part à 21 heures. Tout rond.

— Le temps de prendre le car pour Nîmes, dit Veyrenc avec une moue, on devra se rabattre sur le buffet de la gare. Qui sera fermé. Au lieu qu'on pourrait faire relâche et dormir à Nîmes, et prendre le premier train du matin. Qu'est-ce que cela change ? Rien, me diras-tu. Et moi je répondrai : tout. Tu pourras dormir plus tôt. Prescription médicale, n'oublie pas.

— On est contraints d'y obéir.

— Un détail, on n'a pas pris de bagages.

— Tant pis.

— Les gars n'étaient pas propres non plus, sur la *Trinidad.*

Les deux hommes échouèrent à près de dix heures du soir dans un petit hôtel proche des arènes, qui servait encore à dîner.

— Je crois savoir ce qui m'exaspère dans ce nom de « Seguin », dit Adamsberg en fin de repas.

Le commissaire leva la main pour commander deux cafés. Le restaurant avait fermé mais, le temps de ranger, le patron leur avait laissé le champ libre.

— Tu te souviens ? De ce conte ? De l'histoire de ce monsieur Seguin et de sa pauvre petite chèvre ?

— Elle s'appelait Blanquette, dit Veyrenc. Et elle était si jolie que les châtaigniers s'inclinaient jusqu'à terre pour la caresser de leurs branches.

— Elle avait voulu fuir, n'est-ce pas, être libre ?

— Comme les six autres avant elle.

— J'avais oublié les six autres.

— Si. Monsieur Seguin aimait follement les petites chèvres, mais toutes voulaient lui échapper et toutes y avaient réussi. Blanquette était la septième.

— J'ai toujours pensé que Seguin était lui-même le loup. Et puisque sa chèvre rêvait de lui échapper, il avait préféré la bouffer.

— Ou l'agresser, précisa Veyrenc. En cas de révolte, Seguin menaçait ses chèvres de « voir le loup ». Tu connais le sens de l'expression : voir l'homme nu et connaître l'accouplement. Tu as raison. En réalité, Blanquette s'est fait violer. Rappelle-toi : face au loup, elle « a lutté toute la nuit », et c'est à l'aube qu'elle s'est affalée au sol, sa fourrure blanche toute sanglante – car la jolie petite chèvre était blanche, donc vierge –, pour se laisser dévorer. Tu te dis donc que Seguin portait bien son nom ?

— Non. Je me dis qu'Enzo lisait des histoires à ses sœurs. Je pense qu'elles connaissaient celle-là.

— C'est très probable, on la lisait alors dans toutes les écoles. À quoi penses-tu ?

— À ceci : quand on doit se choisir un autre nom, on conserve toujours une trace, un vestige de son ancien nom, ou de son ancien état.

— Oui.

— Alors réfléchis : Louise Chevrier. La *chèvre*. La chèvre prisonnière de monsieur Seguin, la victime dévorée.

— Louise Chevrier, répéta Veyrenc avec lenteur. Et Froissy ne trouve personne de ce nom né en 1943.

— Nouvelle identité, donc.

— Et changement de l'année de naissance.

— Comme dit Mercadet, un acte de naissance, ça se bidouille comme on veut.

— Trop tard pour réveiller Froissy, mais le prénom qu'elle s'est choisi, Louise, est sans doute son second ou troisième prénom.

— Oui, dit Adamsberg en composant un message.

— Qui réveilles-tu ?

— Froissy.

— Elle dort, bon sang.

— Mais non.

— Quelque chose ne colle pas, Jean-Baptiste : Annette est libérée à l'âge de dix-neuf ans. Et quatorze ans plus tard, elle se ferait violer par Carnot ? Ce ne serait pas une foutue coïncidence ?

— Qui te parle d'une coïncidence ? Carnot est l'ami de Landrieu et des autres, non ? Annette fut leur proie, ils la reprennent.

— Je pense que Froissy dort. Tu es une brute.

— À ce propos, Louis, j'ai cassé la gueule de Danglard.

— Fort ?

— Assez, oui. Mais un seul coup, au menton. Ce n'était pas un coup d'ailleurs, c'était un rite de passage. Un rite de retour, plutôt.

Le téléphone vibra sur la table.

— Tu vois qu'elle ne dort pas.

— Elle va te mentir.

— *Pardon, commissaire, je dînais. Prénoms de l'aînée : Bernadette, Marguerite, Hélène. Prénoms de la cadette : Annette, Rose, Louise.*

— *Merci, Froissy. On reste à Nîmes pour la nuit. Retour demain à dix heures. Bonne nuit.*

— Annette, Rose, Louise, récita Adamsberg. Louise Chevrier. Elle choisit « Louise » volontairement, et « Chevrier » inconsciemment. La petite chevrette attachée par le père Seguin.

— Et comment Louise Chevrier se serait-elle trouvée sur tous les lieux des meurtres ? Elle ne conduit pas.

— Suppose simplement qu'elle conduise.

— Et lors de son voyage à Saint-Porchaire, Irène ne se serait pas aperçue de son absence ?

— Elle était à Bourges.

Le téléphone vibra à nouveau. Il avait manqué un message et reconnut avec inquiétude la voix de Retancourt.

— *On était tous les trois en position autour de la maison de Torrailles à Lédignan. Facile, sans se planquer, puisque Torrailles savait qu'il était gardé. Il finissait de dîner dehors avec Lambertin, petite table, face à face, grosse descente, gros rires, blagues répugnantes, sont vraiment restés des blaps. Dehors : une grande cour entourée d'une haie basse sur les quatre côtés. À 10 heures, extinction des réverbères de la petite route, mais nuit assez claire. Lumière au-dessus de la porte, photophore sur la table de jardin, bien visible, en plastique blanc. Ça attirait les moustiques. Ils les écrasaient dans leurs mains. Clac, clac. « C'est les femelles qui piquent seulement. Tu vois que faut leur rendre la monnaie de leur pièce. » Vers 10 h 15, Torrailles a commencé à se gratter au bras droit. Je vous reproduis le dialogue. Torrailles : « Putain de femelle ! Elle m'a eu cette salope ! » Lambertin : « T'es con aussi, éteins le photophore. » Torrailles : « Éteins pas, connard ! Après, on voit plus ce qu'on boit. » Trois minutes plus tard, Lambertin a commencé à se gratter au cou, à gauche. Ils en ont eu leur claque, ils ont ramassé la bouteille et les verres et ils sont rentrés. Moins d'une heure après, ils sont sortis de la maison, affolés, ils ont demandé qu'on les conduise à l'hôpital, les piqûres avaient enflé. Je les ai examinées sous la lampe torche. L'œdème était déjà là, deux centimètres de diamètre, avec la vésicule. Ils sont en route vers l'hôpital de Nîmes, avec Justin et Noël, je suis derrière avec l'autre bagnole. Bras à droite, cou à gauche, ils ont donc été attaqués par la haie arrière. À trois, on a passé la soirée à tourner sans relâche autour de la maison. Personne n'a pu s'approcher, personne n'a pu entrer. Impossible, ça leur est tombé dessus comme un crachat du ciel. On a raté quelque chose, je suis désolée.*

Le visage figé, Adamsberg fit écouter le message à Veyrenc. Les deux hommes se regardèrent, muets.

— Les deux derniers, Louis, elle a dézingué les deux derniers, dit enfin Adamsberg en avalant d'un trait son café froid. D'un seul coup. Avec trois officiers en ronde tournante. Mais comment, bon sang, comment ? Même un crachat tombé du ciel, ça doit bien se voir, non ? Quelle heure as-tu ?

— Minuit dix.

— Donc inutile de réveiller Irène pour savoir si Louise est chez elle. Ils ont été « mordus » à dix heures et quart. Elle n'aura pas mis plus de quarante-cinq minutes pour faire le trajet de Lédignan jusqu'à Cadeirac.

Le patron proposa de servir deux cafés supplémentaires. À leur conversation, cela faisait un moment qu'il avait saisi qu'ils étaient flics, et haut gradés, agrippés sur une affaire. Et quand on a des flics agrippés dans son établissement, on se fait petit. Adamsberg ne refusa pas le privilège des deux cafés, qu'il alla chercher lui-même au bar.

— Retancourt ? Vous êtes à l'hôpital ?

— En approche.

— Pouvez-vous venir nous prendre, Veyrenc et moi, demain matin à 7 h 30 ?

— À Paris ? En sept heures ? Vous n'avez plus de voiture à la Brigade ?

— On est à Nîmes, lieutenant, et sans bagnole.

— Quelle adresse ?

— Hôtel du Taureau.

— Vu.

— Lieutenant, avez-vous pris le kit de base avec vous ? Pour les prélèvements ?

— Il ne quitte pas mon sac, commissaire. Pas vous ?

— On est partis sans bagages.

— À votre idée.

— Apportez-le, avec votre appareil photo.

— Je répète, commissaire. Personne n'est entré, personne n'est sorti. Absolument personne. Et on voyait loin. Vue sur toute la cour et, depuis la route, jusqu'à cinq mètres. Aucune ombre n'aurait pu nous échapper.

— Ne vous en voulez pas. Même vous, vous ne pouvez pas intercepter tous les crachats du ciel.

Adamsberg raccrocha, avala son café, debout, fixant le mur de la salle sur lequel le patron avait exposé sa collection d'armes. Une quinzaine de fusils briqués, d'anciennes Winchester étincelantes.

— Les crachats du ciel, Louis. On est trop cons. C'est comme cela qu'elle a fait.

— Elle leur a craché dessus, dit Veyrenc, que l'annonce des deux derniers meurtres avait assommé.

— Mais c'est certain, dit Adamsberg en tirant bruyamment sa chaise et se rasseyant.

— Tu te fous de moi.

— Bois ton café, écoute-moi. Au fusil, elle tire au fusil.

— Des crachats.

— Oui, du liquide, du fluide. Au fusil hypodermique. À la carabine d'injection, si tu préfères.

Cette fois, Veyrenc releva la tête.

— Les fusils des vétos, dit-il, ceux qui balancent des seringues.

— Ceux-là mêmes. Équipés d'une lunette de visée nocturne. Distance de tir quarante mètres, soixante mètres. À l'impact, la protection de l'aiguille saute et le produit s'injecte automatiquement.

— D'où tiens-tu cela ?

— J'ai été tireur d'élite, rappelle-toi, je reçois tout un tas de prospectus. Notre fusil est une arme de catégorie D, il est donc en vente libre, avec ses seringues.

Alors qu'il peut devenir un engin mortel, s'il te prend l'idée de remplir la seringue d'une solution d'arsenic ou de venin de recluse.

— De venin de vingt-deux recluses, Jean-Baptiste. Multiplié par six victimes égale du venin de cent trente-deux recluses.

— Oublie ces cent trente-deux recluses. Elle a tiré au fusil, c'est tout ce qui compte pour l'instant.

— Et ça ne colle pas. Aucune des victimes n'a signalé une seringue plantée dans son bras ou sa jambe. Les gars l'auraient vue. On ressent la douleur, on y porte aussitôt son regard, sa main.

— C'est juste.

— Suppose même que la seringue se détache et tombe, ce qui m'étonnerait beaucoup. On l'aurait trouvée dans l'herbe, à Saint-Porchaire, devant la porte de Vessac. À moins que le meurtrier ne vienne ensuite la ramasser. Ce qui serait absurde et risqué.

Adamsberg appuya son menton dans sa paume, sourcils baissés.

— On a trouvé autre chose, dans l'herbe, à Saint-Porchaire, reprit-il après un temps.

— Ton fragment de fil de pêche, déposé par le vent.

— Il n'était pas déposé, Louis, il était coincé. Suis-moi. Suppose que je sois l'assassin. Je dois coûte que coûte faire disparaître la seringue.

— Et pourquoi, au fond ? Quelle importance que l'on trouve ta seringue ? C'est moins incriminant qu'une balle. Pas de rayures de canon, pas d'identification de l'arme. Pourquoi veux-tu récupérer ta seringue ?

— Pour que personne ne puisse imaginer un seul instant qu'il s'agit de meurtres. Si l'on n'avait pas trouvé le lien entre les victimes et les blaps de La Miséricorde, on piétinerait toujours au même endroit : les recluses ont muté, et les vieux meurent parce qu'ils sont vieux. Pas de meurtres, pas d'enquête, l'assassin ne craint rien. Je ne crains rien. Si je récupère ma seringue, bien sûr.

— Et tu t'y prends comment ?

— Je la mets en laisse. Je fais passer un fil de nylon, du fin mais du résistant, du 0,3 mm par exemple, par la bouche du canon, je le rattrape à la culasse. J'en accroche le bout à la seringue, et je charge. Quand la seringue part, elle emporte avec elle soixante mètres de fil qui se dévident depuis un enrouleur extérieur. Tu y es ?

— Pas d'accord. Ça va tirer sur l'enrouleur, et ta seringue sera beaucoup trop ralentie.

— Évidemment. Donc avant de décocher, je débobine soixante mètres de fil, ou trente, selon la distance par rapport à ma cible.

— Si bien que le fil part sans se raidir sur l'enrouleur. J'admets.

— Quand la seringue touche la cible, je tire aussitôt sur le fil, un coup sec, pour l'extraire de la peau. Le temps que le type regarde sa piqûre, la seringue a disparu. Puis j'enclenche l'enrouleur en sens inverse, et la seringue vide me revient, docile comme un chien qu'on siffle. Que s'est-il passé à Saint-Porchaire ? Une fois Vessac piqué, j'ai tiré sur mon fil. Mais la seringue s'est coincée dans les orties. Je déclenche l'enrouleur, je force, le fil casse. Une fois Vessac rentré chez lui avec Élisabeth, je vais jusqu'à la porte, je coupe le fil bloqué et je récupère ma seringue. Un petit fragment de nylon est resté dans l'herbe. Qui le verra ? Qui s'en souciera ?

— Toi. Mais une seringue, Jean-Baptiste, c'est comme une balle, c'est ajusté serré dans le canon. Avec le fil de nylon glissé dans l'âme, elle va peiner à sortir, ça va bousiller la trajectoire, ça va vriller.

— Ce sont des canons à âme lisse, ça ne vrillera pas. Mais je suis d'accord, si tu charges une seringue de 13 dans un canon de 13, en comptant l'épaisseur du fil engagé dans le canon, ça va s'enrayer. J'enfile donc une seringue de 11 dans mon canon de 13.

— Avec deux millimètres de jeu ? Ça va flotter. Et là encore, tu ne maîtriseras pas ta trajectoire.

— Pas si j'embobine ma seringue dans je ne sais quoi jusqu'à ce que son diamètre atteigne 12,4 mm. Comme le faisaient les anciens avec leurs mousquets et leurs balles mal calibrées qu'ils enroulaient dans du papier pour qu'elles adhèrent à l'âme. Pour plus de sûreté, tu huiles bien le tout. Et là, ça part droit, crois-moi. Système D des vieux soldats. Avantage du fusil hypodermique : propulsion à air comprimé et non à poudre : cela fait plop, et à quarante ou soixante mètres, ou à bien moins, tu n'entends rien.

— Et comment trimballes-tu discrètement ton fusil, même s'il fait sombre, sur une route de village, dans une rue de Nîmes ?

— Je me sers d'un modèle pliable, cela existe et ça tient dans un sac de voyage banal. Avec l'enrouleur et la lunette de visée nocturne.

— C'est jouable.

— Non, Louis, c'est joué. C'est cela, le « crachat du ciel ».

XXXIX

Retancourt les attendait au matin, adossée à une voiture de location jaune vif, avec l'allure inquiétante d'un géant contrarié.

— Dix, dit-elle en omettant de les saluer, elle a dézingué les dix !

— Elle, ou il. Veyrenc pense parfois qu'il pourrait s'agir d'Enzo, le frère des séquestrées de Nîmes. Vous avez eu le temps de jeter un œil au rapport de Froissy ?

— En diagonale. Pas facile de lire en planque. Que ce soit Enzo ou qui que ce soit, il ou elle a eu les dix ! Alors que vous aviez senti le vent après les deux premiers morts. Alors que dès le troisième, la Brigade était dessus.

— Une partie de la Brigade, rappela Adamsberg pendant que Retancourt lançait furieusement le moteur.

— Même, commissaire. On a bossé, fouillé les archives, remonté les pistes, interrogé, surveillé, voyagé à droite et à gauche, et l'assassin se les est tous faits sous notre nez ! Ça me fout en rage, c'est tout.

Face à ce dernier échec, qui avait fauché deux hommes, Retancourt était certes en fureur mais aussi mortifiée. Elle avait été responsable de leur protection, et elle avait failli.

— Prenez à droite, Retancourt, on va à Lédignan, chez Torrailles. Oui, ajouta-t-il, ça fout en rage. Mais même à dix, vous n'auriez rien pu faire.

— Et pourquoi ? Parce que l'assassin est venu par les airs ?

— En quelque sorte. Et c'est de ma faute. J'aurais dû penser plus vite.

Adamsberg s'adossa contre le siège et croisa les bras. S'il avait pensé plus vite. Cela faisait quatre jours qu'il avait trouvé ce fil de nylon. C'était lui qui l'avait ramassé, c'était lui qui avait tenu à le garder. C'était bien qu'il en avait senti l'importance. Et qu'en avait-il fait ? Rien. Des vagues violentes étaient passées, qui avaient emporté ce brin fragile dans le lointain de ses pensées : l'extraction sur l'île de Ré, la fin de la piste des mordus, l'égarement de Danglard, les séquestrées de Nîmes. Dans ces fracas, le transparent petit fil s'était fait oublier.

— C'est là, dit Retancourt après quarante minutes de route, s'arrêtant sur un à-coup et faisant grincer le frein à main. Vous voyez comme la haie est basse. Et c'est ainsi sur tout le tour. Les lampadaires nous ont éclairés jusqu'à dix heures. Mais ensuite, avec la lumière du porche et le photophore, on les voyait assez bien à leur table.

— Vous me l'avez dit, lieutenant.

— Et donc, par où est-elle arrivée ? Par ballon ?

— Presque. Par seringue empennée.

— Vous parlez d'un tir ?

— De deux tirs, de fusil hypodermique.

Retancourt absorba l'information nouvelle, se donnant juste le temps de sortir d'un geste brusque sa mallette du coffre.

— À combien de distance ? demanda-t-elle.

— Sans réverbères allumés, et même avec une lunette de visée nocturne, je dirais trente mètres, pour la sûreté du coup.

— Merde, commissaire, on tournait. Pourquoi on ne l'a pas vue ?

— Parce qu'elle n'a pas tiré de l'extérieur.

— Du ciel, donc.

— De l'intérieur, lieutenant. De la maison. Où elle s'était installée pendant l'absence des deux hommes. Elle s'y trouvait déjà quand vous êtes revenus avec Torrailles et Lambertin.

— Bon sang.

— Vous n'y pouviez rien. Vous ne pouviez pas voir l'embout d'un canon noir dans le cadre noir d'une fenêtre.

Retancourt hocha la tête, assimilant les faits, puis tira le verrou pour entrer dans la cour. Adamsberg s'arrêta à la table et observa la façade de la maison.

— Elle ne s'est pas postée en bas, où doivent se situer la salle et la cuisine. Trop risqué si l'un des hommes y rentrait. Non, elle s'est planquée à l'étage, d'où elle a opéré deux tirs à l'oblique, canon en biais, les atteignant de profil. Dans cette pièce, là-haut, dit-il en désignant une petite fenêtre crasseuse. Retancourt, examinez toute la surface du sol dans cette aire de tir, entre la maison et la table.

— Je cherche quoi ?

— Un fragment de fil de nylon, peut-être. Le sol est en dalles de ciment, mais l'herbe et le chardon poussent aux jointures. Cherchez là-dedans, on monte à l'étage. Vous avez pris ces saletés de chaussons ?

Les deux hommes ôtèrent leurs chaussures et s'équipèrent dans l'entrée. Ils parcoururent le premier étage, glissant au sol comme des patients d'hôpital, inspectèrent rapidement deux chambres, une salle de bains, des toilettes et, dans l'axe de la table de jardin, un cagibi où s'entassaient valises, cartons et bottes crevées. Le sol était aussi poussiéreux qu'on pouvait l'espérer, en carrelage de céramique gris moucheté.

Veyrenc alluma la lampe nue du plafond et s'approcha de la petite fenêtre en longeant le mur.

— Ouverte tout récemment, dit-il. Éclats de peinture là et là.

— Et traces partielles de pas. Prends cette portion de sol, moi l'autre.

— Ce mouchetis de gris, ça ne facilite pas les choses.

— Ici, dit Adamsberg qui était accroupi sous la fenêtre, l'empreinte est assez nette.

— Tennis, dit Veyrenc.

— L'équipement banal. Mais toujours risqué, à cause des rainures. Qui semblent larges. Regarde si elle a semé quelque chose, de la terre, des cailloux, du végétal.

— Rien en vue.

— Moi non plus. Sauf ceci.

Du bout de sa pincette, Adamsberg éleva dans la lumière du jour un cheveu de quelque vingt centimètres.

— Elle a dû les attendre un bout de temps, se frotter la tête, se gratter, signe de nervosité. L'entreprise n'était pas simple, avec trois flics lui tournant autour.

— Presque roux, avec deux centimètres de gris à la racine. Et recourbé. Une mise en plis sans doute.

— Et cet autre encore. Cela m'épaterait qu'Enzo porte des cheveux longs, teints et mis en plis.

— Femme, admit Veyrenc. Assez âgée.

— Passe-moi la loupe. Oui, on a le bulbe à l'extrémité. Quatre cheveux, conclut-il après ramassage. Tu peux fermer le sac, nous sommes riches. Les empreintes, allons-y.

— Rien sur les vitres, la poussière est intacte.

Veyrenc passa à la poudre tout l'encadrement de la fenêtre.

— Elle avait des gants, dit-il. Qui n'a pas de gants ? Il y a cette écaille de peinture, sur l'appui. C'est là qu'elle a posé le canon.

Adamsberg prit deux photos, puis deux autres de l'empreinte partielle de pas.

— On va contrôler l'escalier, dit-il, et surtout les premières marches. C'est quand la semelle se plie qu'elle lâche ses secrets. Comme nous, quand on craque, quand on cède.

Marches qui leur offrirent trois gravillons. Qui auraient pu venir de n'importe où, du cimetière comme des bords de la route qui longeait la haie. Et une feuille de trèfle pliée qui, bien qu'inutile, semblait constituer une petite offrande finale.

— On prend quand même, dit Adamsberg en ouvrant un dernier sachet.

— Pourquoi ?

— J'aime bien le trèfle.

— Comme tu veux, dit Veyrenc qui usait souvent de cette réplique avec Adamsberg, non qu'il acceptât toutes ses propositions mais parce qu'il savait quand il était vain de parlementer.

— Retancourt ? demanda Adamsberg en la rejoignant sur la scène de crime, où elle s'était installée sur une des chaises en plastique, grattant sa main. Vous êtes assise sur les lieux du délit ?

— Déjà examinée. Rien. Fil de nylon, rien. Et je me suis piquée sur une saleté d'ortie.

— Venin végétal, lieutenant.

— De votre côté ?

— Quatre cheveux avec bulbes. ADN. Et une feuille de trèfle.

— Qui nous sert à quoi ? Le trèfle ?

— À nous rafraîchir.

Veyrenc s'assit sur la seconde chaise, et Adamsberg par terre, en tailleur.

— C'est une femme âgée, dit-il, aux cheveux gris, teints en roux pâle, et mis en plis. Qui se balade avec un fusil hypodermique pliable dans un sac de voyage. Et des seringues emplies chacune du venin de vingt-deux recluses. Qui fut violée dans sa jeunesse, ou dans sa maturité. Tout au moins il y a plus de vingt ans, quand le premier type fut abattu d'une balle dans le dos.

— Ça ne nous donne pas grand-chose.

— Cela nous rapproche, Retancourt.

— Du 52e. Le nom du marin m'a échappé. Je veux dire, le vrai nom de Magellan, en portugais.

— Fernão de Magalhães.

— Merci.

— De rien.

Adamsberg croisa les jambes dans l'autre sens, puis fouilla dans sa poche et sortit deux cigarettes de Zerk, qui commençaient à s'abîmer. Il en tendit une à Veyrenc puis alluma la sienne.

— J'en veux bien une, dit Retancourt.

— Vous ne fumez pas, lieutenant.

— Mais celles-ci, elles sont volées ? Si j'ai bien compris ?

— Absolument.

— Alors j'en prends une.

Ils restèrent ainsi tous les trois, à fumer en silence des cigarettes à moitié vides sous le soleil du matin.

— C'était bien, dit Adamsberg en composant un numéro sur son portable. Irène ? Je vous réveille ?

— Je bois mon café.

— Vous avez su ? Les deux en même temps ?

— Je viens de le voir sur les forums. C'est sacrément rageant quand même.

— Ça l'est, confirma-t-il, relevant cette même réaction de frustration coléreuse que chez Retancourt. D'autant que j'avais trois officiers de garde qui tournaient autour de leur table. Rien remarqué, pas vu pas pris.

— Je dis rien contre la police, attention, je ne dis pas que c'était facile, je ne dis pas que vous n'avez pas travaillé, commissaire. Je ne dis rien mais quand même, il les a tous eus et on sait toujours pas ni quoi ni qu'est-ce. C'est rageant. Je dis pas que c'étaient des hommes sympathiques, à ce que vous m'avez expliqué, mais quand même, ça fait rager.

— Dites-moi, Irène, vous êtes seule ?

— Ah oui. Louise prend son petit-déjeuner dans sa chambre. Elle ne sait pas encore pour les deux derniers.

Grâce à Dieu j'ai encore un peu de calme. Et Élisabeth dort.

— Je vais encore vous embêter, sur votre Louise. Tâchez de répondre à mes questions sans réfléchir.

— C'est pas mon genre, commissaire.

— J'ai remarqué. À quelle heure Louise est-elle montée dans sa chambre hier soir ?

— Oh, elle avait pas faim, avec cet enterrement. C'est l'atmosphère. Un bol de soupe à cinq heures et je l'ai plus revue.

— Et ensuite, savez-vous si elle est sortie ?

— Ben pour faire quoi ?

— Je n'en sais rien.

— Disons que ça lui arrive de marcher le soir dans la rue, quand elle a ses insomnies. Comme il n'y a plus personne dehors, elle n'a pas peur de croiser des hommes, vous voyez ?

— Oui. Et donc ? Hier soir ?

— C'est difficile à dire, et quand même ça me gêne. Faut comprendre qu'elle se lève quasi toutes les trois heures pour aller…

— À la salle de bains, dit Adamsberg.

— Voilà, vous comprenez les choses. Et sa porte grince. Alors chaque fois, ça me réveille.

— Et vous avez entendu la porte grincer cette nuit.

— Je viens de vous l'expliquer, commissaire : comme toutes les nuits. Quant à savoir si elle a été faire un tour pour chercher le sommeil, je ne pourrais pas vous dire.

— Oubliez, Irène. Je voudrais vous envoyer quelqu'un. Une femme, ça ira ? Elle aimerait photographier les cachettes à recluses que vous avez chez vous.

— Ben c'est pour quoi ?

— Pour mon dossier à la hiérarchie. Ils veulent tout savoir, tout contrôler, c'est comme cela qu'ils sont, là-haut. Ce sera une preuve visuelle que les recluses se cachent.

— Et alors ?

— Et alors *suivez-moi bien*, plus le dossier est gros, mieux ça passe. Et comme l'enquête est un échec, j'ai intérêt à fournir beaucoup de travail de terrain.

— Ah là oui, je comprends.

— Je peux vous l'envoyer ?

— Mais je vous ai pas raconté ! dit Irène d'une voix soudain changée, montant dans les aigus. J'en ai une autre !

— Une colocataire ?

— Mais non, tassée tout au fond du rouleau de papier essuie-tout ! Je l'ai découverte ce matin, dans la cuisine !

— Une recluse, vous voulez dire ?

— Commissaire, qui d'autre irait se tasser au fond d'un rouleau de papier ? Bien sûr une recluse. Et belle comme tout ! C'est une femelle, adulte. Mais faut que je la déménage tant qu'il n'y a pas encore de cocon. Imaginez la Louise si elle la voit. Ce serait la fin de tout.

— S'il vous plaît, ne la déménagez pas tout de suite. Pour ma photographe.

— Ah je comprends. Mais faites vite alors, parce que Louise, par ces temps, elle scrute partout. Et elle se sert tout le temps d'essuie-tout.

— Dans une heure et quart, ça ira ?

— C'est parfait, je serai prête. Parce qu'il faut tout de même que je sois prête.

— Bien sûr.

— Elle est sympathique, cette femme ?

— Très.
— Et comment je fais pour éloigner Louise pendant qu'elle prend ses photos ?
— Vous ne l'éloignez pas. Vous l'invitez à prendre un café avec elle, ça la distraira.
— Elle ne boit que du thé.
— Alors du thé.
— Et pour les photos ?
— Elle dira qu'elle vient vérifier l'efficacité de la désinsectisation. Ça rassurera beaucoup Louise.
— Parce que j'ai fait désinsectiser, moi ?
— Oui. Sous la pression.
— Et quand ?
— Au petit matin.
— Bon, si vous le dites. C'est vrai que ça va la calmer, j'y avais pas pensé.
Adamsberg raccrocha et se releva, frotta son pantalon et sourit à Retancourt.
— Je sens que c'est pour moi, dit-elle.
— Oui. Une visite à ma flic arachnologue, à Cadeirac. Irène.
Adamsberg lui expliqua en quelques mots sa mission photographique post-désinsectisation.
— Mais ce qui vous intéresse, c'est Louise Chevrier. Vous prendrez le thé avec elle.
— Obligatoire, le thé ? Je ne peux pas avoir du café ?
— Bien sûr que si. Ce que je veux savoir, Retancourt, ce sont trois choses : primo, est-ce qu'elle fait son âge ? Soixante-treize ans ? Ou plutôt soixante-huit ?
— À cinq ans près, dites, ce n'est pas facile.
— Je m'en doute. Deuzio : a-t-elle les cheveux teints en roux pâle ? Avec deux centimètres de racines grises ?

Et mis en plis ? Comme cela, ajouta-t-il en sortant le sachet de la mallette. Observez bien.

— Vu.

— Tertio : comment sont ses dents de devant ? Vraies ou fausses ? Débrouillez-vous, faites-la rire, tout au moins sourire. C'est très important. Une blague sur la collection d'Irène pourrait fonctionner. Elle trouve cela hideux.

— Qu'est-ce qu'elle collectionne ?

— Des boules à neige. Ces trucs qu'on secoue et qui font de la neige sur un monument.

— Vu.

— Enfin, demandez à aller à la salle de bains. Et prélevez des cheveux sur la brosse ou le peigne.

— Ce qui, sans commission rogatoire, est un délit.

— Bien sûr. Il doit y avoir deux brosses, celle d'Irène, mais elle se teint en blond, et celle de Louise. Pas de confusion possible.

— Si elle se teint en roux. Ce qu'on ne sait pas.

— Exact. Et prévenez-moi des résultats dès que possible. Ne vous étonnez pas qu'Irène m'appelle parfois « Jean-Bapt » devant Louise. C'est un truc entre nous. Ah, une chose encore : j'ai dit à Irène que vous étiez très sympathique.

— Bon sang, dit Retancourt, qui perdit un soupçon de son assurance.

Elle réfléchit un moment.

— On se débrouillera, dit-elle finalement. Je pense pouvoir faire cela.

— Qui en douterait, Violette ?

Retancourt déposa Adamsberg et Veyrenc à leur hôtel de Nîmes et fila aussitôt vers Cadeirac, appareil au poing.

Adamsberg prit le temps d'envoyer un message à Froissy pour lui dire d'abandonner la recherche sur le sourire de Louise. Un autre à Noël et Justin pour leur commander de rentrer à la Brigade.

— Je propose, dit-il à Veyrenc : solide petit-déjeuner puis repos jusqu'à l'appel de Retancourt.

— Tu penses qu'elle va se tirer de cette visite ? Ce n'est pas simple. Mensonges, délicatesse, tact psychologique.

— Retancourt se sort de tout. Elle conduirait le *San Antonio* à elle seule.

— Tu tires peut-être un peu trop sur la longe.

— Retancourt n'a pas de longe, dit Adamsberg en regardant son ami. Et si elle en avait une, elle ferait le tour du monde.

XL

C'est Veyrenc qui reçut le message de Retancourt, vers midi.

— *Pas moyen de joindre le commissaire, faites passer. Louise : fausses dents, voire dentier complet. Cheveux d'apparence identique à l'échantillon. Paraît soixante-dix ans. Savait conduire, « dans le temps ». Cabinet de toilette dans sa chambre, rien pu prélever dans salle de bains. Pouvais pas aller dans ses appartements, tout grince là-dedans. Terreur des recluses bien réelle. Louise a évoqué ses études de droit à Nîmes, tout abandonné à la suite d'un « pépin ». Elle a parlé du « droit du travail », avec des termes techniques convaincants. D'autre part, délit pour délit, j'ai fauché sa petite cuillère. J'ai ÉTÉ sympathique, elles aussi. Irène – elle est marrante, mais ça bavarde et ça roucoule sans cesse, pas trop mon truc – m'a confié la foutue boule à neige de Rochefort pour le commissaire.*

Veyrenc entra dans la chambre d'Adamsberg, qui dormait encore, tout habillé sur le lit. Il le secoua par le bras.

— Nouvelles de Retancourt, Jean-Baptiste. Elle a essayé de te joindre plusieurs fois.

— Rien entendu.

Adamsberg sourit à la lecture du message.

— Joli coup, la petite cuillère.

— Tu la soupçonnes à ce point ?

— Le faux nom, l'âge, les cheveux, les dents, pour le moment ça colle.

— Qu'est-ce qui te chiffonne avec ces dents ?

Adamsberg soupira, et rendit son portable à Veyrenc.

— Ma recluse, Louis, n'avait plus que quelques dents pourries dans la bouche. Dénutrition. Une fois sortie du…, merde, quel est le mot ? Tu sais, ce truc où l'on élève des pigeons ?

— Un pigeonnier, Jean-Baptiste.

— J'ai dû trop dormir, dit Adamsberg en se recoiffant avec ses doigts. Ne pas retrouver le mot « pigeonnier », c'est plutôt grave.

Adamsberg demeura assis sur le lit quelques instants, puis enfila ses chaussures et ouvrit son carnet de notes. *Pigeonnier, j'ai pas trouvé le mot.*

— C'est l'extraction, dit Veyrenc. Ce doc te l'a dit.

— Tout de même.

— Oublie ce pigeonnier, je reviens à Louise. D'accord, il y a ce nom, Chevrier, la petite vierge blanche de monsieur Seguin. Il y a le viol par Carnot, lié à Landrieu, lié à la bande de l'orphelinat. Il y a ses cheveux, il y a ses phobies, le savon, le jet d'huile. Mais il y a sa terreur des recluses aussi. Et si elle a réellement commencé des études de droit avant le viol – le « pépin » –, elle ne peut pas être la séquestrée de Nîmes. Froissy a sans doute raison, elle est née à l'étranger.

— Elle nous enfume. Tout converge et c'est solide. En apparence.

— En apparence ? Tu es convaincu de tenir ta tueuse mais soudain, ce n'est qu'en « apparence » ?

— Ce sont toutes ces baies fermées, Louis. C'en est peut-être une autre. Non, ce n'est pas cela, rectifia-t-il. Quelque chose qui me gêne, un rien, qui me gratte à nouveau, dirait Lucio.

— Depuis quand ?

— Impossible à dire.

— Quel rien ?

— Impossible à savoir.

— Viens, on vide les chambres et on va déjeuner.

— *Drekka, borða*, dit Adamsberg en se levant. Et on rentre. Envoi en urgence des cheveux et de la cuillère au labo pour l'ADN. On saura si, oui ou non, elle était planquée dans ce cagibi avec son flingue et son venin. Et on peut espérer une correspondance avec la famille Seguin.

— En 1984, Enzo n'a pas pu être fiché génétiquement à sa sortie de taule, c'était trop tôt. Il faudrait déterrer les corps des parents.

— Ou déterrer des archives la hache qui a tué le père. Qui nous dira si Louise fut sa chevrette attachée. Et qui, à la différence de l'histoire, se libère en tuant les loups.

Depuis le train qui les ramenait vers Paris, Adamsberg adressa un message à Retancourt : *Félicitations et fin de mission. Déposez le sachet à cuillère sur ma table.* Puis il s'éloigna dans le sas entre les wagons pour appeler le docteur Martin-Pécherat.

— Vous vous rappelez la recluse dans son pigeonnier, docteur ?

— Évidemment.

— Eh bien, ce midi, je n'ai pas pu retrouver le mot « pigeonnier ».

— Vous dormez, comme conseillé ? demanda le médecin.

— Je n'ai jamais autant dormi de ma vie.

— C'est parfait.

— Ce mot « pigeonnier » qui m'échappe, c'est un effet collatéral de mon extraction dentaire ?

— Non, la cicatrisation est en route. Mais c'est un évitement. Nous en faisons tous.

— C'est-à-dire, un « évitement » ?

— Quelque chose que l'on sait et que l'on ne veut pas savoir.

— Pourquoi ?

— Parce que cela nous perturbe, cela nous pose un problème qu'on préfère contourner. Ne pas nommer.

— Docteur, il s'agit du mot « pigeonnier ». Il s'agit donc forcément de ma recluse, non ?

— Non. Ce chapitre est achevé et vous y avez libre accès. Avez-vous connu un pigeon ?

— Connu ? Mais six millions de Parisiens connaissent un pigeon.

— Je ne parle pas de cela. Avez-vous eu, à titre personnel, un souci avec un pigeon ? Prenez le temps de réfléchir.

Adamsberg s'adossa à la portière du train, laissa le balancement du wagon faire osciller son corps.

— Oui, dit-il. C'était un pigeon dont on avait entravé les pattes. Je l'ai recueilli et soigné. Il vient me voir presque chaque mois.

— Vous y êtes attaché ?

— Je me suis inquiété de sa survie, c'est vrai. Et j'apprécie ses visites. À cela près qu'il chie chaque fois sur la table de la cuisine.

— Ce qui signifie qu'il reconnaît votre maison comme un territoire d'accueil. Il le marque. Ne nettoyez pas sa fiente devant lui. Vous le blesseriez, Adamsberg, et cette fois, psychologiquement.

— Parce qu'on peut blesser un pigeon psychologiquement ?

— Cela va de soi.

— Et donc, ce mot, « pigeonnier » ? Mon sauvetage de ce pigeon n'est pas récent, docteur.

— C'est sans doute l'entrave de ses pattes qui vous a marqué. Le fait qu'il fut rendu prisonnier. Cela a à voir avec votre enquête, avec les séquestrées. Vous en avez localisé ?

— Oui, un cas effroyable, il y a quarante-neuf ans. Je pense que l'une des deux fillettes est la meurtrière.

— Et cela vous désole de risquer de l'arrêter. De la remettre en cage, dans un pigeonnier, de vos propres mains.

— C'est exact.

— Et normal. D'où l'évitement. Il y a bien sûr une autre possibilité, plus faible.

— Qui est ?

— Il y a un second sens à « pigeon » : celui qui se fait avoir. Vous craignez peut-être qu'on vous balade, qu'on vous prenne pour un pigeon. En d'autres termes, qu'on vous raconte des salades. Et pour que cette éventualité, inconsciente, vous blesse jusqu'à éviter le mot simple de « pigeonnier » – « pigeonner », il s'agirait d'une personne qui vous touche de près. D'une trahison. Venue d'un membre de la Brigade.

— J'ai été trahi par mon plus vieil adjoint, mais j'ai réglé son cas.

— Comment ?

— En fracassant la posture dans laquelle il s'était empêtré.

— Comment ? répéta le médecin.

— En lui cassant la gueule.

— Ah. C'est expéditif. Et cela a fonctionné ?

— Très bien. Il est redevenu lui-même.

— C'est bien sûr une thérapie à laquelle je ne peux pas avoir recours, dit le psychiatre en laissant aller son grand rire. Mais restons sérieux. Exit cet adjoint. Efforcez-vous de réfléchir à d'autres membres de votre équipe. Peut-être craignez-vous que l'un d'entre eux ne vous ait pas donné toutes les informations ? Après tout, on peut souhaiter que l'assassin de ces salopards s'en tire ? Estimer qu'il exerce une vengeance méritée ?

— Non, dit Adamsberg, je ne veux pas l'envisager.

— J'ai bien dit deux possibilités. Soit l'idée de remettre l'animal blessé, la femme, dans ses entraves, soit la trahison d'un des vôtres. À présent, à vous de penser, Adamsberg.

— Je ne sais pas penser.

— Alors dormez.

Le commissaire reprit sa place, troublé. Il nota les deux hypothèses du médecin sur son carnet. Remettre aux fers la petite séquestrée, même devenue démente et meurtrière ? L'envoyer en cellule y finir ses jours comme elle les avait commencés ? Devenir son dernier geôlier ? Son ultime monsieur Seguin ? Il tentait de faire son boulot, il tentait de ne pas y penser. Ne pas y penser car trop douloureux : l'évitement.

Il s'obligea à considérer la seconde hypothèse. On le « pigeonnait ». Un membre de l'équipage détournait la route du vaisseau, comme Danglard l'avait déjà tenté. Qui avait fait remonter les informations ? Froissy et Mercadet : ni l'un ni l'autre ne trouvait quoi que ce soit sur les sœurs Seguin. Ou disait ne rien trouver. Voisenet, Justin, Noël, Lamarre, en surveillance : qui avaient assuré qu'aucun membre de la Bande des mordus n'avait bougé pendant l'assassinat de Vessac. Et c'est ainsi que la piste avait été abandonnée. Retancourt, bien sûr. Qui avait manqué la tueuse de Torrailles et de Lambertin. Il était rare que Retancourt manque quelque chose. Pourquoi n'avait-elle pas envisagé que l'assassin puisse être dans la maison, et non pas en approche ? Mais lui-même avait été lent, avant de penser à un fusil hypodermique. Il ne lui avait donc donné aucune consigne en ce sens. À quelques heures près, il aurait ordonné qu'on isole Torrailles et Lambertin dans une pièce fermée sous la protection des flics. C'était de sa propre faute. Néanmoins elle s'était justifiée et excusée, elle avait dit « Je suis désolée », ce qui, là encore, ne lui ressemblait pas. Non, pas Retancourt, faites que Retancourt ne me balade pas.

Au soir, Adamsberg passa à la Brigade quasi dépeuplée pour adresser une demande de recherche aux archives, concernant l'homicide d'Eugène Seguin, Nîmes, 1967. Il ne se faisait pas beaucoup d'illusions sur la réactivité des services, surtout sans appui officiel descendu des hauts lieux. Retrouver une hache enfouie dans des cartons depuis quarante-neuf ans relevait de l'exploit sur longue durée. Les cheveux échantillonnés et la cuillère à thé partirent à l'analyse par porteur spécial, accompagnés d'une demande d'urgence personnelle adressée à Louvain, l'un des seigneurs du service ADN.

Il laissa des consignes à l'équipe de garde du dimanche pour le repas des merles, pria Veyrenc de rédiger un rapport à l'équipe sur les événements de Lédignan. Gardon, affecté à l'accueil, lui confessa tête basse qu'il se sentait incapable de manipuler des vers gigotant pour les semer dans la terre. En revanche, Estalère se proposa avec joie. Il était en congé demain, mais il passerait le matin et le soir répandre les vers, le cake et les framboises.

Estalère, lui, n'avait fait remonter aucune information. D'Estalère, il pouvait être sûr comme d'un fils.

XLI

Adamsberg prenait conscience que ce n'était pas une seule « proto-pensée » qui embrouillait son esprit mais toute une bande éparse de bulles gazeuses – et bien sûr que cela existait –, dont certaines si petites qu'on pouvait à peine les discerner. Il les sentait s'agiter dans des voies diverses et leurs trajectoires s'affoler. En prise à deux questions irrésolues – et il y en avait d'autres, de toute évidence –, les bulles n'avaient pas plus de chances de trouver un chemin qu'un homme qui louche. Ou que ce fameux type qui court deux lièvres à la fois – et on ne sait pas pourquoi, à moins d'être un crétin complet – et les manque tous les deux.

Comme en écho à la turbulence de ces bulles, comme pour les voir s'affairer, les espionner peut-être, il jouait avec sa boule à neige. Il la secouait et observait le tourbillon désordonné des particules blanches tombant sur le blason de la ville de Rochefort : une étoile à cinq branches, un donjon, et un vaisseau à trois mâts, toutes voiles déployées.

Toujours le vaisseau. Qu'aurait fait le dur Magellan face à une femme martyre et meurtrière ? L'aurait-il décapitée et démembrée, comme l'aurait voulu la coutume de ces temps ? Abandonnée sur un rivage désert, comme il l'avait fait avec certains des hommes qui l'avaient trahi ?

Deux éléments persistaient sur sa route : le clocher de La Miséricorde et le reclusoir du Pré d'Albret. Mais rien, ou presque rien, ne racontait que la femme qui y avait vécu eût quoi que ce soit à voir avec la tueuse qui avait réussi à anéantir dix hommes en vingt ans. Et ce presque rien parcourait ses pensées : la sainte de Lourdes se nommait Bernadette. L'aînée des filles Seguin se nommait Bernadette. L'incapacité de vivre l'avait-elle conduite vers les terres de sa sainte tutélaire pour se cloîtrer sous son aile ? Ou bien sa cadette ? L'une ? L'autre ? Louise ?

Au matin, les nouvelles parvenues depuis l'hôpital de Nîmes n'étaient pas bonnes : les médecins ne donnaient aux deux derniers « mordus » que deux à trois jours à vivre. Les analyses de sang, cette fois effectuées en détail, avaient mis en évidence une dose de venin quelque vingt fois supérieure à celle d'une recluse. Le Dr Pujol avait eu raison. Il fallait au moins quarante-quatre glandes pour abattre un homme de corpulence moyenne, et donc trouver et faire cracher la masse impossible de cent trente-deux recluses. Et comment ?

Adamsberg lui-même n'arrivait à rien faire cracher de sa propre recluse de Lourdes. La théorie du venin contre venin, fluide contre fluide, ne le satisfaisait pas entièrement. Avec des serpents, pourquoi pas ? Mais avec des recluses ? Il fallait un moteur plus puissant encore pour choisir une manière de tuer si complexe. Et depuis que cette femme hideuse avait resurgi des entrailles de sa mémoire, seule une réclusion réelle lui semblait justifier une entreprise aussi folle. Seul ce statut de *recluse* pouvait expliquer que cette femme se soit incarnée en l'araignée du même nom, qui vivait avec elle dans son cachot noir. En même temps que sa transformation physique – ses ongles en griffes, sa chevelure en crinière, qui la rapprochaient de l'allure d'une bête – pouvait éclairer sa métamorphose en animal, en un animal au venin puissant, liquide et pénétrant. C'était son arme, elle n'avait pas le choix.

Sensation obsédante mais plus que gazeuse, qu'aucun étai un peu factuel ne venait soutenir. « Vacillante », avait décrété Martin-Pécherat. « Martin-Pécherat », quel nom tout de même.

Inutile de chercher des informations sur place. Cette femme avait été entourée d'un silence sacré et l'était toujours. Son secret, son identité, s'étaient enfouis avec elle.

Enfouis. Adamsberg redressa la tête. À quoi bon avoir fréquenté un archéologue pour n'avoir pas songé à arracher la vérité dans la terre même où elle avait vécu ? Il boucla un bagage à la hâte, fourra la boule à neige dans sa poche et attrapa le train de 10 h 24 pour Lourdes. Depuis le sas, il appela Mathias, le préhistorien, et échangea quelques nouvelles : Mathias attendait un chantier d'été sur un site solutréen ; Lucien accroissait sa notoriété d'historien de la Grande Guerre ; Marc, le médiéviste, alternait toujours cours à l'université et repassage de draps ; la causticité de son parrain, le vieux flic Vandossler, se maintenait à son meilleur et Marc persistait à voler de la nourriture, particulièrement des lièvres et des langoustines.

— Je crois que cela ne lui passera jamais, dit Mathias. Mais Lucien cuisine cela à la perfection. De quoi s'agit-il ?

— D'une fouille. Non rémunérée, mais je peux me débrouiller, peut-être.

— Si c'est pour toi, je ne veux pas de fric. Tu es sur un meurtre ?

— Dix meurtres. Dont six au cours du mois dernier.

— Et donc ? Tu as des tombes à fouiller ?

— Non, je cherche le sol d'un ancien pigeonnier.

— Le sol d'occupation ? Tu veux des fientes ?

— C'est une recluse qui y a vécu, pendant cinq ans. Il y a longtemps, tu n'étais même pas né. Et moi, j'étais enfant.

— Tu parles d'une véritable recluse ?

— Véritable, médiévale.

— Et que veux-tu faire cracher à ce sol ?

— L'identité de cette femme. Je vais avoir besoin de ton aide. Je peux avoir des hommes pour dégager l'herbe et l'humus. Mais ensuite ? Pour examiner le sol de son « habitat », à qui veux-tu que je m'adresse ? À des flics ? Je te rassure, la surface ne doit pas dépasser 4 m^2.

— Bien sûr, elle ne s'est pas cloîtrée dans un trois-pièces, si elle fut, comme tu le dis, une authentique recluse.

— Mais il me faudra une fouille très fine, Mathias. Capable de récupérer sans pollution des échantillons d'ADN, cheveux et dents.

— Pas de problème, dit le tranquille et massif Mathias.

— Des cheveux, il y en aura sans doute des quantités. Mais après tant d'années dans l'humidité, les bulbes capillaires auront été détruits. Et les tiges elles-mêmes peuvent être dégradées. Je mise sur les dents, où la pulpe est à l'abri.

— Qu'est-ce qui te fait espérer trouver des dents ?

— Je l'ai vue.

— Tu l'as vue ?

— Elle avait la bouche grande ouverte. Elle n'avait plus que des chicots pourris.

— Le scorbut ? La maladie des marins au long cours.

— Je suis en plein dedans.

— Tu projettes cela pour quand ?

— Dès que tu le peux. Je suis déjà en route pour tenter de repérer les lieux. Je sais où est le pré, mais il fait quelque quatre hectares.

— Le pigeonnier a été démoli ?

— Rasé aussitôt après son départ.

— Sache une chose pour t'aider dans ton repérage à travers champs. Si le sol d'occupation n'est pas trop profond, il influence la pousse et l'allure de la végétation. Même deux mille ans plus tard.

— Tu me l'avais dit.

— Sous l'humus, il y aura donc les restes de gravats de l'ancien pigeonnier, en rond. Et sur des gravats, l'herbe vient mal. Attends-toi à trouver de la ronce, de l'ortie, des chardons. Cherche un cercle de ce qu'on nomme des « mauvaises herbes ».

— Compris.

— Et dans ce cercle, tu auras des quantités considérables d'excréments et de déchets organiques. Là-dessus va pousser une végétation très enrichie, de l'herbe grasse, pure, serrée, très verte. Tu visualises ?

— Un rond d'herbe dense cerné d'orties.

— C'est cela. Pour ne pas le manquer, ne regarde pas le pré verticalement. Penche-toi et observe la surface en vue rasante. Et tu le trouveras. Je te rejoins là-bas avec le matériel. C'est où ?

— À six kilomètres de Lourdes environ.

— En camionnette, compte environ dix à onze heures avant mon arrivée. Départ demain.

— Je te remercie.

— Ne t'y trompe pas, cela m'intéresse.

Il était presque huit heures du soir quand Adamsberg freina devant le Pré d'Albret. Il avait d'abord cherché un hébergement, mais tout Lourdes et ses environs étaient saturés. On y réservait des mois à l'avance. Il appela Mathias.

— Je suis sur le champ de manœuvres. Peux-tu apporter du matériel de camping ? Il n'y a nulle part où loger.

— Pour combien ?

— Toi, moi, et deux de mes hommes. Ou plutôt, toi, moi, deux de mes hommes dont une femme qui en vaut dix. S'ils viennent.

— On fera cela. De ton côté, arrange-toi pour trouver des combinaisons, des gants et tout le bazar anti-contamination. Tu vois quelque chose ?

— Je débute et j'ai faim. Vous bouffez quoi, ce soir ?

— Du civet de lièvre aux langoustines, je suppose. Et toi ?

— Des épinards bouillis dans de l'eau de Lourdes, je suppose.

— Pourquoi es-tu seul, sans personne pour t'aider ?

— Parce que je n'ai prévenu personne. Pas encore.

— Tu ne changes pas, et cela me va.

Adamsberg choisit de diviser à l'œil le terrain en huit bandes et commença à arpenter le pré, avançant le buste penché, comme le lui avait indiqué Mathias. L'herbe n'était pas haute, grâce au récent passage de moutons qui y avaient laissé quantité de crottes. Ce qui lui rappela le coup de sabot de la brebis islandaise qui avait enfoncé son portable dans ses excréments. Il arrêta sa recherche à 9 heures du soir, alors que la lumière baissait, et prit la route de Lourdes où il trouva un restaurant de routiers épargné par les pèlerins. Il y avala une portion consistante de ragoût avec un côtes-du-rhône piquant, ne sachant plus si son impulsion du matin de fouiller les déchets de la recluse tenait debout d'une manière ou d'une autre. Il appela Veyrenc, pour qu'un homme de la Brigade au moins soit informé de son absence. Quand Louis décrocha, il reconnut le bruit de fond du restaurant.

— Tu es à La Garbure ?

— Rejoins-moi. Je commence tout juste.

— Je suis un peu loin, Louis. Dans un restaurant de routiers à deux pas de Lourdes.

Il y eut un silence, Estelle servait le lieutenant.

— Tu cherches les traces de ta recluse ?

— J'arpente son pré, d'environ quatre hectares.

— Et comment espères-tu repérer l'emplacement ?

— À l'œil. L'herbe repousse mal sur des anciens gravats mais elle vient verte et drue sur une terre gavée de matières organiques.

— Comment sais-tu cela ?

— Un ami archéologue.

— Parce que tu comptes fouiller ?

— Oui.

— Pour y trouver quoi ?

— Ses dents.

— Tu n'as prévenu personne ?

— Non.

— Tu crains Danglard ?

— Je crains leur lassitude. Nous en sommes au deuxième échec. Le premier avec la fin de piste des garçons mordus. Si tant est qu'elle soit finie. Le second avec les six exécutions au venin. Qu'on n'a pas su empêcher. Je ne vais pas, maintenant, aller chercher leur accord pour fouiller dans les restes d'une recluse que rien ne relie aux meurtres au prétexte que je l'ai vue enfant. Rien, hormis deux mots : « Bernadette » et « recluse ».

— Soit. Que veux-tu dire par « Si tant est que la piste soit finie » ? Pour les enfants mordus ?

— Danglard a été capable de trahir pour protéger son beau-frère. Qui te dit qu'un autre n'en a pas fait autant ? Sommes-nous si sûrs qu'aucun des mordus n'a bougé pendant l'assassinat de Vessac ?

— Tu parles des agents de la Brigade ?

— J'y suis obligé.

— Danglard comptait un des mordus dans sa famille, il n'y en aura pas un deuxième.

— Je ne te parle pas de motif familial, mais éthique : le refus d'arrêter la tueuse. Je suis contraint de me le demander, puisque je me demande moi-même ce que je ferai quand je la tiendrai. Si je la trouve. Si c'est encore une baie fermée, nous reprendrons le chemin des mordus. Dès le début, Petit Louis et les autres ont tous compris ce qui se passait. Mais pas un d'entre eux n'a alerté les flics pour sauver les derniers vieux.

— Parce qu'ils protégeaient l'un des leurs.

— Ou la tueuse. Peut-être savent-ils qui elle est.

— Inutile de les torturer, ils se tairont tous. Il n'y a plus personne à tuer. La piste est froide.

Adamsberg marqua un temps d'arrêt, puis sortit son carnet de sa poche.

— Qu'est-ce que tu viens de dire ?

— Que la piste était froide.

— Non, avant cela. Tu as dit une banalité, répète-la-moi s'il te plaît.

— Que de toute façon, ils se tairaient tous. Qu'il n'y a plus personne à tuer.

— Merci, Louis. Ne préviens personne pour le moment. C'est inutile avant que j'obtienne l'accord municipal pour fouiller. Ce qui n'est pas évident, le lieu est protégé, intact. Je suppose que personne n'a voulu l'acheter à l'époque, et tirer des profits d'une terre sainte. Et cela perdure. Il n'est parcouru que par les moutons, mais sans doute les moutons n'offensent pas la sainteté, en tant que brebis du Seigneur ou quelque chose de ce type.

Adamsberg n'avait pas l'intention d'aller jusqu'à Pau pour trouver des hôtels porte close. Il gara de nouveau sa voiture sur le bas-côté du pré d'Albret, abaissa le dossier du siège pour former une couchette. Il sortit de sa poche la boule à neige qu'il fit danser sous la lumière d'une lune qui commençait tout juste à décroître. Il se répéta la dernière phrase qui avait percuté l'une de ses bulles gazeuses errantes : « Il n'y a plus personne à tuer. » Quant à l'autre infime élément qui l'irritait, il l'avait résolu, et il n'avait pas d'importance : il s'agissait du nom du psychiatre, Martin-Pécherat. Il s'était demandé si le médecin fondait sur lui comme sur une proie, avec des questions nettes et des consignes précises. Rien à voir. Ce n'était dû qu'à son nom, qui évoquait l'oiseau rapide, le martin-pêcheur. Rien d'intéressant, cette proto-pensée pouvait mourir.

Il s'installa comme il le put dans sa voiture, un peu morose, environné par ses bulles qui patrouillaient sans relâche, seules et sans aide, sur des chemins inconnus. Bien entendu, il y avait ces cheveux dans le cagibi. Bien entendu, tout reliait Louise Chevrier aux meurtres. Mais depuis deux jours, quelque chose l'avait abandonné et avait effrité le cœur de sa conviction. Ce quelque chose était celé dans les bulles, il en était certain. Et là s'arrêtait sa pensée. Quand cette conviction avait-elle commencé à faner ? Après la visite de Retancourt chez Louise ? Non, avant. Mais Retancourt avait écrit une phrase qui, elle aussi, avait généré quelque agitation. Il relut son dernier message. *Pouvais pas aller dans ses appartements, tout grince là-dedans.* Voilà, c'était cette phrase et surtout ces mots : *tout grince là-dedans.* Adamsberg haussa les épaules. Évidemment que tout grinçait. Comme le *Santiago* de Magellan avait dû grincer de tous ses mâts et bordages avant d'aller se fracasser contre une falaise noire, dans une baie fermée. Mais au point où il en était, il ouvrit son carnet et nota : *Tout grince là-dedans.*

Il y avait encore autre chose d'un peu frémissant dans le message de Retancourt : *mais ça bavarde et ça roucoule sans cesse, pas trop mon truc.*

Roucoule. Il revenait au pigeon. Il recopia studieusement l'extrait qui l'intéressait : *ça roucoule sans cesse.* Puis referma son carnet avec une sorte de dégoût.

XLII

Dès six heures du matin, le corps endolori par sa nuit en voiture, Adamsberg se mit en route à la recherche d'un ruisseau repéré non loin sur sa carte. Il passa devant un café qui levait son rideau, mais jugea préférable de n'y entrer qu'après s'être lavé et vêtu d'habits moins froissés. Froissés comme Froissy. Martin-Pécherat comme martin-pêcheur. C'était comme cela, les mots.

Le filet d'eau était clair et glacé, mais Adamsberg aimait les filets d'eau claire et n'était pas frileux. Une fois propre et correctement habillé, les cheveux encore mouillés, il commanda un petit-déjeuner dans ce café de village où il était le premier client. Le bain l'avait décrassé de ses pensées sombres mais il sentait, au tourbillon de neige qui lestait sa poche, que les bulles gazeuses bâillaient, s'étiraient, reprenaient peu à peu leur danse incertaine. Il ouvrit son carnet et nota : *Martin-Pécherat = martin-pêcheur. Affaire réglée.* Qu'il souligna d'un trait sec. Veyrenc lui envoya un message alors qu'il rejoignait sa voiture, à sept heures et demie.

— *Besoin d'aide ? Je peux être à 14 h 22 à Lourdes.*

— Je viens te chercher. Charge la batterie de ton portable. Il n'y a nulle part où loger. Je dors dans la voiture, je me lave dans le ruisseau, je bouffe dans un routier. Cela te convient ?

— Parfait. J'apporte de quoi améliorer l'ordinaire.

— Prends deux tenues anti-contamination et le bazar habituel.

— Et des fringues.

— S'il te plaît.

À huit heures pile, Adamsberg entra dans la mairie de Lourdes, dont dépendait le Pré d'Albret. Deux heures plus tard, rien n'avait progressé, on comprenait bien son problème et sa demande, mais il fallait l'accord personnel du maire. Et le maire n'était pas joignable. Lundi matin, reprise de semaine, rouages grinçants. Le commissaire expliqua avec amabilité qu'on pouvait fort bien ne pas déranger le maire mais s'adresser au préfet des Hautes-Pyrénées, au motif que le maire de Lourdes n'était pas joignable et qu'il avait une requête urgente à adresser dans le cadre d'une affaire de police qui avait déjà coûté la vie de dix personnes. À ce stade, les choses s'accélérèrent et Adamsberg sortit dix minutes plus tard, document en main.

Il avala un deuxième café serré sur la route du retour, acheta eau et sandwich et reprit sa prospection sur le pré, au premier quart de la seconde bande. Il acheva la troisième bande à une heure de l'après-midi, sans avoir décelé la moindre anomalie dans la végétation. Possible que, de même qu'il avait été capable d'oublier le mot « pigeonnier », il refusât à présent de trouver son emplacement et qu'il regardât sans voir. Il s'assit à l'ombre pour avaler un déjeuner que Froissy aurait réprouvé, et particulièrement la pomme pesticidée. Sa pensée revenait à Louise Chevrier. Il appela le labo et demanda à parler à Louvain.

— Je sais, Louvain, tu es surchargé. C'est Adamsberg.

— Content de t'entendre. Sur quoi es-tu ?

— Dix meurtres.

— Dix ?

— Dont les six derniers en un mois.

— Je n'ai rien entendu là-dessus. Je serais au courant tout de même.

— Tu es au courant. Il s'agit de ces décès par venin de l'araignée recluse.

— Les vieux dans le Sud ? Ce sont des assassinats ?

— Garde cela pour toi.

— Pourquoi ?

— Parce que personne n'admettra qu'on puisse tuer avec du venin de recluse. Je ne peux prouver les meurtres qu'avec un ADN.

— Tu veux dire que ta hiérarchie n'est pas informée de ton enquête ?

— Non.

— Et donc ces échantillons, ces cheveux, cette cuillère, tu te les es procurés de manière illicite ?

— Illicite.

— Si bien que tu me demandes une analyse illicite ? Que je ne peux pas inscrire dans mes rapports ?

— Tu as, il y a de cela quelques années, opéré sur toi-même une recherche en paternité clandestine, dans ton labo, pour couper court à la demande de pension de la mère qui te menaçait des pires ennuis. Et en effet, tu n'étais pas le père. Illicite, dirais-tu ?

— Bien sûr que oui.

— Eh bien suppose que ma hiérarchie est une mère inflexible et récalcitrante, ce qu'elle est. Je dois couper court.

— Ça marche, parce que c'est toi. Et parce que la mère est récalcitrante. On a enregistré tes échantillons ce matin, je les raye des registres. Je peux t'avoir un résultat partiel ce soir. Cela te donnera une première idée.

En roulant vers la gare de Lourdes, Adamsberg espéra que l'empressement de Louvain allait dissoudre le ballet affligeant de ses bulles gazeuses. Il n'en fut rien et il les chassa de force à l'entrée du train en gare. L'arrivée de Veyrenc était bienvenue : le terrain était plus complexe à arpenter que prévu et sa conversation l'aidait. En apparence, Veyrenc parlait d'une manière parfois banale, négligente voire obtuse, mais qui avait pour effet insidieux d'arracher ses pensées à leur tréfonds. Soit Veyrenc acquiesçait, surtout quand il pressentait une voie inutile, soit il contredisait, débattait, forçant Adamsberg à revenir sur les éléments les plus simples, à pousser au plus loin l'effort de ses réflexions englouties. Il y avait un mot grec pour cela.

Le lieutenant descendit, chargé de deux grosses valises et d'un haut sac à dos.

— Chambre de luxe, salle de bains de luxe, expliqua-t-il en montrant ses bagages. Bar de luxe, gril de luxe. Je n'ai pas pris de tables de nuit. Du neuf ?

— Ce soir, on en saura plus sur nos analyses ADN. Illicites.

— Et comment t'es-tu débrouillé ?

— C'est Louvain qui est aux commandes. Je l'ai un peu poussé, voilà tout.

— *Il arrive à l'arbre tortueux*
De fournir un fruit harmonieux.

— Louis, à présent que Danglard est au repos, ne prends pas le relais par tes citations. J'en suis fatigué.

— C'est un de mes propres vers. Avec des fautes de « e » muets, ajouterait Danglard.

— Il dit aussi que tes vers sont mauvais.

— Ils le sont.

Les deux hommes chargèrent les bagages, lourds comme du plomb.

— Tu es sûr que tu n'as pas pris de tables de nuit ? demanda Adamsberg. Ni d'armoires ?

— Certain.

— Tu as déjeuné ?

— Sandwich dans le train.

— Moi aussi, mais sous un arbre. Dis-moi, comment s'appelle cette manière de parler qui consiste à emmerder l'autre en le questionnant sans cesse pour lui faire cracher ce qu'il ne sait pas mais qu'il sait ?

— La maïeutique.

— Et qui a inventé ce truc ?

— Socrate.

— Si bien que lorsque tu me questionnes coup sur coup, c'est cela que tu fais ?

— Va savoir, dit Veyrenc en souriant.

Les deux hommes attaquèrent, l'un la quatrième bande, l'autre la cinquième, après qu'Adamsberg eut expliqué à Veyrenc le système du coup d'œil en vue rasante. À dix-neuf heures, Adamsberg entama la sixième bande et Veyrenc la septième. Une heure plus tard, Veyrenc leva la main. Il l'avait, le cercle. Mathias avait eu raison. Une herbe abondante, d'un vert presque outré, était cernée de graminées hautes, de chardons et d'orties. Les deux hommes s'attrapèrent le bras, comme deux gars stupidement victorieux, puisque Veyrenc n'avait jamais voulu fouiller le reclusoir et qu'Adamsberg le redoutait. Il se planta devant le cercle et observa le paysage alentour.

— C'est bien là, Louis. Et c'est ici, ajouta-t-il en tendant le bras, que se tenait ma mère quand j'ai collé mon nez sur la lucarne. La *fenestrelle*. Je préviens Mathias et Retancourt.

— Comment distribues-tu les rôles ?

— Simple. Toi, Retancourt et moi à la pioche pour évacuer l'humus de couverture, Mathias à la fouille du sol d'occupation.

— Je n'aurais pas dit mieux. Parce que Retancourt vient ?

— Aucune idée.

— Débrouille-toi au mieux. Je vais chercher à dîner.

— On ne va pas chez le routier ?

— Non.

Sans être sourcilleux sur la nourriture, Veyrenc n'avalait pas n'importe quoi avec l'indifférence d'Adamsberg. Il estimait que l'ordinaire était déjà assez difficile à vivre et la vie assez âpre à fréquenter pour qu'on ne bousille pas l'éphémère bien-être des repas. Adamsberg envoya son premier message à Mathias.

— *Emplacement trouvé. Cinq kilomètres deux cents de Lourdes, prends la C14 qui contourne le chemin Henri IV, en direction de Pau. Parcelle « Pré Jeanne d'Albret », quatre hectares, sur ta carte topo. Tu y verras ma voiture, bleu vif.*

— *Matériel déjà chargé. Je pars sur-le-champ, pause cinq heures en milieu de nuit, attends-moi vers 11 heures demain.*

— *Un de mes hommes sur place. La femme demain à 12 h 15.*

— *Qui est cette femme qui en vaut dix ?*

— *La déesse polyvalente de la Brigade. L'arbre de la forêt. Shiva aux dix-huit bras.*

— *Huit bras. Belle ?*

— *Chacun son avis. Comme pour tout arbre magique, l'écorce peut être rude.*

Adamsberg joignit ensuite Retancourt, par écrit toujours, pour économiser sa batterie.

— *Fouille archéologique. Je suis sur les lieux avec Veyrenc. Vous nous épaulez ?*

« Épauler », pensa Adamsberg, était un terme propre à stimuler l'énergie toujours aux aguets de Retancourt. Mais l'esprit du lieutenant n'était bien entendu pas si simple et l'écorce était rude.

— *Fouille pour quoi ?*

— *ADN de notre possible tueuse.*

— *Louise ? J'ai déjà volé la petite cuillère.*

— *Je sais.*

Réponse laconique qui, pour les meilleurs habitués de la Brigade, équivalait à l'usuel « Je ne sais pas » d'Adamsberg.

— *Fouille de quoi ?*

Question qu'il ne pouvait plus à présent éluder.

— *D'un ancien reclusoir. Une femme y a vécu cinq ans, après avoir été séquestrée et violée.*

— *Quand ?*

— *Quand j'étais môme.*

— *C'est pour cela que vous avez demandé à Danglard de disserter sur les femmes recluses ?*

— *En partie.*

— *Et pourquoi cette recluse de votre enfance serait la nôtre ?*

— *Vous connaissez beaucoup de reclusoirs de cette époque ?*

— *Je ne connais rien aux reclusoirs.*

— *Bernadette Seguin, ou sa sœur Annette, qui porte aussi le prénom de « Louise », a pu y vivre. Nous ne sommes que trois, et il va y avoir beaucoup de terre à charrier.*

— *Quel train ?*

Ce ne fut pas le dérisoire argument sur les filles Seguin qui avait fait basculer Retancourt, comprit Adamsberg. Mais cette masse de terre à charrier, avec seulement trois gars.

— *06 h 26, arrivée Lourdes 12 h 15. Vous y ferez la connaissance de mon ami Mathias, préhistorien.*

— *Beau gars, à tant faire ?*

— *Plutôt. Pas bavard. L'écorce peut paraître un peu rude.*

La satisfaction de la découverte du pigeonnier – il se répéta plusieurs fois le mot – avait apaisé la palpitation pénible des bulles gazeuses. Adamsberg partit en quête de bois pour le feu. Puis il édifia son foyer, qu'il encercla de pierres, à bonne distance du pigeonnier. Il fallait le temps que des braises se forment. Car Adamsberg était bien certain que Veyrenc ne rapporterait pas des sandwichs mais des pièces à griller.

Tout en surveillant son feu, il rouvrit son carnet. La pause aurait été de courte durée. Il relut, dans l'ordre, les phrases qu'il avait écrites dans l'espoir d'un éclatement de bulles. Comme on repasse sa leçon sans en saisir un traître mot.

Pigeonnier, j'ai pas trouvé le mot.
Évitement : angoisse de l'entrave (pigeon entravé) ou angoisse d'être pigeon (psychiatre).
Il n'y a plus personne à tuer (Veyrenc).
Tout grince là-dedans (Retancourt).
Ça roucoule sans cesse (Retancourt).
Martin-Pécherat = martin-pêcheur. Affaire réglée.

À vrai dire, cette liste évoquait plus une incantation ésotérique, un mantra, qu'une quelconque recherche de sens. Peut-être les bulles gazeuses n'étaient-elles que des particules affolées en quête de mysticisme et non d'une résolution pragmatique d'enquête policière. Peut-être étaient-elles ces grains de folie dont chacun parle sans trop savoir de quoi il s'agit. Peut-être se foutaient-elles de son travail. Ou du travail à titre général. Peut-être jouaient-elles, dansaient-elles et, tel l'élève qui rêve, se donnaient-elles l'apparence de bulles studieuses pour tromper leur espion. Lui en l'occurrence, qui s'imaginait qu'elles bossaient, alors qu'elles prenaient du bon temps.

Le lit de braises était prêt quand Veyrenc revint de ses courses et s'affaira aussitôt.

— Joli feu, apprécia-t-il. Ce qui compte dans un feu, c'est son harmonie. L'efficacité en découle.

Veyrenc installa un grand gril sur les tisons, disposa côtelettes et saucisses, alluma un camping-gaz pour faire réchauffer des haricots en boîte.

— Désolé pour les légumes, dit-il. Je ne vais pas non plus t'écosser des petits pois et découper des lardons.

— C'est parfait, Louis.

— Je n'ai pas pris de verres à pied non plus. Inutile de renverser le vin dans l'herbe.

Hormis les tracas de sa liste de mantras ésotériques et de ses bulles évadées en école buissonnière, Adamsberg ressentit un plein contentement à respirer l'odeur des grillades et contempler l'organisation du campement. Il laissa Veyrenc disposer assiettes et couverts, comme l'aurait fait Froissy, extraire deux verres de son sac à dos, qu'il cala dans l'herbe tassée, et déboucher une bouteille de madiran.

— Au reclusoir presque exhumé, dit-il en emplissant les verres.

Veyrenc sala, poivra et servit viandes et légumes. Les deux hommes mangèrent en silence pendant un bon moment.

— « Au reclusoir presque exhumé », répéta Adamsberg. Parce que tu y crois ?

— Peut-être.

— Tu fais ton maïeuticien.

— L'art est que tu ne puisses jamais savoir quand je le fais ou pas.

Le portable d'Adamsberg grésilla dans l'herbe. Message. Il était neuf heures trente. Adamsberg se pencha dans l'obscurité pour l'attraper.

— Tu dis que nous sommes tous névrosés, mais les portables aussi, c'est certain.

Adamsberg ramassa le téléphone et leva la main.

— C'est Louvain, dit-il avec une fébrilité soudaine. Les résultats, l'ADN.

Adamsberg retarda l'annonce de deux secondes avant d'appuyer sur la touche. Il lut, en silence. Puis passa le téléphone à Veyrenc.

— *Analyse partielle de séquences fragmentaires mais représentatives des cheveux et cuillère. Pas de correspondance. Demain, après analyse complète, il se peut que je trouve un cousinage de cousinage de cousinage. Cela t'aide ou cela t'enfonce ?*

— *Je m'y attendais*, répondit Adamsberg, déchiffrant les touches dans le noir. *Merci.*

Il tendit l'appareil à Veyrenc. L'écran lumineux bleutait le visage du Béarnais, à nouveau durci, minéral.

Adamsberg sortit son carnet et, à la lumière du feu qu'il avait ravivé, écrivit à la page où il avait noté ses bulles : *Après ADN négatif, j'ai répondu à Louvain : « Je m'y attendais. » Je ne sais pas pourquoi j'ai écrit cela.*

Veyrenc se leva sans dire un mot, débarrassa les assiettes, couverts et casserole, qu'il s'appliqua à ranger avec un soin trop lent.

— On ira laver tout cela demain au ruisseau, dit-il d'une voix neutre.

— Oui. On ne va pas y aller de nuit, répondit Adamsberg du même ton lointain.

— J'ai apporté du produit vaisselle. Mais non polluant.

— C'est bien pour le ruisseau.

— Oui. C'est très bien pour le ruisseau.

— On ira après notre café. Ainsi, on emportera tout d'un coup.

— C'est mieux en effet. Cela nous épargnera un voyage.

Puis Veyrenc se rassit en tailleur et les deux hommes laissèrent retomber le silence.

— Qui commence ? demanda Veyrenc.

— Moi, dit Adamsberg. C'est moi qui en ai eu l'idée, c'est moi qui me suis trompé. À la seconde baie fermée, ajouta-t-il en levant son verre.

— Une seconde, Jean-Baptiste. Qui te dit que ce n'est pas Louise qui a tiré, puis déposé les cheveux d'une autre ?

— Rien. Tu as raison, l'analyse ne la dédouane pas.

Adamsberg s'étendit à moitié sur un coude, tâtonna dans l'herbe. Ce soir, la lune couverte ne les éclairait pas. Il tira sa veste jusqu'à lui et en sortit deux cigarettes pliées, qu'il redressa entre ses doigts. Il en tendit une à Veyrenc et attrapa une brindille embrasée pour allumer la sienne.

— Mais pourquoi aurait-elle choisi des cheveux si semblables aux siens ? dit-il.

— Mauvaise question. Quantité de femmes de cet âge se teignent ainsi.

— Et pourquoi ai-je répondu à Louvain que je m'y attendais ?

— Parce que tu t'y attendais.

— Cela s'effritait.

— Je te repose la même question qu'à l'Hôtel du Taureau. Depuis quand ?

— Deux jours à peu près.

— Pourquoi ?

— Je ne sais pas. Ce sont ces bulles gazeuses qui dansent dans ma tête. Elles se racontaient cela, des choses, entre elles, en chuchotant. Sans m'apporter la moindre réponse.

— Les bulles gazeuses ?

— Les proto-pensées, si tu veux le dire mieux. Foutaises. Moi, je crois que ce sont des bulles gazeuses. Elles bossent ou elles jouent, je ne sais pas non plus. Veux-tu que je te lise les mots qui les animent ou les bousculent ? Sans qu'elles m'expliquent ni quoi ni qu'est-ce ?

Adamsberg n'attendit pas l'approbation de Veyrenc pour ouvrir son carnet.

Pigeonnier, j'ai pas trouvé le mot.
Évitement : angoisse de l'entrave (pigeon entravé) ou angoisse d'être pigeon (psychiatre).
Il n'y a plus personne à tuer (Veyrenc).
Tout grince là-dedans (Retancourt).
Ça roucoule sans cesse (Retancourt).
Martin-Pécherat = martin-pêcheur. Affaire réglée.

Veyrenc hocha la tête et leva la main. Adamsberg le vit à l'éclair de sa cigarette se déplaçant dans la nuit.

— Quand as-tu écrit : « Martin-Pécherat = martin-pêcheur. Affaire réglée » ?

— Ce matin.

— Et pour quoi faire ? Si l'affaire était réglée ?

Adamsberg haussa les épaules.

— Parce qu'une des bulles s'était énervée dessus, rien de plus.

— Je dirais que tu l'as écrit parce que l'affaire n'est pas réglée.

— Si.

— Je ne crois pas. C'est le médecin qui a énervé les bulles ?

— C'est simplement son nom, c'est tout.

— Cela fait beaucoup d'oiseaux là-dedans.

— Oui, cela roucoule. Crois-tu à la seconde hypothèse du psychiatre ?

— Une trahison ?

— Suppose, commença Adamsberg, reculant comme devant une phrase qu'on ne doit pas prononcer. Suppose que quelqu'un nous ait bernés. Avec les cheveux. Et quand je dis « suppose », j'ai tort. C'est une certitude : c'était un leurre. J'ai dit qu'on avait de la veine d'en avoir trouvé quatre. Et j'ai dit qu'on était riches. Trop riches bien sûr.

— Quatre, ce n'est pas seulement trop, c'est improbable. Notre tueur n'est pas un débutant. Il – elle – a pris la précaution élémentaire de porter un bonnet, une cagoule, même. Je dis « il-elle » car plus rien ne nous permet à présent d'écarter un homme.

— Et qui, Louis, aurait pu déposer ces cheveux dans le cagibi de Torrailles ?

— Une seule personne : l'assassin.

— Non, deux personnes : l'assassin, ou Retancourt. Je me suis demandé comment, en charge de la garde de Torrailles et de Lambertin, elle n'avait pas supposé que le coup pourrait venir de l'intérieur de la maison. Dès l'instant où l'accès extérieur était bouclé par trois flics. Elle y a forcément pensé.

— Ou pas. Tu n'y pensais pas toi-même. Ni moi ni personne.

Veyrenc jeta son mégot dans le feu.

— Retancourt est bien plus fine que cela, dit-il en souriant. Elle n'aurait jamais laissé *quatre* cheveux.

— Mais un seul, dit Adamsberg en redressant la tête.

Le lieutenant attrapa la bouteille et emplit les derniers verres.

— Au point où nous en sommes, dit-il.

— Au point où nous en sommes, la réponse est là-bas, dit Adamsberg en tendant son bras dans la nuit, vers l'emplacement de l'ancien pigeonnier. Dans la terre de la recluse. Où nous trouverons ses dents.

— Des dents de femme, dit Louis avec une légère réticence.

— Je sais.

— Enzo. Il possédait la liste.

— Cauvert aussi. Je ne l'oublie pas, Louis.

Veyrenc s'éloigna pour installer coussins et couvertures dans la voiture. Ils seraient un peu serrés. Mais quand on s'est connus enfants, tout passe.

Adamsberg couvrait le feu, rabattant les cendres sur les braises. Il ouvrit une dernière fois son carnet, l'éclairant à la lumière de son portable. Après *Martin-Pécherat = martin-pêcheur. Affaire réglée*, il ajouta : *Ou pas réglée.*

XLIII

Adamsberg et Veyrenc aidèrent Mathias, arrivé un peu avant 11 heures au pré d'Albret, à décharger le matériel. Veyrenc découvrait l'archéologue, robuste et assez muet, les cheveux blonds, épais et longs, pieds nus dans des sandales de cuir, son pantalon de toile retenu à la taille par une corde.

Avec la rapidité de l'habitué, Mathias gonfla quatre tentes en cercle autour du feu éteint, y installa matelas et lanternes, édifia des latrines sommaires derrière un grand arbre et, ces essentiels accomplis, partit aussitôt examiner le cercle et en revint, satisfait.

— Cela te convient ? demanda Adamsberg.

— C'est bien cela. Je ne pense pas que la couche d'occupation soit très profonde. Quinze à vingt centimètres. Donc, on attaque à la pioche, mais pas par la pointe. Par le tranchant.

— Maintenant ?

— Maintenant.

— On t'a gardé du café au chaud.

— Plus tard.

Le cercle étant trop exigu pour y piocher à deux, les trois hommes se relayèrent pendant la première heure, l'un attaquant le sol, les deux autres pelletant et évacuant les seaux de terre. Le coup de pioche de Mathias dépassait en efficacité les capacités d'Adamsberg et de Veyrenc, et la répartition des rôles se modifia.

— Ici, dit soudain Mathias en s'agenouillant et dégageant à la truelle un espace de vingt centimètres carrés de terre tassée d'un brun sombre, qui contrastait légèrement avec l'humus noir. Nous sommes au niveau d'occupation. À combien ? Dix-sept centimètres sous la surface.

— À quoi le vois-tu ? demanda Adamsberg.

Mathias le dévisagea, perplexe.

— Tu ne vois pas le changement ? Tu ne vois pas qu'on a changé de couche ?

— Non.

— Pas important. C'est là qu'elle a marché.

Les trois hommes déjeunèrent à la hâte, Mathias pour s'en aller dégager son sol, Adamsberg pour attraper Retancourt à la gare.

À son retour, le préhistorien piochait toujours, mais cette fois retenant ses coups, tandis que Veyrenc continuait d'évacuer la terre, tous deux torse nu et suant sous le soleil trop chaud de juin. La vue de Retancourt suspendit Mathias au milieu d'un lancer de pioche, dont il laissa le fer retomber au sol. Le lieutenant, nota Mathias, l'arbre de la forêt d'Adamsberg, paraissait égaler sa taille. Et chez cette femme qui même nue aurait paru armée, un très intéressant visage dessiné au pinceau fin. Mais malgré des lèvres sans défaut, un nez étroit et droit, des yeux d'un bleu plutôt doux, il n'aurait pu dire si elle était jolie, ou attirante. Il hésitait, la suspectant de pouvoir modifier son apparence à son gré, entre les deux versants de l'harmonie ou de la disgrâce, à son choix. De même de sa puissance : purement physique ou psychique ? Simplement musculaire ou nerveuse ? Retancourt échappait à la description ou à l'analyse.

Il sortit de son excavation pour lui serrer la main, essuyant la terre sur son pantalon, et soutint le regard du lieutenant.

— Mathias Delamarre, se présenta-t-il.

— Violette Retancourt. Ne vous arrêtez pas pour moi, je vous regarde faire et j'apprends. Le commissaire m'a dit que vous aviez atteint le sol d'occupation ?

— Ici, montra Mathias, désignant une surface qui atteignait à présent presque un mètre carré.

Adamsberg proposa sans succès pain, fruits et café à Retancourt, qui posa son sac, ôta sa veste et trouva aussitôt sa place dans la noria de l'évacuation des déblais. La rapidité de la chaîne en fut accélérée au point qu'à 7 heures du soir, Mathias avait pu dégager la totalité du sol, enchâssé dans le cercle de pierres des anciennes fondations du pigeonnier.

— Ici elle a vécu, dit Mathias en se redressant – après des heures de mutisme –, comme invitant des visiteurs à découvrir un domaine, bras calé sur le manche de sa pioche. Là, dit-il en désignant des débris de bois, la planche où elle s'asseyait pour s'isoler un peu du froid et de l'humidité. C'est ici qu'elle mangeait. On aperçoit les restes brisés de son assiette. Dans cette zone moins brune, sans déchets organiques, elle dormait. On garde la trace de deux trous de poteaux. Elle a donc bénéficié d'un avantage et d'un seul par rapport aux recluses médiévales, ce fut de disposer d'un hamac et de pouvoir se reposer au sec. Ici, le tas des restes de nourriture. On voit pointer des fragments de côtes de porc, d'ailerons de poulet, des bas morceaux. Et même – ce devait être un soir de Noël –, une coquille d'huître. Elle était, dans la mesure de son possible, très organisée et soigneuse, elle ne s'est pas laissé aller. Elle avait aménagé un passage de trente centimètres de large – vous le voyez ? –, allant du hamac jusqu'à la lucarne où l'on déposait les aumônes. Elle n'y a pas laissé traîner un seul déchet en cinq ans.

— Qu'est-ce qui vous fait dire que la lucarne était de ce côté ? demanda Retancourt.

— Ce passage et cette pierre. Elle y montait pour attraper la nourriture. Avec d'anciennes photos du pigeonnier, on pourra donc déduire sa taille, Adamsberg. Et là, termina-t-il, cette zone de terre plus claire, qui commence déjà à devenir un peu poudreuse par plaques, c'est la fosse d'aisance.

— On ne l'aurait pas cru, dit Retancourt.

— N'est-ce pas ? On se figure une matière lourde et c'est tout le contraire. Cela devient léger, friable, c'est une substance agréable à fouiller. Regardez.

Mathias recueillit une mesure de terre fine et la déposa dans la main de Retancourt. Adamsberg frémit un peu devant l'archéologue, si concentré qu'il n'avait nulle conscience qu'il offrait à une femme une poignée de merde. Retancourt émietta le sédiment entre ses doigts, impressionnée par la manière dont Mathias avait fait vivre la recluse, suivi ses déplacements, restitué ses activités si réduites, et même son caractère, propre, organisé, tenace, ses efforts pour ne pas s'ensevelir dans ses propres déchets, pour « aménager son intérieur ».

— Quant aux dents, reprit-il en se tournant vers Adamsberg, elles sont bien là. J'ai vu pointer des cuspides. Les pointes de ses molaires, précisa-t-il.

Mathias passa les deux heures suivantes à monter la chèvre – c'est ainsi qu'il appelait ce support à trois poutres –, pour y installer le poste de tamisage.

— On n'a pas d'eau, dit-il. Il faudra en transporter à seaux et bidons, depuis le ruisseau.

À la nuit, depuis sa tente, Adamsberg entendait Mathias et Retancourt bavarder autour du feu. *Bavarder.* Retancourt.

Un message de Froissy le réveilla vers deux heures du matin. Torrailles et Lambertin étaient décédés ce jour, à quelques heures d'intervalle. La liste était close.

XLIV

Sous le regard de Retancourt qui admirait – et ingérait – les savoir-faire qu'elle ne possédait pas, Mathias, équipé de sa tenue anti-contamination, passa la seconde journée de fouille à démonter en silence le sol d'occupation et le faire tamiser. Il répartissait dans des caisses les divers objets de sa collecte, quelques tessons de céramique révélant une seule assiette et un cruchon pour l'eau, des objets métalliques – fourchette, couteau, cuillère, piochon, et un crucifix, tous épaissis de rouille –, les restes d'un vêtement, d'une couverture, d'un hamac, des fragments de cuir (une Bible), et enfin des ossements, témoignant de rares dons de viande, des arêtes de poisson, des coquilles d'œuf, des huîtres (quatre, soit une huître pour chaque Noël passé ici). Le reste des aumônes, des bouillies, des soupes, du pain, avait disparu. Pas de pépins de fruits, hormis sept noyaux de cerise. Pas de seau pour la toilette. Pas de peigne, pas de miroir. Pas de ciseaux. On avait beau être dévot, on avait beau révérer la sainte femme, on ne donnait qu'avec avarice. Mathias secouait souvent la tête, désabusé. Quand il vida la fosse d'aisance, profonde d'un mètre – elle avait dû mettre bien du temps pour la creuser, munie de ce seul piochon offert par la charité publique –, il trouva tout de même cinq lits de paille qui avaient permis à la recluse de recouvrir les déjections une fois l'an. Mais pas de chaume au sol, qui aurait pu assainir les lieux.

— Tout de même, dit-il, en exhumant cinquante-huit roses en plastique. Quelqu'un lui en offrait une par mois, elle les rassemblait contre le mur. Tout de même, répéta-t-il. Sur cent hommes, il s'en trouve un qui pense autrement. Pour toi, ajouta-t-il en tendant un sachet à Adamsberg. Six incisives, trois canines, douze prémolaires et molaires. Sur la totalité de sa denture, elle a perdu vingt et une dents.

Adamsberg s'approcha, soudain hésitant. L'identité de la recluse, à portée de main. Il saisit le sachet avec précaution, presque intimidé, le mit à l'abri et reprit sans un mot sa place auprès de Retancourt, apportant l'eau en continu tandis que Veyrenc tamisait les sédiments. Mathias indiquait les éléments à prélever, des ossements de souris, de rats, d'une fouine, et d'innombrables fragments de chitine de scarabées et d'araignées. Mais aussi de longs fragments d'ongles cassés, recourbés, beaucoup de cheveux blonds et gris, environ quatre poignées entières.

Mathias en examina un grand nombre à la loupe.

— Les bulbes sont foutus, Adamsberg, tu ne trouveras pas d'ADN là-dedans. Elle est entrée ici cheveux blonds, elle en est sortie cheveux gris. Bon Dieu, qu'est-il arrivé à cette femme ?

— Si c'est Bernadette, la sœur aînée…

— Bernadette ? coupa Mathias. C'est pour cela qu'elle serait venue si près de Lourdes ?

— Peut-être. Elle a été séquestrée vingt et un ans par son père, violée dès l'âge de cinq ans, maltraitée, mal lavée, mal nourrie.

— Une dent perdue par année de souffrance. Et des cheveux à la pelle.

— Si c'est la sœur cadette, Annette, séquestrée pendant dix-neuf ans, elle fut louée à une bande de dix jeunes violeurs de l'âge de sept à dix-neuf ans. Que ce soit l'une ou l'autre, elle n'a pas pu revenir à la vie. Elle a fait la seule chose qu'elle avait appris à faire, être enfermée.

Mathias fit tourner sa truelle entre ses doigts.

— Et qui l'a sortie de là ?

— Un arrêté préfectoral.

— Non, je parle de la maison.

— Son frère aîné. À vingt-trois ans, il a tranché la tête de son père.

— Et de quoi la soupçonnes-tu, cette femme ?

— D'avoir assassiné les dix violeurs.

— Et que feras-tu, alors ?

À neuf heures, tout était achevé, après treize heures de travail sans trêve. Seule Retancourt s'affairait encore, lavait les outils, démontait la chèvre, entreposait les caisses dans la camionnette. Mathias la regardait agir, se demandant si le pouvoir de l'arbre pouvait connaître un répit.

— Ne rangez pas les pelles, Violette, dit-il. On comble l'excavation demain.

— J'y pense.

— Je garderai l'assiette, dit Adamsberg. Mettez-moi les fragments de côté, lieutenant.

— Vous allez la recoller ?

— Je crois.

— Quand on rebouchera, on replacera les roses, non ? demanda-t-elle.

Adamsberg acquiesça et partit aider Veyrenc à la préparation du dîner, qu'il avait prévu réconfortant.

— Que penses-tu de Mathias ? lui demanda Adamsberg.

— Doué, fin, farouche peut-être. Je pense aussi que ton homme préhistorique apprécie Retancourt.

— Plus inquiétant, je crois que c'est réciproque.

— En quoi est-ce inquiétant ? Pour elle ?

— Parce que celui ou celle qui devient humain abandonne ses facultés divines.

Rôti de bœuf, pommes de terre sous la cendre, fromage et madiran, Mathias en remercia Veyrenc de plusieurs hochements de tête. Adamsberg s'accouda dans l'herbe. Pourquoi Veyrenc pensait-il que la bulle « Martin-Pécherat » n'était pas réglée ? Il avait été si satisfait de pouvoir la rayer de la liste. Il réfléchit au martin-pêcheur. De cet oiseau, il ne savait que deux choses : il était orange et bleu et avalait les poissons dans le sens des écailles, pour ne pas se blesser. Rien à tirer de lui pour l'enquête. Les bulles restaient inertes quand il y pensait. À l'exception du mot « oiseau », qui faisait sans cesse vibrer quelque chose. Bien sûr, il y avait tant de pigeons là-dedans. Il se redressa et nota dans son carnet : « Oiseau ».

— Qu'écris-tu ? demanda Veyrenc.

— J'écris « Oiseau ».

— Comme tu veux.

Allongé à la nuit dans sa tente, le dos un peu rompu par les transports d'eau, Adamsberg songea à planter une tente semblable dans son petit jardin, avec l'autorisation de Lucio. Il s'y sentait bien, un peu comme dans la parenthèse d'un train, percevant tous les bruits de la nature avec netteté, le croassement de grenouilles lointaines, le battement des ailes des pipistrelles, le halètement d'un hérisson, assez proche de sa tente, le chant inattendu d'un ramier qui, au lieu de dormir comme tous les oiseaux diurnes de la terre, s'obstinait à lancer son appel nuptial. On était en juin, et il était encore seul. Adamsberg lui souhaita bonne chance avec sincérité. Des bruits humains aussi. Le crissement disharmonieux d'une fermeture éclair qu'on ouvre, celle d'une tente, à cinq mètres à sa gauche, le frottement des pas dans l'herbe, le second bruit disharmonieux d'une autre tente, à sa droite. Les tentes de Retancourt et de Mathias. Bon sang. Allaient-ils poursuivre leurs bavardages de la veille assis tous deux en tailleur dans la tente, autour de la lanterne ? Ou autre ? Adamsberg ressentit l'embarrassant sentiment qu'on lui volait sa propriété. Se rendant compte par ailleurs qu'au lieu de penser « volait sa propriété », il avait commis le lapsus muet d'énoncer « violait sa propriété ». Les mots jouaient. Violer, voler, dérober ou voltiger. Les oiseaux, encore. Il alluma sa lanterne et écrivit au bas de sa feuille : *Violer, voler, dérober, voltiger, les oiseaux.* Il ouvrit sa tente, jeta un coup d'œil dans la nuit. Oui, il y avait de la lumière à sa droite. Il s'allongea de nouveau, entraînant de force sa pensée ailleurs. La mission était accomplie, il détenait les molaires de la recluse.

Et que feras-tu, alors ?

XLV

La matinée suffit à combler l'excavation – avec les cinquante-huit roses à l'intérieur – et plier le campement. Adamsberg emportait dans ses bagages les dents et les tessons de l'assiette, Mathias chargeait le reste dans sa camionnette.

Il démarra à quatorze heures, après avoir serré la main des deux hommes et embrassé Retancourt sous le regard attentif d'Adamsberg. Il se trompait en déclarant que le lieutenant « valait dix hommes ». Elle valait une femme, et c'était une femme. Et il ne pouvait s'empêcher de lui battre un peu froid. avec un sentiment de trahison larvé.

Retancourt choisit de rentrer en voiture, soit d'effectuer un voyage deux fois plus long qu'en train, et déposa le commissaire et Veyrenc à la gare.

— Elle file, dit Adamsberg.

— Tu lui fais la gueule, elle file, précisa Veyrenc.

— Je ne fais pas la gueule.

— Bien sûr que si.

— Tu as entendu, hier ? Les fermetures éclair ?

— Oui.

— Et alors ?

— Et alors ?

— Très bien, répondit Adamsberg, sachant qu'en cette affaire, Veyrenc avait raison et lui tort.

À neuf heures du soir, depuis Paris, il fit livrer les nouveaux échantillons au laboratoire d'analyses, avec un mot pour Louvain. Cette fois, l'ADN des dents correspondrait à celui de Louise, contrairement au leurre des quatre cheveux de Lédignan. Veyrenc disait simple et vrai, Louise avait très bien pu déposer ces cheveux. L'émiettement de sa conviction, procédant de l'agitation vaine de ses pensées, n'était basé que sur du vide.

Il n'avait pas besoin d'ouvrir réfrigérateur ou placard pour savoir qu'il n'y avait rien à manger chez lui. Il partit à pied sans destination, l'humeur morne et le corps paresseux. Après un quart d'heure de marche erratique, il obliqua vers son ancien quartier, vers un bar irlandais qu'il avait longtemps fréquenté, où le vacarme des clients ne le gênait en rien puisqu'ils parlaient anglais. Dans ce bourdonnement incompréhensible, il pouvait tenter de se concentrer mieux que dans la solitude. Là-bas, il y parvenait parfois, par touches, en amateur.

Il ouvrit son carnet en marchant dans la nuit, jeta un œil découragé à ses mots imbéciles et le referma sèchement. Comment avait-il osé les lire à Veyrenc ? Louis l'avait socratiquement emmerdé sur le fait insignifiant qu'il n'ait pas rayé la ligne « Martin-Pécherat ». Il avait ajouté qu'il y avait beaucoup de pigeons là-dedans. Cela allait de soi, et cette volaille était bonne à jeter, avec le reste. Ces bulles gazeuses, martin-pêcheur, pigeons et autres grincements, s'éloignaient, indésirables. Sa légère et énigmatique aigreur contre Retancourt lui en bloquait l'accès. La soirée de la veille barrait ses pensées, cet instant où le bruit de la fermeture éclair l'avait agressé. La séquence repassait en boucle, le hérisson, les pipistrelles, l'oiseau désespéré qui appelait une compagne et à qui il avait souhaité bonne chance.

Adamsberg s'arrêta pile au milieu du trottoir, carnet toujours en main, immobile. Cette fois, ne pas bouger. Une particule de neige, une bulle, une « proto-pensée », venait vers lui. Il reconnaissait le frôlement léger de cette lente ascension, il savait qu'il ne devait pas faire un seul mouvement risquant de l'effrayer, s'il voulait avoir la chance de voir émerger son visage.

Parfois, l'attente durait peu. Cette fois, elle lui parut très longue. Et elle le fut. C'était une lourde bulle, maladroite peut-être, sachant mal se mouvoir, trouver la force de s'élever sous l'eau. Les passants évitaient cet homme immobile ou le heurtaient sans le vouloir, et peu importe. Il ne fallait à aucun prix les regarder, ni esquisser un geste ni murmurer un mot. Pétrifié, il attendait.

Brutale, la bulle éclata en surface et lui fit lâcher son carnet. Il le ramassa, chercha un stylo et nota d'une écriture chancelante : *Le mâle oiseau de la nuit.*

Puis il relut sa liste.

Essoufflé, bien plus qu'il ne l'avait été après le transport de deux cents bidons d'eau, il s'adossa à un arbre et appela Veyrenc.

— Où es-tu ? demanda-t-il.

— Tu as couru ?

— Non. Où es-tu, merde ? À La Garbure ?

— Chez moi.

— Rapplique, Louis, Je suis à l'angle de la rue Saint-Antoine et de la rue du Petit-Musc. Il y a un café. Rapplique.

— Viens vers chez moi. La terre, les seaux, je m'endors sur place.

— Je ne peux pas bouger, Louis.

— Tu es blessé ?

— Quelque chose comme ça. Attends, je lis le nom du café. Café du Petit Musc. Saute dans un taxi et rapplique, Louis.

— Je prends mon flingue ?

— Non, ta tête. Cours.

Veyrenc ne négligeait pas ces appels d'Adamsberg. La voix, le rythme, le ton, tout était différent. Tout à fait réveillé, il attrapa, en courant en effet, le premier taxi qui passait.

Même de loin, depuis la porte du café, il vit la netteté des yeux d'Adamsberg, qui condensaient toute lumière autour de lui au lieu de la délayer comme à l'ordinaire. Il était assis devant un sandwich et un café, mais il ne mangeait pas, il ne bougeait pas. Son carnet était sur la table, ses mains posées à plat de part et d'autre.

— Suis-moi bien, dit Adamsberg avant même que Veyrenc fût assis. Suis-moi bien, ce sera dans le désordre. À toi de te débrouiller pour arranger cela. La nuit dernière, avant que cette fermeture éclair ne s'ouvre, j'étais allongé dans ma tente, j'écoutais les bruits de la nuit. Tu suis ?

— Pour le moment oui. Tu permets que je commande un café ?

— Oui. Il y avait des grenouilles, il y avait le vent dans l'herbe, les ailes des chauves-souris, le hérisson, le roucoulement d'un ramier qui s'obstinait à appeler une compagne.

— D'accord.

— Tu ne vois rien là-dedans ?

— Une chose : le ramier. Qui est un pigeon.

— Ce qui règle toute la fébrilité des bulles autour de ce pigeon. Tu as dit qu'il y en avait beaucoup.

Adamsberg tira à lui son carnet et lut :

— *Pigeonnier, j'ai pas trouvé le mot / Pigeon entravé, ou angoisse d'être pigeon / Ça roucoule sans cesse.* Mais ce n'est pas « pigeon » qu'il fallait lire, Louis, merde. C'était « ramier ».

— Ce qui est la même chose, je viens de te le dire.

— Et ensuite, Louis, et ensuite ? dit Adamsberg en secouant son carnet. À quoi se raccroche-t-il, ce pigeon ramier ? Mais bon sang, Louis, c'est toi qui l'as dit !

— Moi ?

— Mais oui, nom de Dieu ! C'est écrit là ! J'ai été obligé de compléter ma note : *Martin-Pécherat = martin-pêcheur. Affaire réglée. Ou pas réglée.*

— Je t'ai dit que si cette pensée était réellement réglée, tu ne me l'aurais pas lue.

— Et pourquoi n'était-elle pas réglée ?

Adamsberg s'interrompit, avala son café et reprit.

— Fatigué, dit-il simplement.

— Toi aussi ? Les bidons d'eau ?

— Pas les bidons. Ne parle pas, tu vas me faire tout confondre. Elle n'était pas réglée parce que martin-pêcheur et pigeon ramier. Tu vois le lien ?

— Ce sont deux noms d'oiseaux.

— Mais pas seulement : ce sont deux *noms doubles*. Doubles, Louis. À présent, tu vois ?

— Non.

— Il y a eu ces deux phrases de Retancourt : *Ça roucoule sans cesse*, d'une part.

— Tu me l'as lue.

— Et l'autre, qui y est liée. Tout est lié, Louis. Les bulles gazeuses dansent ensemble, elles se tiennent la main, et cela, on ne peut pas s'en foutre. L'autre phrase de Retancourt est : *Tout grince là-dedans*. Par quelle main se tiennent-elles, ces phrases ?

— Excuse-moi, coupa Veyrenc, troublé par le décousu du discours d'Adamsberg, je vais prendre un verre d'armagnac.

— Moi aussi, commande deux trucs.

— Pour toi aussi ? demanda Veyrenc, soucieux de l'état de confusion du commissaire.

— Oui.

— Un verre de quoi ?

— De machin. Tu vois ce qui les tient ? C'est le *lieu*. Le lieu où cela se passe, le lieu où cela *roucoule*, le lieu où cela *grince*. Grincer : le lieu où ça coince, le lieu où cela déraille.

— Retancourt parlait de la maison de Louise.

— Oui, celle-là, Socrate. Tu comprends où cela nous mène, si tu raccroches tout simplement cela au pigeon ramier et aux noms doubles ?

Le serveur déposa les verres et Veyrenc en avala presque la moitié d'un coup.

— Tout simplement, non, dit-il.

— Si. Cela se raccroche aux noms qui existent dans cette maison. Au sens des noms. Tu te rappelles l'erreur que j'ai faite avec celui de Louise ? Chevrier ? Seguin ?

— Qui te dit que c'est une erreur ? On n'a pas encore les résultats ADN des molaires. Merde, c'est toi qui as voulu fouiller pour les trouver.

— Il y a un autre nom qui grince et vole dans cette maison, et c'est celui d'Irène. Un nom *double*, Veyrenc, comme celui de Martin-Pécherat. Double : Irène Royer-Ramier !

Adamsberg fit une pause, prit son verre sans y toucher, et le reposa.

— Voilà, tu sais tout à présent.

— Non. Très bien, il y a un ramier dans le nom d'Irène. Et ensuite ?

— Bon sang, as-tu oublié que les deux filles Seguin ont à coup sûr obtenu le droit de se choisir un autre nom ? Et qu'en ce cas, on ne peut faire autrement qu'y inscrire un lien avec sa vie antérieure ?

— Et pourquoi une fille Seguin aurait choisi Royer-Ramier ?

— Royer, on s'en fout, Louis ! Mais pas Ramier : parce que c'est de là qu'elle sortait. D'un *pigeonnier.* Cherche sur le net, donne-moi la définition d'un pigeonnier, pas celui où on élève les oiseaux, l'autre.

Veyrenc consulta son téléphone.

— En voici une qui en vaut une autre : « Petit logement situé sous les combles. » D'accord : un grenier. Le grenier est le pigeonnier où elle a été séquestrée.

— Puis il y a l'autre, le vrai, où elle a été se reclure ensuite.

— D'accord.

— Et maintenant, réfléchis au prénom qu'elle s'est choisi : Irène. Cela ne te rappelle pas un autre nom ?

— Eh bien, on a saint Irénée, au IIe siècle, le premier véritable théologien.

— Cherche plus simple.

— Je ne vois pas.

— Attends une seconde.

Adamsberg composa un numéro, plus vite qu'à son habitude, mit le haut-parleur et attendit. La sonnerie se répétait, sans réponse.

— Je recommence. Il a le sommeil lourd.

— Qui appelles-tu ? Tu as vu l'heure ? Il est presque minuit.

— Je m'en fous. Qui j'appelle ? Danglard.

Cette fois, le commandant décrocha, la voix assourdie.

— Danglard, je vous réveille ?

— Oui.

— Dites-moi, commandant, quelles sont les anciennes appellations pour « araignée » ? Avant ?

— Pardon ?

— Comment disait-on « araignée » ? Avant ?

— Une minute, commissaire, je m'assieds. Eh bien, attendez un peu. Tout commence par la jeune tisseuse grecque Arachné, que la déesse Athena transforma en araignée. Il s'agissait d'une vengeance de la fille de Zeus qui, alertée…

— Non, coupa Adamsberg, continuez sur les appellations.

— Très bien. De là vint le mot « aragne » bien sûr, « araigne », et « yraigne ». Tout cela dès le XIIe siècle. C'est à peu près tout je crois.

— Comment écrivez-vous « yraigne » ? Épelez-moi, je note.

— Y-r-a-i-g-n-e.

— Ça a perduré ?

— Oui. On trouve encore ces variantes au XVIIe siècle, dans La Fontaine par exemple.

— Des fables lues aux enfants ?

— Celle-ci n'est pas courante. Mais tout récemment, j'ai vu ce prénom d'Yraigne utilisé sur des forums. Voici les vers de La Fontaine :

La pauvre Aragne n'ayant plus

Que la tête et les pieds, artisans superflus…

— Merci, Danglard, rendormez-vous. « Yraigne », Veyrenc, « Yraigne », répéta Adamsberg en appuyant sur le mot. L'araignée. Celles avec qui elle vécut au grenier – au *pigeonnier* –, celles que les blaps avaient envoyé mordre, celles qui l'accompagnèrent dans l'obscurité du reclusoir, celles auxquelles elle finit par s'identifier, par leur nom : la recluse. Irène Ramier, la séquestrée de Nîmes, la recluse du Pré d'Albret, la sœur aînée, Bernadette Seguin.

— L'aînée ? Ce n'est pas elle qui fut violée par les dix blaps.

— Elle n'a pas tué pour elle. Elle a tué pour libérer sa sœur.

Soulagé, de nouveau essoufflé, Adamsberg se rejeta en arrière sur sa chaise. Veyrenc hocha la tête, par trois fois.

— Enfin, reprit le commissaire, sur la liste des bulles, il reste cette phrase de toi : *Il n'y a plus personne à tuer.* Tu sais que les bulles s'entrechoquent. Celle-ci est venue heurter une remarque du même type, d'abord dite par Retancourt : que les dix hommes aient été tués sans qu'on ait rien pu y faire la mettait en rage.

— Je me souviens.

— Puis heurter une phrase d'Irène, très peu de temps après, ce même matin où nous avons fouillé la maison de Torrailles, après la double attaque. Je l'ai appelée pour savoir si Louise était sortie durant la nuit. Tu te rappelles, je t'ai dit que ma conviction s'effritait, que quelque chose n'allait pas. Eh bien c'était ceci, Louis : Irène était déjà au courant pour les deux morsures. Évidemment, puisqu'elle les avait commises elle-même. Elle m'a dit que l'information était sur les forums, ce qui était vrai. Et, de même que Retancourt, elle a aussitôt ajouté que c'était rageant quand même que le tueur les ait « tous eus », et « qu'on ne sache toujours rien, ni quoi ni qu'est-ce ». Et je n'ai pas réagi. Trop habitué à son bavardage, trop confiant en elle. Si quelqu'un me « pigeonnait », c'était bien elle, et avec maestria. J'admire.

— Pas réagi à quoi ?

— Tu es fatigué, mais surtout, tu es encore confiant, toi aussi. Tu l'aimes bien, toi aussi. Mais dis-moi, Louis, comment Irène aurait-elle pu savoir qu'il les avait « *tous* eus » ? Je ne lui ai jamais dit que la Bande des recluses comptait neuf membres, plus Claude Landrieu. Égale dix à éliminer. Comment pouvait-elle savoir qu'une fois Torrailles et Lambertin touchés, il n'y avait *plus personne à tuer* ? Elle aurait dû dire : « Il y en a encore eu deux autres. » Et non pas : « Il les a *tous* eus. » Et je n'ai pas réagi.

— Si, d'une certaine manière. Tu as perdu foi en la culpabilité de Louise.

— À cet instant, et sans le comprendre. Mais ce n'est que ce soir, après que la bulle – c'était une lourde bulle, Louis – m'eut parlé explosivement d'Irène, que j'ai réentendu sa phrase, au téléphone, quand j'étais assis en tailleur dans cette cour, à Lédignan. *Tous eus.* Elle était arrivée au bout. Cela, à soi seul, est la preuve de sa culpabilité. Et c'est son unique erreur.

— Cela ne lui ressemble pas. L'erreur.

— Mais elle était absorbée par son rôle, magistralement mené depuis les débuts. Celui d'une de mes « assistantes », spontanée, efficace, fureteuse, prenant bien garde de paraître parfois un peu sotte ou naïve. C'était remarquable, Louis, une œuvre d'art. Et ce matin-là, elle est si bien entrée dans la peau du personnage qu'elle a exprimé la rage qu'aurait éprouvée mon « assistante » – cette même rage qu'a ressentie Retancourt. Mais elle en a oublié une seconde d'être Irène. Et là, elle a sauté une maille.

— Non. Je ne conçois pas qu'une telle femme puisse s'égarer. Et pourquoi a-t-elle laissé ces cheveux sur place ? Pourquoi pas de vrais cheveux de Louise ? Ç'aurait été facile pour elle.

— Parce qu'elle a une morale d'acier. Elle n'a jamais eu l'intention que ses meurtres retombent sur le dos d'un ou d'une autre.

— Alors pourquoi laisser des cheveux si ressemblants à ceux de Louise ? Pour s'amuser ?

— Pour me décourager. Elle avait très bien compris que je soupçonnais Louise. Avec ces cheveux, j'allais cavaler plus encore sur cette piste. Pour m'écraser sur un nouvel échec.

— Non. Car pourquoi s'est-elle mise en avant, avec toi ? Pourquoi n'est-elle pas demeurée en retrait, inconnue ? Elle n'aurait rien risqué.

— « Pourquoi ? » « Pourquoi ? » Ta maïeutique, Louis ?

— Je veux la comprendre. Réponds à ma question : pourquoi s'est-elle mise en avant ?

— Parce qu'elle n'a pas eu le choix. Nous nous sommes rencontrés au Muséum, souviens-toi. Elle découvre que j'enquête sur les morts par venin. Que quelqu'un, et pire, un flic, émet des doutes sur ces décès. C'est un coup dur. Elle s'adapte sur-le-champ, elle noue une relation avec moi pour pouvoir suivre l'enquête. Et l'influencer ou la détourner, comme avec les cheveux dans le cagibi.

— Et pourquoi est-elle venue au Muséum ?

— Avec son erreur au téléphone, c'est sa seule vraie faute. Par excès de zèle. Elle voulait tester auprès d'un spécialiste s'il pouvait exister le moindre soupçon de meurtre à propos de ces morts. Elle serait repartie rassurée. Mais elle a croisé un flic.

— C'est pourtant grâce à elle, à son récit d'une conversation de bistrot entre Claveyrolle et Barral, que nous avons remonté la piste de La Miséricorde.

— Elle est exceptionnellement fine. Elle a saisi que je ne lâcherais pas l'enquête. Si bien que dès L'Étoile d'Austerlitz, elle m'a envoyé vers l'orphelinat de La Miséricorde. Sachant que nous remonterions la piste des enfants mordus. Ce qui lui laissait tout le temps nécessaire pour achever l'œuvre. Il en restait trois à tuer, il lui fallait finir, à tout prix.

Veyrenc fronça les sourcils.

— Ce ne sont malgré tout que des preuves indirectes. Son prénom, « Yraigne », et son nom, « Ramier », un tribunal s'en foutrait. Reste sa gaffe au téléphone, et rien ne prouve que tu n'as pas transformé sa phrase.

— Si je l'avais fait, Louis, cette phrase ne se serait pas agglomérée aux bulles.

— Je te parle du point de vue d'un juge, d'un avocat et de jurés, qui n'en ont rien à faire, de tes bulles. Si tu n'avais rien su de cette recluse de Lourdes, elle s'en tirait haut la main.

— Non, Louis. Cela aurait duré beaucoup plus longtemps, c'est tout. Le psychiatre nous avait mis sur la voie : chercher une fillette séquestrée, et une recluse contemporaine. Avec un appel aux médias, quelqu'un aurait fini par parler de la recluse du pré d'Albret. Et nous aurions fouillé.

— Et après ? Son ADN n'est pas fiché.

— Même sans cette fouille, et avec dix meurtres à la clef, nous aurions fini, avec bien du mal, par convaincre le juge, par secouer les rouages jusqu'à ce qu'ils nous livrent le nouveau nom de la fille Seguin. Jusqu'à ce que les archives exhument la hache qui a tué le père. On aurait su. Nous avons trouvé un raccourci, voilà tout.

— On aurait su qu'elle était la fille de Seguin. Mais laquelle ? Qui te dit que ce n'est pas Annette qui vivait dans le reclusoir ?

— Mais le ramier, Louis, on y revient toujours. Le pigeonnier de l'enfance était tant incrusté dans son esprit qu'elle se l'est attribué comme nom, comme identité. Durant ses années de liberté, elle a maintes fois fait le chemin de Lourdes, cherchant le secours de sa sainte tutélaire.

— Elle connaissait le pigeonnier d'Albret.

— Le repaire à ramiers. Son repaire. L'abri ultime.

— Et elle y est entrée.

Les deux hommes firent silence, puis Adamsberg leva son verre intact.

— Elle est grande, Louis. Je n'ai pas honte d'avoir été promené par une telle femme. Mais j'ai été lent, si lent.

— Et pourquoi ?

— Parce que, Socrate, je suis ainsi fait.

— Ce n'est pas la raison.

Il était plus d'une heure du matin, le café fermait, le patron retournait les chaises sur les tables. Veyrenc leva son verre à son tour.

— *Enfant tu l'aperçus, cette femme éperdue,*
Recluse dans la tombe d'une infinie souffrance.
Homme, l'as-tu reconnue, quand elle t'est revenue ?
C'est sous tes yeux qu'elle a achevé sa vengeance.
As-tu freiné tes pas pour lui laisser sa chance ?

XLVI

Adamsberg abandonna à Veyrenc le soin d'exposer à la Brigade le motif de la fouille du reclusoir du Pré d'Albret, l'identification presque certaine de la meurtrière avant les résultats de la comparaison ADN entre les molaires exhumées et la hache maniée, il y a quarante-neuf ans, par Enzo Seguin. Bien entendu, Veyrenc ne pouvait parler de martin-pêcheur, de pigeon ramier ni de quoi que ce soit de ce genre, et il s'arrangea brillamment pour présenter d'une autre manière le faisceau de présomptions ayant conduit le commissaire sur la route d'Irène Royer-Ramier. Yraigne, dit-il en croisant le regard de Danglard. Qui, cette fois-ci, acquiesça avec sagesse.

Chacun comprit, souffle retenu : après les échecs, après les baies fermées, après la sédition du commandant Danglard, après la mort des dix hommes, le vaisseau amiral, la *Trinidad*, entrait dans l'embouchure du détroit, passant le 52e degré de latitude.

Comme chacun sut que ce détroit serait victorieux mais glacial. Car l'arrestation de la coupable serait une des plus pénibles tâches qu'ait à accomplir Adamsberg.

Cette femme, c'était au commissaire de l'emmurer encore, pour la troisième fois de sa vie.

Demande expresse avait été adressée auprès des archives de livrer la hache utilisée par Enzo Seguin, cette fois-ci par voie officielle.

Et pendant qu'effervescence et affliction se mêlaient à la Brigade, Adamsberg avait dormi onze heures puis, assis à la table de sa cuisine, tournant autour en suivant la marche du soleil, reconstituait l'assiette brisée, une assiette rustique de faïence blanche semée de trois fleurs bleues en son centre.

Il ne s'interrompit que pour boire un café et adresser un message à Froissy :

— *Des photos récentes des dix victimes ? Vous pourriez m'avoir ça en urgence par leurs familles, avec l'aide de Mercadet ? Tirages papier.*

— *Je vous les passe à la Brigade demain ou je vous les fais porter ?*

— *Chez moi, Froissy. Je fais un puzzle en céramique.*

— *C'est joli ?*

— *Très.*

En réalité, ce puzzle était bien sûr désolant. Mais Froissy aimait le mot « joli », et Adamsberg ne voulait pas la décevoir.

Vers neuf heures du soir, la faim se fit sentir et il appela Retancourt.

— Lieutenant, dit-il, puis-je encore tirer sur la corde ?

— Pour hisser le pavillon ?

— Pour vous envoyer une dernière fois à Cadeirac.

— Non, commissaire, répondit durement Retancourt. Je n'irai pas arrêter cette femme. C'est hors de question.

— Ce fardeau-là n'est pas pour vous, Violette. Je voudrais que vous voliez une autre cuillère à thé. D'Irène.

— C'est dans mes cordes. Et sous quel prétexte vais-je me présenter, cette fois ? Je photographie les plafonds ?

— Je n'y ai pas pensé. Vous n'auriez pas une boule à neige, par exemple ?

— Si, répondit Retancourt.

— Comment ? Vous avez des boules à neige ?

— Je n'ai pas *des* boules à neige, commissaire, s'agaça Retancourt. J'ai *une* boule à neige. À Lourdes, après vous avoir laissés à la gare, je suis passée devant une vitrine de bondieuseries et de boules à neige. Et, comme cela, j'en ai acheté une. Pas une sainte Bernadette, non. Un angelot un peu gras qui volette dans les flocons.

— Vous voulez bien vous en séparer ?

— Cela va de soi. Je m'en fous, moi, de cette boule à neige.

— Alors apportez-la à Irène, en guise de remerciement pour son accueil.

— Et en guise de remerciement, je lui pique sa cuillère.

— C'est cela.

— Je n'adore pas, commissaire. Mais j'y vais. Aller retour dans la journée, vous aurez la cuillère à dix-neuf heures demain.

Adamsberg sortit la boule à neige tourbillonnante sur le vaisseau de Rochefort et en secoua les flocons. Il aimait cette boule idiote comme il aimait l'intelligente Irène. Il la cala dans sa poche et sortit dans Paris, en quête de pitance et d'errance.

Le dernier test ADN nouvelle cuillère-molaire tomba trois jours plus tard, à quinze heures. Irène Royer-Ramier avait bel et bien été la sainte recluse du Pré Jeanne d'Albret. Sans le surprendre, la nouvelle affecta Adamsberg. Tout ce qui le rapprochait de l'arrestation d'Irène l'enfonçait dans de sombres parages. Une heure plus tard, l'avis de justice parvenait à la Brigade : Bernadette, Marguerite, Hélène Seguin avait changé légalement son nom pour celui d'Irène, Annette Royer-Ramier, et sa sœur, Annette, Rose, Louise Seguin pour celui de Claire, Bernadette Michel. Chacune des sœurs avait emprunté un prénom à l'autre. Et Annette avait choisi comme patronyme un des prénoms de son frère.

Cette fois, ce fut Adamsberg qui annonça ces résultats à l'équipe. Les dés étaient jetés, la partie pliée. Ne restait plus qu'à partir pour Cadeirac.

Il sortit dans la cour, où le nourrissage des merles avait dûment continué, et y tourna pendant près de deux heures, parfois s'asseyant sur la marche, parfois reprenant ses rondes. Personne n'osa aller l'y déranger, chacun sachant qu'à ce stade si douloureux du détroit, nul ne pouvait rien pour lui. Il était désespérément seul à bord. Vers dix-neuf heures, il sonna Veyrenc qui le rejoignit dans la cour.

— Je pars demain. M'accompagnes-tu ? Non pas pour intervenir, je ne te le demande pas. Mais pour être témoin. Quand je parlerai, n'interviens pas. Ne préviens personne.

— Quel train ? demanda simplement Veyrenc.

XLVII

Adamsberg avait adressé au matin un aimable message à Irène :

— *Je suis dans le coin avec mon collègue aux mèches rousses, pour des vérifications sur site. Peut-on passer prendre le café ?*

— *Avec plaisir, Jean-Bapt ! Seulement, deux hommes d'un coup chez moi, faut que je fasse déguerpir la Louise en vitesse ! Vous serez là à quelle heure ?*

— *Après le déjeuner. Vers 14 h 30.*

— *Ben c'est parfait. Sitôt la dernière bouchée avalée, elle file faire la sieste et c'est moi qui dois tout débarrasser. Le café sera chaud quand vous arriverez.*

Adamsberg ferma son portable et se mordit la lèvre, ressentant le plein dégoût de sa bassesse.

Six heures plus tard, il faisait les cent pas devant la porte bien entretenue de la petite maison de Cadeirac, avant de se décider à sonner.

— Les derniers pas perdus, dit-il à Veyrenc.

À sa manière, Irène s'était mise sur son plus chic, avec une robe surchargée de fleurs qui ressemblait à un papier peint. En contraste, elle portait toujours ses baskets inappropriées, auxquelles l'obligeait son arthrose.

— Louise ronfle depuis un bon quart d'heure, on sera bien tranquilles, dit-elle, enjouée, en les priant de s'asseoir.

Adamsberg prit place en bout de table, Irène à sa gauche, Veyrenc sur le banc, à sa droite.

— Pardonnez-moi, Irène, mais je n'ai pas de cadeau. Vraiment pas de cadeau à vous faire.

— Dites, commissaire, on ne va pas se faire des cadeaux à chaque fois qu'on se croise. Ça perd de son charme à la longue. D'ailleurs, samedi dernier, votre collègue photographe, elle m'a apporté un cadeau. Une boule à neige de Lourdes. Moi, les bondieuseries, j'en ai soupé, je dois vous le dire. Mais elle est fine, cette femme. On ne dirait pas, avec sa stature, hein ? Elle a choisi un petit angelot, on dirait un gosse qui joue sous la neige. Tenez, regardez si elle n'est pas belle.

Irène alla piocher la boule nouvelle dans sa collection exposée sur le buffet. Adamsberg découvrait les lieux : un intérieur débordant de décorations mais rangé à l'excès. Chaque chose à sa place et les moutons seront bien gardés. « Elle était très organisée et soigneuse », avait dit Mathias, et elle l'était restée. Tenace aussi, courageuse, déterminée.

Irène déposa la boule de Lourdes devant Adamsberg, et Adamsberg sortit la sienne de sa poche.

— C'est pas que vous êtes venu me la rendre quand même ? C'était un cadeau.

— Et j'y tiens beaucoup. Le tourbillon des bulles de neige.

— Des flocons, on dit, commissaire. Pas des bulles.

— Oui. C'était pour vous montrer qu'elle ne quitte pas ma poche.

— Ben à quoi ça sert, dans une poche ?

— Cela m'aide à penser. Je la secoue, et je regarde.

— Comme ça vous plaît. Chacun sa méthode, pas vrai ? dit Irène en versant le café chaud. Il me manque deux cuillères, ajouta-t-elle avec contrariété. Chaque fois quand votre collègue est passée. Ce n'est pas grave, j'en ai d'autres. Elle est très sympathique mais en attendant, il me manque deux cuillères.

— Elle est un peu kleptomane, Irène, *vous me suivez ?* Un petit souvenir, partout où elle passe. Je lui ferai rendre gorge. J'en ai l'habitude.

— Je ne dis pas non. Parce que c'est une collection de douze, avec chacune un manche en plastique de couleur différente. Alors bien sûr, ça dépare maintenant.

— Promis, je vous les posterai.

— C'est gentil.

— Je ne vais pas être gentil, Irène, aujourd'hui.

— Ah bon ? C'est dommage, ça. Ben allez-y. Il est comment ce café ?

— Excellent.

Adamsberg secoua la boule et regarda la neige tomber sur le vaisseau de Rochefort. Le froid glacial sur la *Trinidad.* Veyrenc demeurait silencieux.

— Vous non plus, dit Irène avec un signe de menton en direction de Veyrenc, vous n'avez pas l'air dans votre assiette.

— Il a mal au crâne, dit Adamsberg.

— Vous voulez un cachet ?

— Il en a déjà pris deux. Quand il a la migraine, il ne peut plus dire un mot.

— Vous verrez, dit Irène, ça passe avec l'âge. C'est avec quoi que vous allez m'embêter, *Jean-Bapt* ?

— Avec ceci, Irène, dit Adamsberg en ouvrant son sac. Ne parlez qu'après, je vous en prie. C'est déjà assez difficile comme cela.

Adamsberg commença d'étaler en ligne sur la table les photos des neuf blaps de La Miséricorde et de Claude Landrieu, à dix-huit ans. Dans l'ordre chronologique de leur mort. En dessous, il répartit les photos des mêmes hommes, mais quarante ou soixante ans plus tard.

— On dirait que vous faites une réussite, commenta Irène. Avec des cartes à jouer.

— Tous morts, dit-il.

— C'est ce que j'ai dit. Pour le tueur, c'est une réussite.

— Totale. Depuis celui-ci, César Missoli, décédé en 1996, jusqu'à ces deux-là, Torrailles et Lambertin, morts mardi dernier. Les quatre premiers par balle et pseudo-accidents, de 1996 à 2002. Les six autres par dose excessive de venin de recluse au cours du mois dernier.

Tranquillement, Irène proposa une nouvelle tournée de café.

— C'est excellent pour le mal au crâne, dit-elle, c'est prouvé.

— Merci, dit Veyrenc en tendant sa tasse.

Puis elle resservit Adamsberg, enfin elle-même, dans l'ordre de la courtoisie.

— Après 2002, reprit Adamsberg, il y a un blanc de quatorze années. On peut supposer que l'assassin emploie tout ce temps à mettre au point une nouvelle technique meurtrière, très complexe mais qui lui correspond infiniment mieux : avec du venin de recluse.

— Bien possible, dit Irène, intéressée.

— Et ce n'est pas à la portée du premier venu. C'est un travail aussi long qu'inventif. Mais le tueur y parvient, et exécute six hommes à la suite. *Vous me suivez ?*

— Mais oui.

— Et pourquoi choisir la recluse, Irène ? Pourquoi choisir le moyen le plus compliqué qui puisse s'imaginer ?

Irène attendit la réponse, fixant le commissaire dans les yeux.

— Les pourquoi, c'est votre boulot, dit-elle.

— Parce que seule une recluse, une authentique recluse, peut devenir recluse à son tour et tuer avec son venin. Parce que cela, Irène, dit Adamsberg en sortant un paquet enveloppé de papier bulle, qu'il s'appliqua à ouvrir avec précaution et respect. Cela, répéta-t-il en déposant sur la table l'assiette blanche à fleurs bleues, recollée par ses soins.

Irène eut un mince sourire.

— C'est son assiette, reprit-il aussitôt, pour éviter à Irène d'avoir à parler. Celle dans laquelle elle a mangé pendant cinq ans, ce qu'elle pouvait, ce qu'on lui donnait, par la lucarne haute, la *fenestrelle* de l'ancien pigeonnier muré, dans le Pré d'Albret. J'en ai fait effectuer la fouille, puis remettre la terre en place. J'y ai replacé les cinquante-huit roses, là même où elle les rangeait, mois après mois, le long du mur.

Veyrenc avait baissé la tête, mais non pas Irène, dont le regard passait de l'assiette au visage du commissaire.

Adamsberg fouilla de nouveau dans son sac et posa sur la table deux photos de presse de 1967, celle où l'on voyait la sortie de la mère et de ses deux filles, une autre où Enzo serrait ses sœurs dans ses bras couverts de sang.

— Elles, dit-il. L'aînée ici, Bernadette Seguin, et sa sœur cadette à ses côtés, Annette, violée pendant douze ans par les blaps de La Miséricorde. Où le père était surveillant. Et puis, continua Adamsberg dans le silence, elles changent de nom, on perd leurs traces. Inaptes à la vie après tant de souffrances, on les place en hôpital psychiatrique. Où elles demeurent quelques années. De 1967 à je ne sais quelle date.

— 1980, pour la cadette, dit paisiblement Irène.

— Mais Bernadette s'emmure dans l'ancien pigeonnier qu'elle transforme en reclusoir. Elle y tient sa croix, elle y lit sa Bible. Elle en est expulsée cinq ans plus tard. Retourne à l'HP, et cette fois elle s'adapte, elle apprend, elle lit. Elle revoit sa sœur, prostrée et incapable de vivre sans les soins d'Enzo. Mais rien n'y fait, elle dépérit. Bernadette envoie aux orties la religion, qui ne leur a appris qu'à plier et obéir. Sa mission se forme, irrévocable : seule, elle libérera sa sœur de ceux qui l'ont détruite. Pas tout à fait seule tout de même. Enzo lui a confié les noms des blaps.

— Enzo est un malin.

— Vous l'êtes tous deux. C'est ainsi qu'il a su que neuf d'entre eux étaient de La Miséricorde.

— Où mon père…

Irène s'interrompit et cracha au sol, sur son dallage immaculé.

— Désolée, excusez-moi, c'est un vœu. Chaque fois que je dois dire « mon père », je dois cracher au sol pour que ce mot ne reste pas dans ma bouche. Excusez-moi.

— Faites, Irène.

— … les recrutait.

— Dans la Bande des recluses. Enzo s'était mis en chasse, il avait fini par tout savoir, recluses comprises, sur ces blaps immondes.

— Il est bien ce mot, « blaps ». Vous vous rendez compte ? Enfourner une recluse dans le froc d'un gamin de quatre ans ? Ça en dit long sur les chemins de l'enfer, pas vrai commissaire ? Une fois ces serpents entrés dans le grenier d'Annette, mon père…

Nouveau crachat.

— … gardait la porte. Et il regardait.

— Mais Enzo avait la liste. Vous pouviez redonner vie à Annette.

— Attention, commissaire, n'allez pas l'emmerder. Elle n'y est pour rien. Mais déjà, quand les quatre premiers ont crevé d'accident, elle en a ressenti du bienfait. Ni Enzo, n'allez pas l'emmerder. Il n'a fait que me donner les noms, précisa-t-elle avec un sourire.

— Il savait ce que vous alliez en faire.

— Non.

— Et il a vu ce que vous en faisiez.

— Après les quatre accidents, enchaîna Irène sans répondre, j'ai pris du temps. J'aurais pu la sauver beaucoup plus vite. Mais faire pénétrer le venin de la recluse dans leur sang, désagréger leurs corps, ça m'a paru si désirable que j'ai dû faire comme cela. Je l'ai dû, commissaire. J'ai promis à Annette qu'ils seraient tous morts dans dix ans. Ça la tiendrait debout, je me suis dit. Vous ne pouvez rien contre elle, ni contre Enzo. Je me suis renseignée, commissaire.

— Qui ne dénonce pas un crime qui va avoir lieu va en taule. Sauf si cette personne a un lien familial direct avec l'assassin. S'il s'agit d'une sœur, ou d'un frère, on ne peut pas y toucher.

— Voilà, dit Irène en souriant. Aujourd'hui, cela fait huit jours qu'Annette est libre. Encore plus quand j'aurai écrit le livre qui dira leurs noms. Enzo m'a dit qu'hier soir elle a pris un repas quasi complet. Il voulait qu'elle boive du champagne, et elle refusait. Mais au bout du compte, elle en a avalé deux tiers de coupe. Et elle a presque ri. Ri, commissaire. Un jour elle pourra sortir, elle pourra parler. Conduire peut-être, même.

— En position antalgique.

— Pensez, commissaire, je n'ai pas plus d'arthrose que vous ou moi. Mais il me fallait bien justifier tant de voyages. Je les ai commencés bien avant d'éliminer la vermine, pour qu'ils paraissent toujours naturels, habituels, hein ? J'en ai fait beaucoup d'inutiles, sauf pour ramasser des boules à neige, je dois dire. Et là-dedans, je mélangeais les vrais voyages, comme celui de Bourges, d'où je vous ai appelé. Bien sûr que je n'étais pas à Bourges, je revenais de Saint-Porchaire.

— Avec votre fusil hypodermique.

— Un très bon modèle. Ça se commande sur internet d'un clic. Pratique comme tout.

— C'est Enzo qui s'en est chargé.

— Enzo n'a rien fait.

On entendit du bruit à l'étage. Louise se réveillait.

— Une minute, commissaire, je vais la faire rentrer dans son trou. On ne peut jamais être tranquille.

Irène grimpa lestement et sans canne la moitié de la volée d'escalier et cria :

— Ne descends pas, ma Louise ! Je suis avec deux hommes !

— Et voilà, dit-elle en se rasseyant, pendant qu'on entendait la porte de la chambre de Louise se refermer. Simple comme bonjour. La pauvre, ne le répétez pas, mais on l'a violée à trente-huit ans.

— Nicolas Carnot, je sais. Qui connaissait Claude Landrieu. Qui connaissait la Bande des recluses.

— C'est pour cela que vous l'avez soupçonnée.

— Vous avez compris cela, Irène.

— Ce n'était pas très difficile.

— À cause de son nom aussi : Chevrier. J'ai pensé qu'elle l'avait choisi à cause de la petite chèvre du père Seguin.

— Vous avez le droit de cracher par terre, puisque vous avez prononcé le mot.

Adamsberg s'exécuta.

— C'est pour nous éloigner d'elle que vous avez laissé des cheveux dans le cagibi de chez Torrailles ?

— Et pour vous envoyer dans le décor. Désolée, commissaire, je vous aime bien, vrai de vrai, mais à la guerre comme à la guerre.

— Ce que je n'ai jamais résolu, c'est la question du venin. Comment en obtenir autant ? D'accord, vous avez eu quatorze ans pour le faire. Mais comment ? Trouver des recluses ? Les faire cracher ?

— Faut être fortiche, hein ?

— Très, dit Adamsberg en souriant. Et pour imaginer l'astuce du fil de nylon aussi. Dites-moi, vous avez bien chargé un fusil de 13 avec des seringues de 11 ? En les enrobant ?

— Ben oui, sinon cela aurait coincé. Enrobées avec du ruban adhésif, et passées à l'huile. On se débrouille. C'est comme pour les recluses. Figurez-vous que j'en ai eu, en tout, en comptant les mortes, jusqu'à cinq cent soixante-cinq.

— Et comment ? répéta Adamsberg.

— Au début, en les aspirant dans leurs trous. Entre le bûcher, la cave, le grenier, le garage, j'avais de quoi faire, croyez-moi. Après quoi j'ouvrais le sac de l'aspirateur et je les récupérais à la pince pour les mettre dans les terrariums. Je dis *les* terrariums parce que si vous les mettez toutes ensemble, elles font quoi ? Elles se bouffent. Parce qu'elles voient quoi dans l'autre ? Un truc à manger. Pas plus sorcier que ça. J'ai eu jusqu'à soixante-trois terrariums. Je ne peux pas vous les montrer, je les ai tous foutus, pardon, excusez-moi, envoyés à la déchetterie. Terrarium, c'est un grand mot. C'étaient tout bêtement des boîtes en verre, avec un couvercle et des trous dedans, de la terre au fond, des bouts de bois pour qu'elles puissent se cacher et fourrer les cocons là-dedans, et des insectes morts, des grillons, des mouches, pour les nourrir. À la période d'accouplement, je collais un mâle à chaque femelle et allons-y. Ensuite je récupérais les cocons et j'attendais les naissances. Là encore, je mettais les nouveau-nés en terrariums isolés, sinon ils se mangent entre eux. Et je vous dis une chose, commissaire : attraper un petit d'araignée sans le blesser, ça demande de l'entraînement. Ce que j'ai fait, tout bonnement, ça s'appelle de l'élevage.

— Mais le venin, Irène ?

— Ben dans les labos, ils envoient une impulsion électrique, ça les fait cracher. Mais les machines sont drôlement sophistiquées. Moi, il a bien fallu que je me débrouille. Vous prenez une lampe torche, voyez, celle sur laquelle on peut appuyer un quart de seconde pour faire des signaux.

— Je vois.

— Bon. Sur les conducteurs de la pile, vous attachez un fil de cuivre, c'est pas sorcier. Vous appuyez le bout de ce fil sur le corps de l'araignée, sur son céphalothorax. *Vous me suivez, Jean-Bapt* ?

— Je vous écoute, surtout.

— Vous appuyez sur le bouton de la lampe, très court, ça lui balance une décharge et l'araignée crache. Attention, faut utiliser une pile trois volts, pas plus, sinon elle meurt. Et faut pas appuyer trop longtemps. J'en ai tué des masses avant d'être au point. Je mettais les bestioles dans un petit godet. J'en faisais cracher, disons, une centaine à la suite, puis j'aspirais le venin à la seringue, et je le transférais dans des petits tubes à essai bien bouchés. Ensuite, direction frigo. Attention, du moins 20 °, congélateur domestique quatre étoiles. Avec ça, le venin se conserve autant d'années qu'on veut.

— Une seconde, Irène, comment faisiez-vous pour que la recluse ne sorte pas du godet avant l'impulsion ?

— Un petit coup de gaz sur la cuisinière. Mais surtout pas trop. Faut le coup de main. J'avais testé sur des petites tégénaires d'un centimètre, j'en ai bousillé pas mal là aussi. Après j'avais le truc. Un infime coup de gaz, c'est pas tout le monde qui peut le faire, faut l'expérience. On se débrouille. Ensuite, ma recluse est dans les vapes, elle ne bouge plus, et je la fais cracher. Bien sûr, ça demande de la réflexion, ça demande du travail. Je ne dis pas ça pour me vanter. Il m'a fallu quatre ans pour que mes terrariums fonctionnent. J'en ai perdu beaucoup, pardon, je vous l'ai déjà dit, je m'excuse. Faut savoir qu'une araignée recharge sa provision de venin en un ou deux jours. Moi, j'ai toujours préféré attendre trois jours pour être sûre d'avoir la dose complète. J'ai compté vingt-cinq doses par seringue, pour être certaine de pas les louper. Ce qui me faisait cent cinquante doses à préparer pour les six ordures qui restaient. Plus cent si jamais je ratais mon tir. Deux cent cinquante doses. Plus deux cent cinquante autres si jamais le congélateur tombait en panne, ou qu'il y aurait coupure d'électricité. Ah oui, faut tout imaginer. Au total tout de même, ça faisait cinq cents doses à recueillir, que j'ai arrondies à six cents, parce qu'il reste toujours du venin sec qu'on ne peut pas pomper dans le godet. Ah si, faut prévoir tout ça, *Jean-Bapt.* J'ai un autre frigo dans le bûcher, là où j'avais mes terrariums derrière le bois – qui c'est qui va s'emmerder à déplacer des bûches ? –, le deuxième congélateur, fermé à clef, branché sur un générateur autonome, capable de tenir quatre jours. C'est qu'à force, c'est comme tout, on s'y connaît.

— Je l'avais dit : quatorze ans d'avance.

— C'est pour ça que vous ne pouviez rien empêcher, commissaire, ne vous en voulez pas surtout. Mais vous m'avez quand même trouvée. Là, je m'incline. Et je m'en fous pas mal, je vais vous dire, le boulot est fait. Le vôtre aussi. J'aime bien que les boulots soient faits.

Adamsberg rassembla les photos et les rangea dans son bagage. Il désigna l'assiette à Irène d'un air interrogateur, qui lui disait : « La voulez-vous ? »

— Qu'est-ce que vous voulez que j'en fasse ? dit-elle. Elle est toute cassée. Et puis c'est pas en prison qu'ils vont me laisser manger dedans, pas vrai ?

Adamsberg replia le papier bulle autour de l'assiette et la glissa avec précaution dans son sac.

— Vous allez en faire quoi, vous ? demanda-t-elle.

— La remettre là-bas, je pense. Au sol du reclusoir.

— Ça me va.

— Et maintenant, Irène…, commença Adamsberg en se levant et jetant un coup d'œil à Veyrenc.

— Ben vous pouvez me laisser une minute tout de même, coupa-t-elle. Faut que je débarrasse les tasses, et que je me prépare un bagage.

— Tout le temps nécessaire. Barrez-vous, Irène.

Adamsberg enfila sa veste, empocha sa boule à neige, attrapa son sac et se dirigea vers la porte. Irène et Veyrenc, immobiles, le suivaient du regard.

— Vous avez dit quoi ? demanda Irène.

— J'ai dit : barrez-vous, Irène. Bagage, argent – vous avez du liquide ? –, et disparaissez. D'ici demain. Je suis bien certain qu'Enzo saura vous trouver une nouvelle identité, comme il l'a fait pour lui-même. Et un portable intraçable.

— Non, commissaire, dit Irène en rassemblant les tasses. Vous ne comprenez pas. Je veux aller en prison. Je l'ai toujours prévu.

— Non, dit Adamsberg. Pas en cellule, pas pour la troisième fois.

— J'y serai justement tout à fait à mon aise. Pour les raisons que vous semblez bien connaître. J'ai fait mon boulot, je rentre entre mes murs. Je respecte ce que vous faites, *Jean-Bapt*, je dois dire. Je respecte et je remercie. Mais laissez-moi aller. Et puisque vous m'offrez une marge, je prends deux jours pour bien ranger mes affaires et aller voir Annette et Enzo. Merci de ce délai aussi, commissaire, j'aime pas le désordre. Et que vous le vouliez ou non, au troisième jour, je me présenterai à la gendarmerie de Nîmes. C'est mieux que ce soit eux qui m'emmènent. Parce que si c'est vous, j'ai idée que cela ne vous plairait pas trop.

Adamsberg avait posé son sac à terre et la regardait, penchant un peu la tête, comme pour mieux scruter sa résolution.

— Je vois que vous pigez, commissaire.

— Je ne suis pas sûr de vouloir piger.

— Ne vous frappez pas, allez. Ils me donneront quoi ? À mon âge ? Avec les « circonstances », comme ils disent ? Dix ans ? Dans quatre ans je serai sortie. Tout juste le temps d'écrire mon livre sur les blaps de La Miséricorde. Et ça, je peux le faire qu'au cachot. *Vous me suivez ?* J'aurais une chose plus difficile à vous demander. Vraiment je suis gênée, je m'excuse.

— Dites.

— C'est voir s'il n'y aurait pas moyen que j'emporte ma collection de boules à neige en prison ? C'est léger, c'est du plastique, c'est pas dangereux, et je n'ai plus personne à tuer.

— Je ferai mon possible, Irène.

— Vous y arriverez ?

— Je vous les apporterai, toutes.

Irène sourit, plus largement qu'il ne l'avait jamais vue faire.

XLVIII

Adamsberg dormit sans discontinuer durant les trois heures et demie du voyage en train, roulé sur le côté, avec cette boule à neige qui lui entrait dans les côtes et qu'il laissait faire. Veyrenc le secoua à l'arrivée crissante en gare de Lyon, qui ne l'éveillait même pas.

Les habits fripés et l'esprit froissé, il posa son sac avec ménagement sur le sol de sa cuisine – ne pas casser l'assiette –, puis sortit dans le petit jardin, s'assit sous le hêtre, fuma une cigarette de Zerk et s'allongea sur l'herbe sèche, regardant les nuages noircir les étoiles et éteindre toute lumière lunaire. C'était bien ainsi, cela correspondait. Il n'avait pas faim, il n'avait pas soif.

Se redressant à moitié, il tapa dans l'obscurité un message adressé à tous les membres de la Brigade :

— *À l'équipage : 52e passé. Silence de deux jours. Relâche pour tous, équipe de garde minimale, nourrir les merles. Détails vendredi, 14 heures.*

Puis il se rallongea, songeant que lorsque Magellan avait découvert le passage, les vaisseaux avaient tiré la canonnade de la victoire. Lui ne souhaitait rien de cette sorte. Et le tintement de son téléphone le dérangea. C'était Veyrenc.

— *Suis à vingt mètres de La Garbure, encore ouverte. Je t'attends. J'ai une question.*

— *Non, Louis, désolé.*

— *J'ai une question.*

Adamsberg comprit que Veyrenc, sachant le froid du détroit, le sonnait pour le tirer hors des ombres gelées du reclusoir. Il revit la statuette usée de saint Roch. L'homme s'était englouti dans la forêt, où le chien, messager du monde extérieur, l'avait trouvé.

— *J'arrive*, répondit-il.

— Parce que tu as faim, toi ? demanda Adamsberg devant son assiette de garbure.

Veyrenc haussa les épaules.

— Pas plus que toi.

— Alors ?

— Tu avales, et j'avale. Je vois les choses comme cela.

Ainsi avalèrent les deux hommes en silence, comme deux gars très concentrés sur leur tâche.

— Tu avais prévu de faire ainsi ? demanda Veyrenc une fois le travail accompli, versant le madiran.

— C'était ta question ?

— Oui.

— On a bu pas mal de madiran, ces deux dernières semaines.

— C'était sans doute nécessaire pour tenir contre le froid et le vent qui nous jetait d'une falaise à l'autre.

— Il n'a pas fait chaud, n'est-ce pas ?

— Réponds-moi. Tu avais prévu de faire ainsi ? De la laisser partir ?

— Oui. Depuis peu, mais oui.

Veyrenc leva son verre et les deux hommes les heurtèrent au ras de la table, en prenant grand soin de ne faire aucun bruit.

— Mais elle y va, elle retourne en cage, dit Adamsberg.

— Si tu ne l'avais pas trouvée, elle t'aurait mis sur sa piste.

— Tu as suggéré qu'elle l'avait fait exprès ? Son faux pas ? Au téléphone ? « C'est rageant que le tueur les ait tous eus » ?

— Cette femme ne commet pas d'erreur. C'était fini, et elle t'attendait.

— Et pourquoi n'ai-je pas réagi ?

— Je crois que je te l'ai déjà dit.

— Ah oui ? Quand ?

— Mes mauvais vers.

— Ah, dit Adamsberg après un silence. *As-tu freiné tes pas pour lui laisser sa chance ?*

— Tu t'en souviens. Mais tant qu'à faire, si tu veux mémoriser quelque chose, choisis de véritables vers.

— Merci, socraticien, dit Adamsberg, s'adossant de côté, moitié au dossier de la chaise, moitié au mur.

— Au risque de faire du Danglard, on ne dit pas « socraticien ».

— Mais quoi ?

— Philosophe socratique. Mais je ne suis pas philosophe. Tu vas tenter de faire entrer ses boules à neige en prison ?

— Et j'y réussirai, Louis.

Adamsberg leva une main et lut le message qui venait d'arriver sur son portable.

— *Je salue le passage du détroit que j'accompagne de mes humbles compliments.*

— De qui est-ce, à ton avis ? demanda-t-il en tendant l'écran vers Veyrenc.

— De Danglard.

— Tu vois qu'il a cessé d'être con.

Adamsberg jeta un regard vers Estelle qui, assise à une table éloignée, stylo en main, aurait dû faire ses comptes et ne les faisait pas.

— C'est ta dernière chance, Louis.

— J'ai l'esprit à Cadeirac, Jean-Baptiste.

— Comment pourrait-il être ailleurs ? Mais tu oublies deux choses : à force de ne rien faire, on finit par ne rien faire.

— Faut-il que je note cela ?

Adamsberg secoua la tête. Veyrenc avait réussi à le distraire.

— Surtout pas. On ne note que ce que l'on ne comprend pas.

— Et la seconde chose ?

— C'est notre dernier dîner à La Garbure. Tu n'y reviendras plus, Louis. Ni moi.

— Et pourquoi cela ?

— Il est des lieux, comme cela, qui accompagnent un voyage. Le voyage s'achève et ce lieu s'en va avec lui.

— Le navire emporte son ancre.

— Précisément. Et tu vois donc que tu manques de temps. Y avais-tu pensé ?

— Non.

C'est Adamsberg cette fois qui emplit leurs verres.

— Eh bien penses-y. Le temps de ce verre.

Adamsberg fit silence, accompagné par Veyrenc. Oui, c'était le dernier soir, à n'en pas douter. Après un long moment, Veyrenc reposa son verre vide et acquiesça, d'un léger cillement de paupières.

— Ne bavarde pas, dit Adamsberg en se levant, jetant sa veste sur son épaule. Tu l'as déjà trop fait.

— Tant il est vrai qu'à force de bavarder, on finit par bavarder.

— C'est cela même.

Adamsberg remontait les rues vers chez lui, opérant des détours inutiles, les mains enfoncées dans ses poches, ses doigts enserrant la boule à neige. Le navire emportait son ancre, le navire emportait l'Yraigne. Demain, Lucio rentrait d'Espagne. Il lui raconterait l'araignée, à la nuit, assis sur la caisse en bois. Et Lucio ne pourrait rien lui opposer : toutes les piqûres, morsures, blessures avaient été grattées, jusqu'au sang.

Il se rappelait la voix de Lucio, devant la maison de Vessac, à Saint-Porchaire. Qui le poussait à creuser et creuser encore tandis que lui pensait à fuir. Et Lucio avait seulement dit :

— *T'as pas le choix, mon gars.*

Mes vifs remerciements au Dr Christine Rollard, arachnologue (Département Systématique et Évolution, Muséum national d'Histoire naturelle), pour les informations qu'elle a bien voulu me fournir sur *Loxosceles rufescens*, l'araignée recluse.

Cet ouvrage a été mis en pages par

CET OUVRAGE
A ÉTÉ ACHEVÉ D'IMPRIMER
SUR ROTO-PAGE
PAR L'IMPRIMERIE FLOCH
À MAYENNE EN AVRIL 2017

N° d'édition : L.01ELIN000469.N001. N° d'impression : 90929
Dépôt légal : mai 2017
Imprimé en France